NOCHE SIN PAZ

Seth Grahame-Smith

Noche sin paz

Traducción de Antonio-Prometeo Moya

Umbriel Editores

Argentina • Chile • Colombia • España
Estados Unidos • México • Perú • Uruguay • Venezuela

Título original: *Unholy Night*
Editor original: Grand Central Publishing Hachette Book Group, New York
Traducción: Antonio-Prometeo Moya

1.ª edición: Noviembre 2013

Copyright © 2012 by Seth Grahame-Smith
All Rights Reserved
© de la traducción 2013 *by* Antonio-Prometeo Moya
© 2013 *by* Ediciones Urano, S.A.
   Aribau, 142, pral. – 08036 Barcelona
   www.umbrieleditores.com

ISBN: 978-84-92915-36-1
E-ISBN: 978-84-9944-645-5
Depósito legal: B-23.586-2013

Fotocomposición: Montserrat Gómez Lao
Impreso por Romanyà Valls, S.A. – Verdaguer, 1 – 08786 Capellades (Barcelona)

Impreso en España – *Printed in Spain*

Para Gordon, que no creería ni una sola palabra

«Díjoles el ángel: No temáis, os traigo una buena nueva, una gran alegría que es para todo el pueblo; pues en la ciudad de David os ha nacido hoy un Salvador, que es el Mesías Señor. Esto tendréis por señal: encontraréis un niño envuelto en pañales y reclinado en un pesebre.»

Lucas 2,10-12

«Ve y dile al embustero lenguaraz,
ve y dile al vagabundo de la noche,
dile al paseante, al jugador, al murmurador,
diles que Dios segará su vida por la mitad.»

Canción tradicional

2 a.C.

La magia de la época del Antiguo Testamento está llegando a su fin.

Los grandes diluvios, los animales simbólicos y los mares cuyas aguas se separan han cedido el paso a las fuerzas del hombre. Muchos creen que Dios ha abandonado el mundo, gobernado en su mayor parte por Roma y su nuevo emperador, César Augusto.

Judea (que forma parte del moderno Israel) es una de las muchas provincias romanas y está gobernada por un cruel rey títere llamado Herodes el Grande, que, enfermo y a punto de morir, se aferra desesperadamente al poder por medio del asesinato y la intimidación. Y tiene razones para estar paranoico, ya que las antiguas profecías hablan del inminente nacimiento de un mesías, un Rey de los Judíos que derrotará a los demás reinos del mundo...

1

La última batalla del Fantasma de Antioquía

«No es la muchedumbre de los ejércitos lo que salva al rey, ni se libra el guerrero por su mucha fuerza.»

Salmos 33, 16

I

Un rebaño de cabras monteses, con los delgados cuerpos, que recordaban a los antílopes, empequeñecidos por un par de gigantescos cuernos curvados, pastaba en un risco del desierto de Judea. Una agradable brisa les acariciaba el lomo mientras buscaban cualquier cosa que creciera en aquella interminable nada, arrastrando el hocico caliente y agrietado por la tierra caliente y agrietada, mordisqueando los suculentos brotes de vegetación que hubieran conseguido abrirse paso hasta la superficie.

Una, tentada por unas solitarias briznas de hierba que temblaban en el borde del risco, se apartó de sus compañeras y se acercó al profundo barranco más de lo que usualmente se atrevían. Y en aquel momento arrancó con los dientes aquellas briznas. Sus hendidas pezuñas pisaron las rocas sueltas del borde al cambiar de postura, empujando alguna que otra piedrecilla que cayó rebotando hasta el valle que se abría un centenar de metros más abajo. Diez millones de años de ambiciones geológicas deshechas en pocos segundos.

A unos kilómetros al norte de donde la cabra montes masticaba aquel alimento duramente conquistado, un carpintero viajaba hacia Jerusalén en medio del tórrido calor del mediodía, con la cabeza sumergida en historias de plagas y diluvios para que la sed no lo volviera loco. Tras él iba su esposa, una joven en avanzado estado de gestación dormida a lomos de un asno. Y aunque la cabra montés nunca lo sabría, porque su vida, como la vida de todas las cabras monteses, pasaría completamente inadvertida para los anales de la historia, estaba a punto de convertirse en el único testigo vivo de un hecho realmente extraordinario.

Aquí pasa algo...

Quizá fuera un destello percibido con el rabillo del ojo, o una diminuta, casi imperceptible vibración bajo sus pezuñas. Fuera cual fuese la razón, la cabra se sintió impulsada a erguir la cabeza y observar el vasto desierto que tenía debajo. A lo lejos distinguió una nubecilla de polvo que avanzaba sin descanso por aquel paisaje que combinaba toda la gama de pardos y marrones. Aquello era muy inusual. Las nubes de polvo se alzaban del suelo de manera continua y bailoteaban al azar en el desierto como espíritus arremolinados. Pero dos cosas convertían aquella nube en algo único: una, se movía en línea recta de derecha a izquierda; y dos, otra nube, mucho mayor, le iba a la zaga.

Al menos eso parecía. La cabra montés no sabía que las nubes de polvo pudieran perseguirse unas a otras. Sólo sabía que había que evitarlas todo lo posible, ya que eran mortales para los ojos. Sin dejar de masticar, se volvió para comprobar si las otras cabras habían visto el fenómeno. No habían visto nada. Todas pastaban como si no tuvieran otra preocupación en el mundo, con el hocico pegado al suelo. La cabra volvió la cabeza y meditó un poco más aquel extraño acontecimiento. Después, convencida de que no había peligro para ella ni para el rebaño, volvió a concentrarse en la comida. Las dos nubes siguieron moviéndose en silencio a lo lejos.

Cuando arrancó con los dientes otra brizna de hierba de la roca, la cabra había olvidado por completo que aquellas nubes habían existido alguna vez.

Baltasar no veía un carajo.

Cabalgaba montado en el camello por el desierto valle, espoleando con salvajismo los flancos del animal. Sólo sus ojos eran visibles a través de la kufiya que le envolvía la cabeza para protegerlo del sol y del olor del giboso mamífero que lo transportaba. A ambos costados de la montura colgaban unas alforjas sobrecargadas, mientras que de su cintura pendía un sable que se agitaba al ritmo del furioso galope con que recorrían las arenas del desierto. Baltasar se volvió para ver a qué distancia estaban sus perseguidores, pero lo único que vio fue la Nube. La misma nube sólida e incansable que lo iba siguiendo desde Tel Arad. La nube que le impedía saber cuántos hombres lo perseguían. ¿Docenas? ¿Centenares? No había forma de averiguarlo. Por el momento era una nube de furia sin determinar.

Oyó un débil silbido procedente de la zona donde estaba la nube, casi igual que el que produce el viento cuando cruza un desfiladero. Al principio sólo fue una nota cuyo timbre se volvía más grave y cuyo volumen se volvía más fuerte cada segundo que pasaba. A aquella nota le sucedió otra y luego otra, hasta que a sus espaldas el aire se convirtió en un coro de silbidos que pasaban del registro de soprano al de tenor conforme aumentaban de volumen y se aproximaban. En el momento en que Baltasar se dio cuenta de lo que significaba aquello, las flechas comenzaron a clavarse en la tierra que dejaba atrás.

Me disparan mientras cabalgan, pensó.

Ninguna flecha se había acercado tanto como para preocuparle. A Baltasar no le extrañaba. Todo arquero experimentado sabe que disparar una flecha desde un caballo lanzado al galope venía a ser como postrarse para rezar. Incluso a veinte metros había pocas posibilidades de dar en el blanco. Desde aquella distancia era inútil. Era sólo un signo de desesperación o de cólera. Baltasar no creía que los de Judá estuvieran desesperados. Estaban furiosos y con ganas de descargar aquella furia sobre su cráneo si conseguían atraparlo. Después de todo, las ignotas legiones causantes de aquella nube no sólo estaban persiguiendo al sinvergüenza que había huido con un tesoro de objetos robados, ni al canalla que había matado a un puñado de compañeros...

Perseguían al «Fantasma de Antioquía».

Era un apodo basado en los dos únicos datos que los romanos conocían de él: primero, que era sirio de nacimiento, en cuyo caso era una buena suposición que fuese oriundo de Antioquía, y segundo, que tenía una gran habilidad para colarse en las casas de los pudientes y hacerse con sus riquezas sin ser visto ni oído. Aparte de estos hechos y de una vaga descripción física, los romanos no sabían nada, ni su edad, ni siquiera su auténtico nombre. Y aunque «El Fantasma de Antioquía» no era un apodo muy original, tampoco era tan malo. Baltasar tenía que admitir que le gustaba verlo en la lista de los «delincuentes conocidos» que aparecían en las paredes de los edificios públicos, siempre en rojo, siempre en latín: *¡Se busca! El Fantasma de Antioquía... Enemigo de Roma! ¡Ladrón del Imperio Oriental!* Desde luego, no tenía la mala fama de Aníbal o la de Espartaco, pero era algo así como una celebridad menor en aquel pequeño rincón del mundo.

Sonó a sus espaldas otro coro de silbidos, seguido por otra lluvia de flechas. Baltasar se volvió y vio como caían las últimas. Aunque seguían cayendo demasiado lejos para preocuparle, aquella andanada no había sido disparada tan alocadamente como la anterior. *Se están acercando,* pensó.

—¡Más rápido, idiota! —gritó al obstinado camello, propinándole patadas en los flancos.

Ojalá pudiera apartarse de la vista de sus perseguidores durante un par de minutos y cambiar de dirección. Incluso en aquella situación, perseguido en medio de ninguna parte por un número indeterminado de soldados de Judea, con un camello cansado y maloliente y una espada roma por toda defensa, y aunque sus perseguidores estaban sólo a un par de minutos de distancia, Baltasar aún tenía una posibilidad de escapar. Había pasado años memorizando una red de cuevas donde esconderse, atajos entre tierras yermas, los mejores sitios para hacerse con comida y agua durante la huida. Había aprendido a sobrevivir. A seguir adelante en momentos en que el mundo entero parecía empeñado en mandarlo al infierno. Momentos como el presente.

Advirtió que el camello reducía la velocidad y le propinó otro fuerte puntapié en el flanco.

—Vamos..., un poco más...

El animal se había esforzado por no aflojar el paso cargado con aquellas pesadas alforjas, y Baltasar se había visto obligado a tirar algunos objetos, los más pesados, al huir de Tel Arad. Ver toda aquella riqueza desperdigada en la arena le había revuelto el estómago. Apretaba las mandíbulas y le rechinaban los dientes sólo de pensar que algún afortunado pastor podía tropezar con aquel botín. No había nada más fastidioso e injusto que negar a un hombre los frutos conseguidos a pulso con su trabajo, sobre todo cuando esos frutos eran de oro macizo. Baltasar había acariciado brevemente la idea de cortarse un brazo para desprenderse de un peso similar. Pero la perspectiva de ser un maleante manco no era muy esperanzadora.

—¡Más rápido! —gritó de nuevo, como si aquello fuera a estimular al camello más que las mil patadas que le había asestado ya. La distancia entre sus perseguidores y él se acortaba y Baltasar se vio obligado a considerar de nuevo lo impensable: deshacerse de otra parte de aquel tesoro tan duramente ganado.

Rebuscó en una alforja hasta que sus manos dieron con algo que parecía pesado. Le resultó casi insoportable mirarlo cuando lo sacó. Allí, en su mano, había una copa de plata maciza, casi del tamaño de una sopera, grabada con intrincados dibujos y adornada con piedras preciosas. Era una pieza admirable, fabricada con los materiales más finos con la más exquisita maestría. También era increíblemente pesada. Baltasar apoyó la copa en el muslo. Luego, apartando la mirada y con el estómago encogido, la dejó caer. Volvió la cabeza para ahorrarse el espectáculo de la copa rodando por la arena del desierto y para resarcirse propinó al camello otro fuerte puntapié.

—Vamos, imbécil..., un poco más...

Ciertamente la sed no era el problema. Un camello podía beber cien litros de una sentada y vivir con esa agua durante semanas. Su orina era un espeso jarabe. Por el amor de Dios, hasta su mierda era tan seca que se podía utilizar como leña. No..., no era la sed.

Imposible. ¿El cansancio? Improbable. Se sabía que los camellos podían vivir cincuenta años o más. Y aunque Baltasar sólo había podido echar un breve vistazo a la cara del animal mientras se lo robaba a un desdichadísimo beduino, calculó que no tendría más de quince años. Veinte a lo sumo. Aún estaba en la flor de su triste vida.

—Sólo un poco más, hijo de puta...

No, aquel camello era un cabezota, nada más que eso. Y la cabezonería se podía corregir con un par de patadas bien dadas. Baltasar calculó que el animal podía seguir galopando a toda velocidad durante una hora más. Quizá dos. Y si ese cálculo se sostenía, si conseguía vencer la cabezonería del camello, entonces tendría una posibilidad de llegar a Jerusalén. Y si llegaba a Jerusalén, estaría a salvo y en casa. Allí podría mezclarse entre la multitud que sin duda abarrotaba las calles con motivo del censo. Podría desaparecer. Cambiar sus objetos robados por monedas, ropas, alimentos... y, desde luego, por otro camello.

Puede que Baltasar fuera un ladrón, pero detestaba correr riesgos. El riesgo mataba a los hombres. El riesgo era innecesario. Cuando un hombre estaba preparado, cuando tenía el control, todo sucedía según lo planeado. Pero en el momento en que dejaba algo al azar, en el momento en que confiaba en socios, o en el instinto, o en la suerte, todo se iba al garete. Por eso lo perseguía por el desierto una gigantesca nube mientras él montaba un animal apestoso y falto de entusiasmo. Porque había corrido un riesgo. Porque había cometido el pecado imperdonable de confiar en su instinto.

Por mucho que le fastidiara, por mucho que fuera contra su naturaleza, Baltasar tuvo que admitir que el desenlace de su actual situación estaba más allá de su control. Ya podía propinar todas las patadas que quisiera a la bestia y hartarse de maldecir...

Ahora todo dependía del camello.

II

Todo había parecido perfecto. La tentación era enorme: alijos mal vigilados de objetos preciosos, un noble corrupto, y un populacho explotado por los romanos. Ni un cartógrafo habría podido encontrar un camino más directo al corazón de Baltasar.

Otra tentación había sido el lugar. La ciudad de Tel Arad estaba a más de setenta kilómetros al sur de Jerusalén. Y cuanto más lejos estuviera de Jerusalén, menos probabilidades había de encontrar tropas, ya fueran nativos de Judea del rey Herodes o soldados de élite romanos. Y aunque Tel Arad aún palidecía en comparación con la gran capital de Judea, era la sede de un templo impresionante de reciente construcción. Para las personas respetuosas de la ley aquello habría parecido un detalle trivial. Pero para Baltasar lo era todo. Los templos significaban viajeros y cambistas. Significaban que un hombre de aspecto y acento foráneos no llamaría la atención y que alguien que quisiera vender objetos robados podría hacerlo con facilidad. Los templos eran el mejor amigo del ladrón.

La fundación de Tel Arad se remontaba a miles de años atrás y había sido destruida y reconstruida más veces de las que sus habitantes podían recordar. Y durante miles de años no había pasado de ser una «lúgubre aldea». Pero los tiempos habían cambiado. A ambos lados de la aldea olvidada habían prosperado vastos imperios que la habían transformado en un bullicioso centro de comercio. De repente, Tel Arad era el centro por el que pasaban las mercancías romanas que se dirigían hacia oriente y las mercancías árabes que se dirigían a occidente, hacia Egipto, el Mediterráneo y, finalmente, Roma, por lo que su condición había ascendido a la categoría de «pequeña ciudad».

El síntoma más contundente de su creciente importancia había aparecido sólo un año antes, cuando Roma había decidido enviar a un gobernador, Décimo Petronio Verres, para que se ocupara de la administración de la pequeña ciudad. Oficialmente, Décimo estaba allí para asegurarse de que Tel Arad cumplía las tradiciones y respetaba las virtudes de la vida romana. Oficiosamente, y lo más importante, estaba allí para cortarles la cabeza a los ciudadanos conflictivos y asegurarse de que sus habitantes pagaran los impuestos cuando tocaba.

Puestos a entrar en detalles, Décimo se había sentido humillado al enterarse de su destino. Naturalmente, se lo habían asignado como un honor. Había sido «elegido por Augusto en persona para representar al imperio en Oriente». Pero Décimo sabía lo que era en realidad: una castración. Un castigo por oponerse al emperador en el senado demasiadas veces.

Lloró en privado al enterarse del nombramiento. ¿Cómo podían hacerle aquello a él? Para empezar, el desierto no era lugar para un romano, y menos aún para un romano como él, obeso y de tez blanca. Además, él era muy feliz donde estaba: segura y confortablemente instalado en las afueras de Roma, rodeado por el boato de una razonable, aunque no exorbitante riqueza. Ya había cumplido los cincuenta años, era demasiado viejo para cambiar por completo su forma de vida y andar de acá para allá bajo el calor. Roma era el centro del mundo, sede de todas las diversiones e incentivos que un hombre podía desear. Por el contrario, el desierto era una sentencia de muerte. Pero el emperador había hablado. Y castración o no, Décimo no tuvo más remedio que obedecer.

Ni siquiera de los miembros exiliados de la nobleza romana se esperaba que viajaran sin las comodidades de casa. Poco después de su llegada a Tel Arad, Décimo ordenó que se construyera una residencia amurallada siguiendo sus indicaciones al pie de la letra: una reproducción fortificada y a gran escala de la villa que poseía en Roma. Mandó llamar al mismo pintor para que reprodujera sus frescos favoritos y a los mismos artesanos para que colocaran los mismos mosaicos de sus suelos, tesela por tesela. El mismo jardín y las mismas fuentes dominaban el patio central de la casa. Los mismos esclavos habían hecho el viaje para servir a Décimo de día y las mismas concubinas para servirle de noche.

Una vez acabada, la residencia tenía un aspecto impresionante. Un brillante símbolo de la superioridad romana oculto al público detrás de unos muros de tres metros de altura. Estaba construida en la cima de una colina, con vistas a la zona noroeste de la pequeña ciudad, encima del templo y del bazar donde, como decía Décimo, «los *rebuznidos* de los asnos, los *alaridos* de los mercaderes y los *balidos* de los fieles forman un coro incesante que no me concede ni un solo instante de paz».

Pero no todo era tan malo en Tel Arad. Aunque había tardado algún tiempo, Décimo había terminado por encariñarse con su nueva ciudad. No por sus riquezas culturales ni su belleza natural, que eran inexistentes. Ni por las mujeres de allí, dado que había importado las suyas. No; se había encariñado con su nuevo hogar porque, hablando con educación, era un vertedero de basura.

En Roma siempre había alguien más poderoso, alguien con quien contemporizar o a quien untar la mano. Las conjuras y traiciones traían duras consecuencias. Roma era una ciudad de leyes. Pero el desierto era un lugar sin ley. En Tel Arad, Décimo era el único con quien había que contemporizar. Su bolsillo era el único que había que llenar. Él era la ley. Era un papel que nunca había tenido oportunidad de desempeñar en Roma y cada día que pasaba lo disfrutaba más.

Como gobernador de aquel pozo de arena dejado de la mano de Dios, tenía el poder y por lo tanto la responsabilidad de comprobar que las mercancías árabes que se dirigían a occidente estuviesen al nivel de la «normalidad romana», expresión que tenía un significado muy amplio y siempre cambiante, pero que más o menos podía resumirse como «cosas con las que Décimo no se habría quedado».

Nombró «inspectores» a unos cuantos lugareños a su servicio y los dejó sueltos por el bazar para que llevasen a efecto comprobaciones aleatorias de calidad, por decirlo de alguna manera. Aquellos inspectores lo comprobaban todo, desde joyas hasta artículos de cerámica, pasando por la artesanía textil y productos de alimentación. Y si un objeto parecía ser de «calidad inferior» o «sospechoso de ser una falsificación», era confiscado y trasladado a la residencia del gobernador para ser sometido a una comprobación en el futuro. Allí, Décimo tenía la última palabra sobre si había que devolver el objeto o si había que guardarlo indefinidamente en una estancia construida especialmente para este fin. En los seis meses que habían transcurrido desde el comienzo de las inspecciones, ni un solo mercader podía recordar que se hubiera devuelto un solo objeto. ¿Y si se quejaban? ¿Y si causaban algún problema, por pequeño que fuera? Décimo se aseguraba de que no volvieran a poner los pies en el bazar.

Ahora era él quien tenía el poder de desterrar.

Con tantos objetos valiosos almacenados en un mismo lugar, Baltasar se había olido su existencia al cabo de poco tiempo. Los rumores le habían llegado a través de los canales habituales, con las exageraciones de costumbre:

—¡Nunca ha existido un romano más ladrón! ¡Se sienta sobre tal montón de riqueza que haría palidecer de envidia a los dioses!

Y aunque normalmente aquellos rumores no llevaban a nada, la mera posibilidad de robar un pequeño tesoro robado, y de paso dejar en ridículo a un gobernador romano, bien valía echarle un vistazo de cerca. Y así fue como Baltasar se había puesto en camino desde Damasco, adonde lo había conducido otro rumor, un rumor cuya veracidad llevaba años investigando. *El único que en realidad le importaba.* Había cabalgado hacia el sur pasando por Bosra y evitando los caminos en lo posible. Y la quinta noche de viaje había visto brillar a lo lejos las antorchas de Tel Arad, y por encima de ellas, las grandes murallas blancas de la residencia del gobernador.

Al día siguiente había hecho preguntas en el bazar, con la esperanza de comprobar algunas de las historias que le habían contado en el norte. Para su sorpresa, no sólo se las confirmaron, sino que, a juzgar por lo que le dijeron, el valor de los objetos confiscados era mucho mayor de lo que había imaginado. Cálices de oro, pulseras de plata, especias y perfumes raros...; todo confiscado por aquel tipo llamado Décimo. Todo puesto a buen recaudo tras sus murallas.

Parecía una de esas raras ocasiones en que la verdad superaba la leyenda.

Baltasar tenía ya el móvil. Ahora estaba a la espera de una oportunidad. Vigiló de lejos la residencia del gobernador, tomando nota de cuántos guardias había, cuándo y cómo patrullaban el recinto y qué clase de armas portaban. Aunque Tel Arad era provincia romana y sus habitantes pagaban impuestos romanos, el ejército romano no podía ser molestado para que acudiera a un lugar situado tan al este, y mucho menos para velar por los intereses de un gobernador que había perdido el favor del emperador. Para vigilar su residencia, Décimo se había visto obligado a quedarse con un puñado de soldados del ejército de Judea, cedidos por Herodes el Grande y que resultaban mucho menos impresionantes. A pesar de todo, aunque los soldados de Judea no eran tan profesionales ni estaban tan bien equipados como sus colegas de Roma, tampoco eran moco de pavo. Irrumpir solo en la residencia no entraba en sus planes.

Baltasar necesitaba una forma de colarse. Una forma de cruzar sus defensas. Dos días después de llegar a Tel Arad, encontró una.

Se llamaba Flavia.

Con diecisiete años, tendría que haber estado en Roma, disfrutando de los privilegios de la riqueza y la juventud en la ciudad más grande del mundo, viviendo con el resto de vástagos de la clase dirigente. Lejos de ello, su padre la había arrastrado al desierto del Imperio Oriental para que se marchitara bajo aquel calor. Sin nada que hacer. Sin nadie con quien hablar, salvo concubinas y esclavos.

Baltasar la había observado durante tres días. Cada mañana bajaba por la colina donde estaba la residencia de su padre, acompañada por un par de soldados. Durante las horas siguientes, paseaba por el laberinto de calles atestadas que formaban parte del bazar, comprando de todo, desde sedas y liras hasta higos, ignorante o indiferente al hecho de que podía conseguir cualquiera de aquellos objetos gratis en la residencia de su padre. Luego, al mediodía, subía la colina y desaparecía tras las murallas de la residencia para no volver a ser vista hasta el día siguiente.

Cuando Baltasar entró por fin en acción, lo hizo utilizando el truco más antiguo y fácil. Tan fácil que casi se sintió avergonzado.

—Perdón —dijo.

Flavia se volvió al mismo tiempo que los soldados que la acompañaban. Tenía el pelo rubio y rizado, una rareza en aquella parte del mundo, un cuerpo maduro, un rostro bonito y una nariz pecosa, también una rareza. No era su tipo, pero tampoco estaba mal.

—Creo que se te ha caído esto —añadió.

Le ofreció la mano cerrada, que rápidamente fue sujeta por un guardaespaldas. Baltasar sonrió y abrió la mano, dejando al descubierto una pulsera de cuentas. La pulsera que la madre de Flavia le había regalado antes de morir.

La pulsera que Baltasar le había robado unos momentos antes.

Flavia lo miró con aire incrédulo. *Siempre reaccionan igual*, pensó él. La muchacha se preguntó cómo había podido perder algo tan preciado para ella. Apartando a los guardias, dio las gracias efusivamente a Baltasar y se presentó, alargando la mano:

—Flavia —dijo.

—Sargón —respondió Baltasar, estrechándosela.

—Sargón..., ¿te importaría acompañarme a dar un paseo por el bazar?

Ahora tengo que titubear... Mi rostro enrojecerá de modestia. Sí, te acompañaré a dar un paseo por el bazar. Pero he de hacerte creer que es lo último que se me habría ocurrido..., se dijo Baltasar.

—Vamos —insistió la joven al verlo vacilar—. Deja que te compre alguna cosa para recompensar tu buena acción.

—Oh, bueno... Yo... no sé.

Claro que lo sé. Pero ahora tengo que titubear un poco más. No demasiado..., no tanto como para que pierdas el interés. Sólo lo suficiente para que creas que puedo decir que no. Y entonces, cuando vea en tus ojos que crees que voy a decir que no, aceptaré tu invitación.

—Bien, pero... tu compañía es la única recompensa que quiero.

Y tú, silenciosamente, caes en la trampa... mientras yo me preparo para conquistarte con todas las mentiras de una vida.

Flavia y «Sargón» pasearon durante horas y hablaron de todo. Dos espíritus solitarios que finalmente —por puro milagro— encontraban un alma gemela en aquella lejana tierra. Y aunque los guardaespaldas de la joven miraban al tal Sargón con recelo, y les hubiera gustado darle una paliza y echarlo de allí, sabían que era mejor no llevar la contraria a la única hija de Décimo Petronio Verres.

Al cabo de tres noches y tres paseos por el bazar, Flavia coló a Baltasar en la residencia y en su dormitorio..., como él sabía que ocurriría.

Las dos semanas siguientes habían sido divertidas. Mejor dicho, fructíferas.

Por la noche, mientras Flavia dormía, Baltasar se levantaba silenciosamente de la cama para ponerse a trabajar, recorriendo lenta y metódicamente la residencia, grabándosela en la mente hasta

que conoció todos sus rincones de memoria, hasta que averiguó las costumbres nocturnas de todos los esclavos y los lugares donde estaban apostados los guardias. Hasta que supo cómo ir de un lado para otro sin poner un pie en las zonas alumbradas por las antorchas. Y lo más importante, hasta que hubo examinado todos los objetos confiscados en la legendaria habitación del gobernador, que encontró la primera noche y que, como todo lo que había en Tel Arad, había superado sus expectativas.

Y la noche que Baltasar creyó que ya no le quedaba nada por saber, llenó dos grandes alforjas con objetos que había elegido atendiendo a su valor y a su peso, de tal manera que pudiera transportarlas sin dificultad y moverse con rapidez si fuera necesario. Con las alforjas llenas, se había dirigido por una ruta preparada cuidadosamente y que llegaba hasta la puerta trasera de la residencia. La que siempre quedaba desatendida por espacio de diez minutos a aquella hora de la noche, gracias a un guardia con unas funciones fisiológicas *fabulosamente* regulares.

Se arrastró por el jardín a oscuras (veintisiete pasos), pasó junto a la fuente (otros diez, pero girando ligeramente a la izquierda) y luego torció bruscamente a la derecha, al llegar al reloj de sol. Después, treinta pasos justos en línea recta hasta la puerta. Treinta pasos para alcanzar la libertad...

—¿Sargón?

Baltasar casi dejó escapar un grito al dar media vuelta para encararse con la voz. Al principio creyó que se había dado de bruces con un fantasma. Un ser blanco y transparente que parecía flotar hacia él desde la oscuridad, apenas perceptible a la luz de la luna. Se detuvo, paralizado, mientras se acercaba..., hasta que vio lo que era realmente: un camisón blanco, agitado por el cálido aire nocturno.

—Flavia... —susurró.

—Eres... eres un ladrón —dijo la joven.

¿De dónde has sacado esa idea? ¿Será por las alforjas llenas de objetos robados que llevo a cuestas en medio de la noche?

—No.

—Me has utilizado.

Sí, te he utilizado y te volvería a utilizar. ¿Y quién te crees que eres para sentirte utilizada? Eres una romana. Todos los de tu clase utilizan a los demás. Lo único que hacéis es expoliar, quemar, robar y asesinar.

—No —dijo Baltasar—. Flavia, escúchame...

—¡Calla!

Sólo tenía que gritar para que los guardias acudieran corriendo. Y cuando eso ocurriera, el emocionante problema que en aquel momento hacía que el corazón de Baltasar latiera con fuerza en su pecho se convertiría de inmediato en un problema real, *un problema de órdago.*

Por otra parte, ella podía dejarlo escapar con facilidad en medio de la noche. Nadie sospecharía nunca que Flavia había tenido la culpa del robo. Su castidad no quedaría en entredicho y Baltasar estaría lejos por la mañana, con la promesa de regresar y «sacarte de aquí, Flavia, en el momento oportuno, para llevarte lejos de todo esto, para poder estar juntos». Una promesa que no tenía la menor intención de cumplir.

—Flavia —exigió—. Escúchame, ¿quieres? Sí..., es verdad, he cogido todo esto. Lo he cogido del almacén de tu padre. ¡Pero tienes que creerme..., hay una buena razón para hacerlo! ¡Tu padre robó todos estos objetos a los habitantes de Tel Arad! ¡Pobre gente! ¡Hombres honrados! No podía soportar verlos sufrir. La verdad es que me has pillado robando, sí. Robando al hombre que robó antes. ¡He robado de nuevo esos objetos para devolvérselos a sus legítimos propietarios! ¿No hablas siempre de lo cruel y egoísta que es tu padre? ¡Bien, Flavia! ¡Aquí está la prueba!

La estoy convenciendo. He de decirle algo que le llegue al corazón..., Desviar su atención del robo.

—Y... sí —prosiguió—. Sé que debería habértelo contado antes, pero no quería que te vieras implicada. ¿Y si algo hubiera salido mal? ¿Y si te hubiera metido en problemas? No me lo habría perdonado jamás, Flavia. Eres demasiado buena para una cosa así.

—Yo... yo no sé...

Sí, lo sabes.

—Flavia, te juro por nuestro amor..., por mi alma, que lo que digo es la verdad.

Ella se quedó callada un momento, vacilante y confusa, víctima de la juventud y la inexperiencia, y de un profundo deseo, una necesidad, de creer que todo lo que él decía era cierto.

—Por favor, Flavia, no tengo mucho tiempo...

También podría darle un golpe en la cabeza. Si hiciera falta, sólo un ligero golpe en la cabeza. No tan fuerte como para hacerle daño, pero lo suficiente para que yo pueda salir de aquí a toda prisa.

Pero Baltasar no creía que fuera necesario. Su instinto empezaba a decirle que todo iba a salir bien... y decidió confiar en el instinto.

No gritará. Detesta a su padre. Sí, detesta a su padre, detesta que la haya traído aquí. Además, lo hemos compartido todo. Nuestros secretos más íntimos. Nuestro más profundo amor. Y sí, es verdad que eso es mentira, pero no para ella. Es imposible que me descubra. Me ama. Soy un tipo con gran habilidad para saber de estas cosas, y ahora sé que no gritará. Nunca había estado tan seguro de algo.

Gritó.

III

Estaba claro que no conseguiría llegar a Jerusalén. El camello había aminorado el ritmo durante la última hora. Y por mucho que Baltasar lo espoleara y maldijera, no lo recuperó. No era cabezonería: era una porquería de camello.

Sabía que había un pueblo grande al norte de Jerusalén. Bethel, si no recordaba mal. O Beit El. O como demonios se llamara. *Suena de un modo parecido a Belén, pero no es Belén*, pensó. No importaba. Sabía que estaba allí, a unos doce kilómetros, y tendría que servirle. Con el camello debilitándose a toda prisa, enfiló hacia el pueblo. Aún tenía una oportunidad. Aún podía escapar, siempre que el animal no se derrumbara de repente por el camino.

¿Cómo es esa historia que cuentan los judíos? La de la lámpara que tenía aceite para una sola noche, pero ardía durante ocho. Pues así es mi camello, sólo le queda combustible para una milla romana. Si aguanta ocho, será un milagro.

Milagro o no, el camello lo consiguió y Baltasar entró al galope en Bethel (había acertado el nombre la primera vez), un minuto por delante de la ignota amenaza que lo perseguía. Se trataba de uno de los mejores satélites que orbitaban alrededor de Jerusalén. Un pueblo de menos de dos mil habitantes, que muchos nobles judíos, junto con sus familias, habían elegido para escapar del ruido y el ajetreo de la capital. No había posadas para alojar a los viajeros, ni grandes templos que vomitaran el humo de los sacrificios, ni bazares rodeados de ruidos y olores. Y mientras el censo atestaba las calles de Jerusalén, a doce kilómetros de distancia, apenas se notaba que se estuviera realizando en aquellos momentos en Bethel. Menos de diez personas se percataron de su presencia cuando llegó al galope a la plaza central.

Baltasar detuvo el camello, que se alegró de la parada, y saltó a tierra. Retiró del lomo las alforjas medio vacías, se las cargó al hombro y propinó al animal una fuerte palmada en los cuartos traseros. No podía dejarlo allí. Sabe Dios cuántos soldados estaban a punto de entrar al galope en el pueblo con órdenes de buscarlo y matarlo a cualquier precio. Si veían el camello, tendrían una idea bastante aproximada de por dónde empezar a buscarlo.

—¡Vete! ¡Aléjate de aquí!

El cuadrúpedo no se movió. Lo golpeó de nuevo.

—¡Vete!

El camello gimió, se arrodilló doblando sus flacas patas y cayó de costado con un golpe sordo: seiscientos kilos de camello.

De camello muerto.

Baltasar dedicó un momento a meditar. Ahora que lo pensaba, puede que hubiera pedido demasiado al animal. Y ahora que lo veía mejor, no era ni mucho menos tan joven como había creído. Ni siquiera se acercaba a los quince o veinte años. De hecho, era uno de los camellos más viejos que había visto en su vida. La verdad es que era un milagro que hubiera llegado tan lejos.

No supo qué decir. En parte porque tenía prisa, pero sobre todo porque la sinceridad no era su fuerte, se limitó a decir en voz alta:

—Lo siento.

Luego, una vez terminado el período de duelo, corrió como alma que llevara el diablo.

Sabía que los habitantes del pueblo lo mantendrían a salvo. Odiaban a los romanos tanto como él. *De acuerdo, los que me persiguen no son auténticos soldados romanos..., son de Judea. Pero si te paras a pensarlo, ¿hay alguna diferencia? Todos acatan las órdenes de*

Roma, igual que Herodes el Grande, ese títere embustero, degenera-do y criminal. Si los judíos odiaban a alguien más aún que a César Augusto, era al reyezuelo que gobernaba Judea en su nombre. Y aunque Baltasar no era judío, desde luego no era amigo de Herodes. Eso tenía que contar, ¿no? El enemigo de mi enemigo..., ¿no se decía así?

Él era el Fantasma de Antioquía y a la gente le gustan los famosos. Aunque fuera un famoso de poca monta.

Sí, los del pueblo se apiadarían de él. Lo mantendrían a salvo y oculto cuando los soldados echaran las puertas abajo a patadas, cosa que podía suceder ya en cualquier momento. Y si la compasión no era suficiente, sobornarlos con parte del tesoro que le quedaba les haría simpatizar con él.

Baltasar cruzó la plaza corriendo, con las alforjas medio llenas de objetos de oro y plata, incienso y seda, con el rostro aún cubierto por la kufiya. Se dirigió hacia el edificio más grande que vio, el único de dos plantas y uno de los pocos construidos con ladrillo. El edificio estaba cubierto por una especie de bóveda y tenía pequeñas ventanas de cristal en las fachadas oriental y occidental, una extravagancia que apenas se veía fuera de Roma. Y aunque Baltasar no podía ver el origen, una columna de humo blanco se elevaba detrás del edificio. No hubo derroche de sabiduría estratégica en su decisión de elegir aquel lugar. Un edificio grande ofrecía más escondites. Y más escondites significaban más oportunidades de sobrevivir.

Pero en cuanto cruzó el umbral, Baltasar supo que era hombre muerto.

Tenía que estar muerto... porque aquello sólo podía ser el paraíso. Había mujeres húmedas y desnudas por todas partes. Hermosas. En cueros vivos. El vapor se elevaba de sus lustrosos cuerpos, que resplandecían bajo los rayos de luz que se colaban por las ventanas.

Una casa de baños.

El techo abovedado estaba a unos siete metros y su lisa super-

ficie estaba pintada con olivos que se elevaban hacia un cielo poblado de nubes. Las paredes de la piscina, que abarcaba gran parte
de la estancia, estaban cubiertas con baldosas que configuraban un
mosaico. Un mosaico de baldosas y quince mujeres desnudas. Mujeres que en aquel momento miraban al hombre lleno de polvo, de
rostro cubierto y grandes alforjas al hombro. El hombre que no
tendría que haber estado en un baño de mujeres.

Aquello no era como lo de Flavia. Baltasar no tenía ninguna
duda de que aquellas mujeres estaban a punto de romper a gritar,
a menos que actuara con rapidez. Recuperando la compostura, se
llevó un dedo a los labios para pedir silencio y, con un tono de voz
lo menos amenazador que pudo, dijo:

—Mil perdones...

Se bajó la kufiya, dejando al descubierto un rostro en el que se
veía una atractiva mezcla de bronceado y barba de unos días y una
cicatriz en la mejilla derecha con forma de equis. Y sonrió. Una
sonrisa encantadora, tranquilizadora. Incluso elegante, creyó él.
Una sonrisa que había practicado durante horas mirándose en las
aguas del río Orontes, y que era, modestia aparte, uno de sus mayores atractivos.

—Soy —añadió— el Fantasma de Antioquía.

¿Fue un brillo de reconocimiento lo que vio en algunos ojos?

—Estoy buscando un lugar donde esconderme de los hombres de Herodes. Cuando se hayan ido, seguiré mi camino sin
pronunciar palabra. No tenéis nada que temer, hermanas, os lo
prometo.

No gritaron.

A la gente le gustan los famosos.

Exceptuando el botín que le quedaba, Baltasar habría dado
cualquier cosa por quedarse y empaparse de aquella escena un rato
más, pero entonces oyó el retumbar de cascos de caballos que se
acercaban. Hora de desaparecer. Convencido de que las mujeres y
él habían llegado a un entendimiento, cruzó la estancia tan rápida
y respetuosamente como le fue posible, en dirección a una fila de

vestidos femeninos que colgaban en la pared de enfrente. Había suficientes para ocultar sin problemas a un hombre y unas alforjas. Era perfecto. Los soldados no osarían introducirse en la intimidad de un baño de mujeres. Tampoco era probable que las mujeres salieran corriendo a la calle para cotillear sin ropa. Baltasar oía ya los sonidos ahogados de las órdenes que gritaban fuera, el entrechocar de las espadas y corazas de los hombres que se desplegaban. Pocos segundos después, entraron tres soldados de Judea. Baltasar los observó mientras reaccionaban igual que él: primero sorpresa, luego vergüenza e inmediatamente después excitación.

Un soldado recuperó suficiente compostura para decir:

—Perdonadnos...

Adelante, perro. Adelante, pregúntales si han visto a un hombre entrar aquí. Mis hermanas no dirán una palabra. Lo único que dirán es que te vayas al cuerno.

—¿Habéis visto...?

El corazón de Baltasar se detuvo cuando todas y cada una de las mujeres señalaron su escondite a la vez.

Ni siquiera le dejaron terminar la pregunta

Y allí estaba él. Después de un día en el desierto, un camello muerto y una fortuna en objetos abandonados, tenía que soportar aquello.

Baltasar era un ladrón excepcional. Experto en robos con agravantes y un superviviente consumado. Pero lo que mejor se le daba, para lo que realmente tenía un don, era para segar vidas humanas con la espada. No era algo que le enorgulleciera. Bueno, quizás un poco sí. Pero en general él medía el éxito por el botín conseguido, no por la sangre que derramaba. «El éxito —le gustaba decir— consiste en robar una fortuna sin desenvainar la espada. El fracaso es muchos muertos y ningún beneficio.»

Los tres soldados desenvainaron los aceros y empezaron a cruzar los baños en dirección a la fila de vestidos colgados que las mujeres habían señalado.

A los tres les quedaban pocos segundos de vida.

Pedro casi saboreaba su victoria. Como capitán del ejército de Herodes, una de sus prioridades era dar caza al Fantasma de Antioquía. Y ahora estaba a punto de hacer exactamente eso. Semejante honor significaría un ascenso, naturalmente. Dinero. Tierras. Quizás incluso un esclavo para trabajarlas. Y lo mejor de todo, significaría un salvoconducto para salir de Tel Arad y el fin del trato con aquel romano gordo y corrupto, Décimo Petronio Verres.

Sus hombres estaban llamando a todas las puertas, registrando todas las casas de la zona. El Fantasma no podía haber ido muy lejos. Menos de un minuto después de que hubiera llegado a la plaza, ellos habían hecho lo mismo. Y de forma incomprensiblemente estúpida había dejado un camello muerto para facilitarles la búsqueda. Que el fugitivo se hubiera tomado su tiempo para matarlo sin razón alguna demostraba lo malvado que era.

Claro que algunos hombres dudaban que el objetivo de la búsqueda fuera realmente el Fantasma de Antioquía. Pero Pedro lo sabía. Llevaba allí tiempo de sobra para reconocer sus métodos. Su elección de la víctima. Incluso antes de que Flavia describiera al hombre que había visto robando en la residencia de su padre (alto y de piel aceitunada, de constitución fuerte, cabello oscuro hasta los hombros y una cicatriz en forma de equis en la mejilla derecha), él lo sabía. También sabía lo bastante para sospechar que ella se había saltado la parte en que lo había invitado a su cama, pero ese detalle no era importante. Así que cuando se enteró de que un hombre de esas características había robado un camello, Pedro había reunido todos los soldados que había podido para perseguirlo por el desierto de Judea, atragantándose con el polvo y rezando para que el Fantasma no consiguiera llegar a Jerusalén, donde desaparecería en cuestión de segundos.

El capitán Pedro había suplicado a Dios que hiciera un milagro, y Dios había respondido. Ahora estaba en Bethel, el último lugar en que esperaba estar cuando despertó aquella mañana. El lugar que siempre recordaría como la sede de su gran victoria..., suponiendo que Dios lo ayudara un poco más. Pedro volvió a elevar una plegaria al Señor.

Dame una señal, Padre Celestial. Ayúdame a llevar a ese peligroso asesino ante la justicia. Ayúdame a proteger a los hijos de Israel y a respetar tus leyes, oh, Dios.

Como es lógico, pasó por alto lo de ser recompensado con dinero, tierras y esclavos, pero eso no era lo importante. Dios volvió a escucharlo, pues apenas había terminado de rezar cuando a oídos de Pedro llegó un rumor. Un hermoso rumor que significaba que la gloria estaba a su alcance:

Gritos ahogados procedentes de la casa de baños.

La cabeza cayó en el agua, con los ojos aún parpadeando mientras se hundía hasta el fondo, y las mujeres se desahogaron finalmente lanzando gritos agudos. Se apelotonaron al intentar salir del agua mientras una mancha de color rojo oscuro se extendía por el transparente líquido.

Baltasar había esperado a que los soldados estuvieran al alcance de su mano para saltar de detrás de los vestidos y atacar al que tenía más cerca. Había sido un movimiento afortunado, uno entre cien, la verdad sea dicha, y la hoja había golpeado el cuello en el lugar exacto, entre las vértebras, segándolo limpiamente. Antes incluso de que la cabeza del primer soldado hubiera caído, Baltasar había tirado de espaldas al segundo propinándole una patada en el pecho. Luego, cuando los primeros gritos empezaron a resonar en el baño, había ensartado al tercer soldado clavándole en la barriga la espada, que le había salido por la espalda. Levantó con el arma al soldado, que casi era un niño, y vio que su rostro pasaba del rosa al blanco ceniza, y luego la retiró, dejando que su sangre y sus entrañas regaran las baldosas del suelo.

El segundo soldado ya se había puesto en pie, pero sólo estuvo así un breve momento. Baltasar movió el brazo y le rebanó el cuello de un tajo. El hombre soltó la espada y se llevó las manos a la herida. La sangre se filtró entre sus dedos, saliendo a chorro. Su rostro adoptó el mismo matiz blanco, la misma expresión de miedo de todo aquel que llega a la vieja y terrible conclusión, la misma que Baltasar había visto en tantos hombres: *Esto no puede estar pasando. Éste no puede ser el día de mi muerte.* Y ahí terminaba todo. El soldado cayó de frente en la piscina y su sangre se mezcló con la del otro. Naturalmente, aquello sólo sirvió para multiplicar la alharaca de las mujeres, que no habían dejado de gritar.

Los gritos atraerán a más soldados. Hora de irse.

Se detuvo un momento y derramó unas lágrimas en recuerdo de los días y semanas que había dedicado a planear cómo llenar aquellas alforjas. En recuerdo de los frutos perdidos de su trabajo. Y luego, tras otro breve momento de desconsuelo, volvió a correr como alma que llevara el diablo.

El fracaso es muchos cadáveres y ningún beneficio..., y esto empieza a parecer un fracaso colosal.

Baltasar salió por la puerta trasera del edificio y entró en un pequeño patio lleno de basura y rodeado por una tapia de dos metros, con una puerta de madera que daba a la calle. Estaba vacío. Sobresaliendo de la pared de la casa de baños había un gigantesco horno de ladrillo. Comprendió al momento que el horno era el origen del humo blanco que había visto antes. Al lado de la abierta puerta de hierro había un esclavo alimentando el fuego del interior. El aire caliente se canalizaba por una serie de conductos que se extendían por debajo del suelo de la piscina, manteniendo caliente y agradable el agua destinada a la élite desnuda. Incluso donde estaba Baltasar, a tres metros de las llamas, el calor era casi insoportable, y el ruido de la leña al arder y del aire en movimiento era casi ensordecedor, por lo que el esclavo ni se había enterado de los gritos de las mujeres ni de los aullidos de los soldados de Judea que correteaban por el exterior. En el momento en que levantó la vista y se vio cara a cara con un sirio salpicado de sangre y con la espada en alto, abandonó su puesto y corrió para salvar la vida, saliendo por la puerta de madera que daba a la calle. Baltasar estaba a punto de hacer lo mismo cuando una voz de ultratumba exclamó:

—¡No te muevas de donde estás!

Se volvió y vio a un soldado con cara de niño, con la espada temblándole en la mano.

—¡Está aquí! —gritó a sus compañeros—. ¡Está aquí! ¡Lo he encontrado!

Baltasar no tenía la menor intención de dejarse apresar por un soldado solitario al que le temblaba la espada. Y desde luego no tenía intención de esperar a que llegaran más, así que echó a correr hacia la puerta de madera.

—¡Alto!

El soldado levantó la espada y la sostuvo ante sí, tal como le habían enseñado. Cargó contra Baltasar, tal como le habían enseñado. Pero mientras se preparaba para atravesar a su enemigo, tal como le habían enseñado, se encontró con algo para lo que no estaba ni preparado ni equipado para afrontar: Baltasar lo desequilibró con una patada en la espinilla, lo alzó del suelo sujetándolo por los hombros y lo lanzó de cabeza por los aires... hacia la puerta abierta del horno.

El soldado oyó el golpe de la puerta de hierro al cerrarse tras él. Oyó el cerrojo al correrse. Trató de levantarse, pero sólo había espacio para ponerse en cuclillas. Reaccionando instintivamente, trató de apagar las llamas con las manos, pero por entonces ya estaba ardiendo. Pudo ver que su piel se ampollaba y ennegrecía, que la carne se le separaba de los huesos como si fuera cera derretida que chorreaba por el costado de una vela. Sintió sus ropas ardiendo sobre su cuerpo, fundiéndose con su piel, su pelo quemándose y pegándosele al cráneo.

Baltasar oyó sus gritos a través de la puerta de hierro. Cerró los ojos y volvió la cabeza mientras oía los golpes que daba con los puños en la parte de dentro. Cuando abrió los ojos, tenía diez soldados delante.

—¡Suelta la espada! —vociferó uno.

Ante la perspectiva de tener que enfrentarse con todos, Baltasar se puso entre los dientes la espada que aún goteaba sangre, dio media vuelta y escaló la pared de ladrillo de los baños. Siempre le quedaba la alternativa de abrirse camino por los tejados, saltando de un edificio a otro hasta que encontrara un caballo, o un camello, o lo que fuera, antes que batirse con diez hombres a la vez.

Pero cuando llegó al tejado abovedado y se puso en pie, sintió que la esperanza abandonaba su cuerpo como la sangre una cabeza decapitada. Había cerca de cien hombres en la plaza, además del cadáver de su camello milagroso. La Nube de Furia sin Determinar se había convertido en una multitud muy determinada de soldados, y Baltasar tuvo que afrontar el hecho de que estaba rodeado y no tenía escapatoria.

Tenía dos opciones: luchar hasta la muerte y llevarse por delante a todos los lameculos del emperador que pudiera. ¿Resultado? Ciento por ciento de posibilidades de morir. O podía rendirse y acabar ejecutado. ¿Resultado? Noventa y nueve por ciento de posibilidades de morir.

No lo pensó dos veces.

Le habían atado firmemente las muñecas a la espalda y le habían registrado las ropas en busca de artículos de contrabando. Con un soldado sujetándolo a cada lado, lo condujeron por la plaza hasta donde estaba Pedro, que aguardaba con una sonrisa de profunda satisfacción. El victorioso capitán vaciló un momento mientras se hacía cargo de la situación y la saboreaba. Tenía ante sí el final de todos sus problemas.

—El Fantasma de Antioquía —dijo al fin—. El azote de Roma.

—Te olvidas del «Saqueador del Imperio Oriental» —retrucó Baltasar.

Ya empezamos...

Y es que Baltasar se lo vio venir. Por abrir la bocaza fue recompensado con un buen puñetazo en la mandíbula. Pero los comentarios despectivos eran lo único que le quedaba en el arsenal. Por primera vez en su vida, no veía la forma de escapar. No llevaba ningún arma oculta para sacarla en el último momento. Tampoco parecía haber a la vista un despiste oportuno. Su suerte no estaba en sus manos en aquel momento. Lo había arriesgado todo por un porcentaje de supervivencia del uno por ciento.

—De rodillas —ordenó Pedro, desenvainando la espada.

Bueno, valió la pena intentarlo.

Baltasar no se movió, así que los soldados lo empujaron hacia abajo por los hombros, obligándolo a arrodillarse en el polvo. Tensó los músculos, preguntándose si sentiría el momento en que le rompieran la columna o el instante en que la espada le cortara el cuello. Se preguntó si sería capaz de verse a sí mismo mientras su cabeza caía al suelo y rodaba entre el polvo. *Sería un espectáculo muy extraño... desplomarme sin aliento y sin cuerpo, difuminarme mientras me desangro...*

Observó los rostros de los soldados más cercanos a él, palpó las ataduras de sus muñecas con la yema de los dedos, olió el aire del desierto. Miró la arena que había bajo sus pies y el cielo sobre su cabeza, tomando nota de la situación. Saboreándola. Allí estaba la suma de sus veintiséis años. Iba a morir de rodillas en Bethel... o Beit El. O como se llamara. Su sangre correría por aquella tierra. Los soldados escupirían sobre su cadáver, lo cortarían en pedazos y los echarían a los perros. Y eso sería todo.

Otros hombres habrían rezado en un momento así. Habrían suplicado a Dios que se apiadara ante la inminencia del juicio que decidiría su suerte eterna. Baltasar se sintió confortado por el hecho de que ni siquiera en esos momentos sentía tal deseo. Incluso en aquellos últimos segundos de vida se mantenía firme. Y aunque no podía evitar que su corazón latiera más aprisa que nunca —*lo cual hará que la sangre brote con más fuerza de mi cuello sin cabeza y con un poco de suerte salpique al capitán en la cara*—, se negó a dar a sus ejecutores la satisfacción de verlo temblar.

¿Y esto qué era?

Baltasar tuvo una visión repentina. Un mar de estrellas que danzaban ante él.

Ya había ocurrido.

Se había estado prerguntando qué sentiría cuando le cortaran la cabeza, y se había perdido el momento crucial. El mundo se estrechaba, se oscurecía hasta convertirse en un punto solitario y lejano. En alguna parte, a lo lejos, donde los vientos soplaban fríos y se bañaban las mujeres desnudas, sintió que un dolor agudo lo traspasaba. Y pudo ver algo en aquella luz lejana, algo que se movía. Era difícil de distinguir, pero sí, definitivamente había algo allí. Un hombre. Un hombre que conducía un animal por el desierto... con una mujer montada en el lomo...

Así pues, esto es lo que se siente al morir. Curioso, los hombres han invertido tantos esfuerzos, han malgastado tanta ansiedad tratando de evitar este momento, y en realidad, cuando todo está dicho y hecho, morir no está tan mal. En realidad, es una especie de...

Los soldados vieron que Baltasar se desplomaba hacia delante y caía al suelo, y que su sangre se mezclaba con la tierra. Pedro examinó el pomo de la espada con el que le había golpeado para comprobar que no se hubiera manchado de sangre ni se le hubieran pegado mechones de pelo, y volvió a envainarla. Había propinado al Fantasma de Antioquía un golpe feroz en el cráneo y el acero había cumplido su misión.

Baltasar estaba fuera de combate.

Décimo había ordenado que se ejecutara al ladrón en el acto y que llevaran su cabeza a Tel Arad para ser expuesta como advertencia. Y por mucho que a Pedro le hubiera encantado cumplir aquella orden (tanto como le habría gustado decapitar a aquel montón de mierda por haber matado a sus hombres y haberles hecho perder un día entero en el desierto), tenía órdenes de llevar vivo al Fantasma de Antioquía.

Y esas órdenes procedían de un poder más alto que un gobernador romano.

2

El palacio gemelo del rey títere

«Al oír esto, el rey Herodes se turbó, y con él toda Jerusalén, y reuniendo a todos los príncipes de los sacerdotes y a los escribas del pueblo, les preguntó dónde había de nacer el Mesías. Ellos contestaron: "En Belén de Judea, pues así está escrito por el profeta".»

Mateo 2, 3-5

I

El espíritu que antaño se había llamado a sí mismo «Baltasar» nadaba.

Nadaba en un océano sin fin, un océano de espacio y tiempo, donde todo lo que había sido y todo lo que sería convergían en una sola cosa. Mientras Baltasar miraba su superficie infinita y brillante, pudo ver toda la creación reflejada en él, cada detalle del universo, desde las estrellas del cielo hasta los más diminutos insectos de la tierra. Pudo ver todos los momentos de su pasado y de su futuro. Pero al nadar creaba ondas en las imágenes, que las deformaban produciendo cambiantes atisbos de la verdad: allí estaba de nuevo aquel hombre que conducía un animal por el desierto... con la mujer montada en la grupa. Allí estaba la lejana estrella del cielo y los árboles que guardaban un secreto. Allí estaba el rostro de su pasado...

Y cuanto más aprisa nadaba Baltasar, más se adentraba en el futuro. Cuanto más intensas eran las ondas, más le costaba ver aquellos reflejos: allí había un ejército de soldados extraños y una viga de madera que se partía en dos. Allí una gran ciudad en llamas y su hermano Abdi ya todo un hombre adulto. Al menos eso era lo que parecía.

De repente, Baltasar fue consciente de que ya no estaba nadando. Estaba volando, flotando por encima de la tierra, como si lo transportaran unas alas extendidas. La superficie brillante que había estado mirando estaba ahora varios kilómetros por debajo, y todo el desierto de Judea —no, toda Judea— se extendía hasta donde su vista llegaba. Los profundos barrancos no eran más que pequeñas líneas irregulares en la arena. Las elevadas montañas podían escalarse de repente con la punta del dedo. Vio bandadas de pájaros por debajo de él, volando en formación sobre las aguas del río Jordán. Vio la parte superior de las nubes y las sombras que arrojaban sobre el desierto.

Baltasar nunca había sentido tanta paz. Tanta libertad.

Estoy bajando...

Las nubes se acercaban cada vez más, hasta que casi pudo tocarlas con el pie. Más cerca... hasta que los pájaros estuvieron por encima de él y Baltasar se introdujo en la densa capa de nubes. Y cuando la atravesó del todo, el desierto estaba mucho más cerca que antes. Lo bastante cerca para distinguir las dispersas matas verdes que habían conseguido abrirse camino entre las rocas... y lo bastante cerca para ver debajo la diminuta columna de soldados y jinetes de Judea.

No...

El victorioso capitán y sus cien hombres, que viajaban de Bethel a Jerusalén con el prisionero inconsciente.

¡No, allí no!

Baltasar sintió que lo arrancaban de su glorioso mundo, sintió que lo inundaban los recuerdos de su antiguo ser. Y pudo ver al prisionero que ya volvía en sí...

¡No, no, no quiero cambiarme por él! ¡Quiero quedarme aquí arriba! Quiero qued...

Baltasar despertó con náuseas. Los músculos del estómago se contraían contra su voluntad y el contenido le subía a la garganta. El instinto lo impulsaba a llevarse las manos a la boca, pero sus manos le decían que seguían atadas a la espalda. Se dijo que debía contener las ganas de vomitar..., que debía sojuzgarlas y ordenar a sus músculos que obedecieran. Pero era demasiado tarde. Su cuerpo había empuñado las riendas. Ahora sólo era un pasajero. Y así el mísero contenido de su estómago corrió a borbotones sobre su barbilla, su pecho y la cola del caballo que lo transportaba. El caballo en el que iba montado mirando la grupa.

La vomitona fue recibida por un coro de risas y vítores que sonaron por todas partes. Y aunque Baltasar no podía ver a los hombres que reían y le lanzaban insultos, ya que tenía los ojos medio cerrados y anegados por las lágrimas involuntarias de su involuntaria purga, tenía una idea bastante aproximada de quiénes eran. Igual que tenía una idea bastante aproximada de dónde estaba y de cómo había llegado allí.

Le habían golpeado en la cabeza con una espada. Eso era obvio porque tenía la visión borrosa y el cráneo le palpitaba como no creía que pudieran palpitar los cráneos; el dolor le llegaba hasta las yemas de los dedos. Y aunque en aquel momento no podía comprobarlo porque sus manos estaban atadas, sospechaba que el pelo que notaba pegado al cráneo, estaba emplastado con sangre seca. Estaba mareado y con náuseas por culpa del terrible golpe recibido y de la deshidratación; lo infería por la horrible sed que lo abrasaba por dentro y por los labios que sentía agrietados. Tenía el cuello demasiado rígido para girarlo más de unos pocos grados en cada dirección.

Sí, le habían golpeado en el cráneo, de eso no había duda. Y mientras había estado nadando por el infinito, el cuerpo inconsciente de Baltasar había sido cargado en el caballo de un soldado, y sus muñecas atadas para que no escapara. Por qué lo habían montado de espaldas era un misterio. Sólo se le ocurría que era una especie de escarnio. Puede que algo que la caballería de Judea hubiera ideado para sus prisioneros. Pero tanto si era una tradición como si era una ofensa improvisada en el último momento, resultaba efectivo. Además de desorientarle, proporcionaba a los soldados que iban detrás de él una imagen clara de su rostro, lo que utilizaban para burlarse de él con palabras y gestos.

Además, tener la nariz directamente encima del culo de un caballo no era precisamente agradable.

Pero aparte de los gestos obscenos y del continuo olor a estiércol, Baltasar estaba vivo. Al menos por el momento. Estaba casi seguro de que lo conducían al palacio de Herodes en Jerusalén, donde lo presentarían como el trofeo que era y luego lo matarían de mil modos horribles antes de que acabara el día.

Estaba convencido de que si se volvía un poco vería al capitán Pedro cabalgando al frente del grupo, sonriendo de oreja a oreja, ensayando mentalmente la gran presentación ante el rey y contando ya el dinero de la recompensa. Herodes se deleitaría unos momentos y luego ordenaría la ejecución de Baltasar allí mismo. Aquello estaba claro como el agua, siempre que la putrefacta herida de la cabeza no lo matara antes.

Mientras el sol secaba las últimas gotas de humedad de su cuerpo, Baltasar recreó los sucesos del día en su dolorida cabeza..., un recuento preciso de todas las acciones y reacciones. Un estudio de lo que había salido mal. ¿Había sido por querer calmar a las mujeres de los baños, en lugar de salir corriendo en busca de otro escondite? ¿Hubiera tenido que haberse lanzado contra los diez soldados en el patio de los baños, en lugar de trepar al tejado del edificio? ¿Y si en vez de robar un camello, hubiera robado un caballo? ¿Hubiera tenido que haberle propinado un golpe en la cabeza a Flavia cuando tuvo la oportunidad?

No tendría que haber viajado a Damasco.

Aquél había sido el auténtico error de cálculo, ciertamente. Aquélla había sido la decisión que había puesto su nariz encima del culo del caballo. Si no hubiera ido a Damasco, nunca habría oído hablar de Tel Arad ni de su corrompido gobernador. Pero había ido, dejándose vencer por su única debilidad. La joya que se le escapaba, la joya que llevaba años persiguiendo.

El medallón...

Baltasar había seguido el rastro de los rumores de su existencia por todo el imperio, y esos rumores habían demostrado ser siempre, siempre, una pérdida de tiempo. Debería haber sabido que en Damasco ocurriría lo mismo. Debería haberse quedado en Creta, que tan buena había sido para él en tantos aspectos. Pero siempre que aquel viejo rumor lo encontraba, por poco fundamentado y lejano que estuviese, Baltasar lo dejaba todo y se dedicaba a perseguir aquella pequeña pieza dorada que era el objetivo de su vida.

Ésa era la auténtica tragedia. No que Baltasar fuera a morir. Sino que muriera antes de encontrar el medallón. Antes de terminar lo que había empezado a hacer. Lo que había jurado hacer.

II

El camino que conducía a Jerusalén por el este era de los que dejaban con la boca abierta. Era el que pasaba por el Monte de los Olivos y el valle de Cedrón, que dejaba a la vista toda la ciudad de golpe, elevándose en el desierto, con el Gran Templo al fondo. Pero incluso desde allí, desde el norte, Jerusalén era un espectáculo impresionante.

Puede que Herodes el Grande fuera famoso por su excesiva crueldad y por su fastuoso estilo de vida. Podía censurársele por ser un títere de Roma y se le podía detestar por sus altos impuestos. Pero incluso sus más feroces enemigos tenían que admitir que aquel tipo era un urbanista condenadamente bueno.

Ya de joven, había aprendido que no había escándalo ni disgusto que unos cuantos edificios brillantes no pudieran acallar. Y durante los treinta años de su reinado había utilizado aquella filosofía para transformar gran parte de Judea, levantando templos y coliseos, mejorando caminos y construyendo acueductos para llevar agua potable a sus súbditos. Y si Judea era su reino, Jerusalén era su escaparate. Gracias a él, la pequeña capital de Salomón se había transformado en una de las Maravillas de Oriente.

Desde su llegada al poder, en pocas ocasiones se había encontrado la ciudad con menos de tres grandes construcciones a un tiempo. Muchos edificios proyectados no estarían terminados ni siquiera cuando le llegara la muerte. No importaba. Aplacar a sus súbditos judíos no era la única prioridad de Herodes. Ni siquiera era la más importante. Lo que Herodes realmente quería era llamar la atención de Roma. Quería crear una ciudad tan grande, tan indispensable, que incluso el poderoso Augusto se sintiera orgulloso de llamarla patria. Una ciudad que mereciera la denominación de «Roma de Oriente». Y quería que sus hijos, sus nietos y sus bisnietos la gobernaran por siempre jamás, y que todas las generaciones alabaran el nombre del rey soñador que había comenzado todo aquello.

Y ¿quién sabe? Con el tiempo, quizá sus descendientes construyeran un imperio propio. Puede que los hijos de Augusto tuvieran que arrodillarse ante los hijos de Herodes y no al revés.

Jerusalén albergaba unas 150.000 almas. Aunque era poco más que un barrio en comparación con la Roma de más de un millón de habitantes, llevaba camino de convertirse en una de las mayores ciudades del imperio, junto con Alejandría y Antioquía. Y con el censo a toda marcha, su población se había multiplicado prácticamente por dos.

La multitud apenas reparó en Baltasar mientras la comitiva recorría las atestadas calles..., calles que habían cambiado espectacularmente desde que él había venido al mundo. Donde Baltasar recordaba nada más que suciedad, ahora se elevaba el anfiteatro de Herodes con sus treinta metros largos de altura, y con un escenario en el que se representaban las obras más modernas de Roma y Grecia. También estaba la Fortaleza Antonia, que el monarca había nombrado así en honor de su amigo y protector Marco Antonio; el monumento al Rey David, que había gobernado desde aquella misma ciudad mil años antes del nacimiento de Herodes; y por supuesto, estaba el Templo de Herodes, el rasgo más grande y sensacional de la ciudad.

Ciudad dentro de la ciudad, el recinto del templo abarcaba casi la mitad del sector oriental de Jerusalén. Los muros exteriores medían quinientos metros por trescientos, y tenían treinta y cinco de altura. Aquellos muros encerraban una serie de patios y edificios que se alzaban alrededor del templo de brillante mármol blanco, situado exactamente en el centro. El más grande de todos los patios era el Atrio de los Gentiles, con cambistas y barberos; sacerdotes que iban de aquí para allá con sus blancas vestiduras; y mercaderes que vendían animales para el sacrificio, comida y recuerdos para los grupos de peregrinos.

En el centro de todo estaba el templo propiamente dicho: una torre de mármol blanco de la que no dejaba de manar el humo de los corderos y pichones que sacrificaban dentro. Al contrario que el ruido y la actividad del complejo que lo rodeaba, el templo y sus patios amurallados estaban estrictamente destinados a la adoración y a los sacrificios, y estrictamente a los fieles. A los no judíos les estaba expresamente prohibido poner el pie allí, bajo pena de muerte. Incluso el mismo Herodes habría causado un altercado si hubiera querido entrar. Aunque oficialmente se había convertido al judaísmo al tomar el poder, seguía siendo un árabe para la mayor parte de la población.

El templo era el mayor golpe de efecto de todos los grandiosos golpes de efecto de Herodes. Pero aunque en público alardeaba de la casa que había construido para honrar a Dios, en privado estaba encantado con la casa que había construido para honrarse a sí mismo: el palacio de la parte alta de la ciudad.

Herodes tenía palacios por toda Judea. En Cesarea, ciudad pegada a la costa mediterránea, y en Tiberíades, a orillas del mar de Galilea. En Masada y en Jericó. Todos eran grandes y hermosos. Pero aunque algunos de aquellos palacios eran más grandes que su casa de Jerusalén, ninguno se acercaba ni de lejos a su magnificencia. Al igual que el Gran Templo, se había construido sobre una terraza elevada, un rectángulo que medía algo más de trescientos metros de longitud por setenta de anchura, y estaba rodeado de altas murallas y torres de vigilancia. Oficialmente se había construido como una fortaleza para proteger la parte alta de la ciudad, al oeste de Jerusalén, de las fuerzas invasoras. En realidad, había sido una ofrenda de un poderoso rey a sí mismo. Las torres estaban repartidas a lo largo de las cuatro murallas. Todas tenían un nombre particular. Una por el hermano del rey, otra por un amigo, y otra por su amada Mariana, su segunda esposa.

Mariana..., ah, qué gran belleza había sido. Ah, cuánto la había amado Herodes. Y ah, qué vergüenza haberse visto obligado a ejecutarla. Y al hombre con el que sospechaba que tenía una aventura. Y a su hermano. Y a los dos hijos que ella le había dado, antes de que crecieran y odiaran a su padre por haber hecho ejecutar a su madre. Y eso que a Herodes no le había causado ningún placer hacerlo. Ordenar la muerte de los propios hijos era uno de los deberes más amargos de un rey. Pero como a él le gustaba contar a sus otros hijos: «Los sentimientos son los sentimientos y la política es la política, y una cosa no tiene nada que ver con la otra».

Ahora todo lo que quedaba de la esposa favorita de Herodes era una torre de vigilancia que llevaba su nombre, cerca de la puerta septentrional. La puerta por la que Baltasar fue conducido sin ceremonias al palacio de Herodes por primera y última vez en su vida. Manchado con su propia sangre y con su vómito.

Treinta y tres años después, otro hombre cruzaría la misma puerta para enfrentarse con otro Herodes..., también manchado con su propia sangre y también camino de su muerte.

Cuando el capitán Pedro y sus hombres estuvieron dentro de los muros de palacio, Baltasar fue por fin desmontado del caballo y bajado a tierra, aún medio mareado y muy sediento. Tardó un momento en recuperar el equilibrio, sobre todo porque seguía llevando las manos atadas a la espalda.

Tras recuperarlo, el Fantasma de Antioquía dio media vuelta y se encontró transportado a otro mundo. Un mundo casi tan irreal e infinito como aquel que había sobrevolado en sueños. Era un mundo de un verde lujuriante y frío mármol. Un mundo de fuentes de bronce bruñido y perros elegantemente acicalados. Era, sencillamente, el paraíso en la tierra. *El Jardín del Edén finalmente reencontrado.*

En el interior de las rectangulares murallas exteriores, el espacio estaba dividido en dos rectángulos más pequeños, totalmente simétricos: cada uno reflejaba el otro hasta el más pequeño detalle. Y aunque los de fuera probablemente imaginaban el palacio de Herodes como una única estructura tras los muros, como había imaginado Baltasar, en realidad había dos palacios idénticos, uno frente al otro, con un vasto patio rectangular en medio.

A ambos lados del patio discurrían paseos cubiertos y flanqueados por filas de árboles limpiamente plantados que daban sombra durante los meses más calurosos. Y cuando los árboles no eran suficiente, un par de estanques circulares, ambos alimentados por idénticas fuentes de bronce, estaban listos para aliviar el calor.

Baltasar supo enseguida el motivo por el que Herodes había construido dos palacios idénticos. Sin duda uno contenía su sala del trono, donde daba audiencias, celebraba banquetes oficiales y recibía a los mandatarios extranjeros. *Y donde soñaba con nuevas atrocidades contra su pueblo y vivía temiendo a un hombre que se encontraba a mil millas romanas de distancia.* Aquel palacio se distinguía por la presencia de oficiales del ejército, cortesanos y sabios (un título que cubría un amplio rango de funciones, desde consejero a médico, pero que normalmente se refería a sacerdotes), que se arremolinaban ante sus puertas.

Al otro lado del patio, a unos cien metros, el otro palacio servía como residencia privada del monarca, con aposentos para sus esposas, sus hijos y las esposas de sus hijos, baños termales, y un harén personal de unas cuarenta mujeres: todas «reclutadas» entre la población local y ninguna mayor de dieciséis años. Este palacio se distinguía por las hordas de niños que jugaban y las muchachas que tomaban el sol delante. Dos palacios. *Uno para el trabajo y otro para el placer.*

Aquel hombre tenía su mérito. Era un constructor fabuloso.

Como era de esperar, Baltasar fue conducido al palacio de trabajo por sus escoltas. Pero cuestiones laborales aparte, no le cabía la menor duda de que Herodes iba a sentir un gran placer al ordenar su muerte.

III

Baltasar había supuesto que sería conducido directamente a la sala del trono. Estaría ante Herodes un par de minutos, sufriría burlas y quizá también torturas, según el estado de humor del rey, y sería ejecutado para diversión de todos. Rápido y fácil.

Pero el monarca era un hombre ocupado y hasta un prisionero de la importancia de Baltasar tenía que esperar para ser recibido. Y allí estaba, en la antecámara, casi una hora después de llegar a palacio, sentado en un banco de piedra que había al lado de las puertas cerradas de la sala del trono. Dos soldados lo escoltaban, mientras el capitán paseaba nervioso, ensayando mentalmente el discurso de presentación. *Y pensando ya en la nueva casa que vas a construir con todo ese dinero, so hipocritón...*

—¡Otra vez la misma cosa! —gritó alguien.

La voz áspera y ahogada procedía de la sala del trono.

Herodes.

Tenía que ser él. ¿Quién si no iba a gritar así en la sala del trono?

No dejaba de ser curioso. Los dos compartían mucha historia, se habían causado grandes problemas el uno al otro. Y sin embargo, nunca se habían visto en persona. Baltasar no tenía ni idea del aspecto de su archienemigo. Aunque, por supuesto, había visto el conocido perfil en monedas, y en mosaicos, y en estatuas. Pero por lo que él sabía por experiencia, el parecido de las representaciones siempre era halagador cuando se cotejaba con el original.

Incluso a través de las puertas cerradas de la sala del trono, Baltasar y los soldados, que hacían todo lo posible para que no se notara que estaban escuchando, alcanzaban a distinguir todas las palabras:

—¡Treinta años! —prosiguió la voz áspera—. ¡Durante treinta años he convertido esta ciudad en lo que es! ¡He conducido a Judea a una nueva era! ¡Pero da igual lo que haga! ¡Por muchos gloriosos monumentos que construya para honrar a su Dios, tengo que seguir oyendo esto! ¡Esta tontería! ¡Esta traición!

—Y cuando el Gran Templo esté reconstruido —dijo otra voz, más tranquila, citando las profecías—, cuando la ciudad de David haya sido invadida y resuciten las ruinas de Judea, aparecerá el Mesías, nacido de una virgen en la ciudad de Belén.

—Sí, ya había oído eso.

—Y con él, los muertos se levantarán y las plagas de antaño...

—Estás malgastando saliva.

—Las plagas de antaño volverán para castigar a los infieles. Los reyes de la tierra perderán todo su poder y se oirá una voz, la voz de las madres que llorarán por sus hijos, porque ya no estarán.

—¡He dicho que basta!

Tras el grito reinó el silencio. Luego, en un tono más normal, la voz áspera continuó:

—Si hiciera caso de las advertencias de todos los profetas que se desgañitan en esta ciudad, me volvería loco en menos de una hora. No voy a amilanarme por viejas supersticiones.

—De todos modos, majestad, nunca ha habido tantos signos de tantas profecías: el templo reconstruido, las ciudades de Judea renacidas, las multitudes presentes en Jerusalén para el censo. Lo único que falta por ver es una luz en oriente.

—¿Y qué quieres que haga? ¿Quieres que vaya a decirle a Augusto que debería temer a un niño que puede que exista o no? ¿Que Roma debería llamar a sus poderosos ejércitos de la Galia y Germania para sitiar Belén? ¿Tienes idea de lo tonto que parecería yo?

—La profecía es clara, majestad. El Mesías derribará todos los reinos del mundo, incluido el vuestro.

Se oyó un estrépito. El ruido de algo que golpeaban (o pateaban). Un ruido metálico. Por el impacto y los ecos derivados, Baltasar supuso que era una mesa, de la que habían caído cálices y bandejas.

Siguió un silencio prolongado. Baltasar sorprendió miradas nerviosas entre los soldados.

Cuando por fin volvió a hablar Herodes, fue para dar una orden:

—No volverá a hablarse del Mesías.

IV

Un grito sobrevoló Belén, resonando en las casas del pueblo iluminadas por antorchas y en las cuevas excavadas en las colinas miles de años antes. Fue breve y agudo, y procedía de un establo que estaba en la parte norte de la pequeña población. Un establo de lo más normal en todos los aspectos, salvo por la estrella que brillaba en el cielo, directamente encima, más brillante que ninguna. Una estrella que no estaba allí una hora antes.

José y María tenían la impresión de que les habían negado alojamiento todos los posaderos de la parte alta de la capital. Todas las casas estaban llenas hasta los topes, todas las habitaciones ocupadas, todos los solares reservados. Con las contracciones de María aumentando de frecuencia y el humor de José cada vez más sombrío, habían abandonado Jerusalén por el camino de Belén, donde, según los rumores, aún quedaba sitio para familias pequeñas.

Pero Belén resultó que estaba tan lleno como Jerusalén, y en los dos primeros sitios que preguntaron tampoco los aceptaron. Cuando el cielo ya oscurecía, María ya no era capaz de subirse a una montura ni de andar, y José estaba a punto de levantar los brazos para maldecir a todos los habitantes de Judea, un viejo pastor y sus hijos se habían compadecido de ellos. Y como la casa del pastor, como todas las casas de la zona, estaba llena de huéspedes y familiares que habían acudido con motivo del censo, les ofreció los establos que había detrás. Después de llevarles paja limpia, agua potable y una pequeña lámpara de aceite, los había dejado solos. El nacimiento de un hijo era algo sagrado, un asunto privado. No había lugar para hombres ni para extraños.

Y allí estaban. Rodeados por el hedor de los animales. El brillo de una única llama. *Un lugar ideal para que nazca un rey*, se dijo José.

Si hubieran estado en Nazaret, a María la habrían atendido las mujeres del pueblo. La habrían confortado rostros y voces familiares, y rodeado gentes con experiencia en partos. Pero allí estaba completamente sola. Una muchacha de quince años, tendida sobre paja dura y las pocas mantas que habían llevado a través del desierto, sudando y soportando un dolor que no había sentido nunca.

Hubo ocasiones, muchas ocasiones a lo largo de la noche en que María había estado convencida de que algo iba mal. *No debería ser tan difícil ni tan doloroso. No debería durar tanto. Debo de estar haciendo algo mal,* pensó. Y hubo veces, muchas veces a lo largo de la noche en que José había estado a punto de entrar corriendo. Pero no podía hacerlo. Estaba prohibido. No podía ponerle la vista encima en una situación tan indecente. No podía tocarla estando sucia. Así que había hecho lo único que podía hacer: gritar palabras de ánimo a través de las paredes del establo y rezar.

El niño había llorado al principio, señal de que había nacido sano. El llanto había resonado por todo Belén. *Una voz que será oída a lo largo y ancho del mundo*, pensó María, apretando al niño contra su pecho. Y después se había hecho el silencio. Calma. El recién nacido había mirado a los ojos de su madre un momento. No era la mirada que todo lo sabe de un Dios que todo lo sabe, sino sencillamente la mirada confusa de un niño agotado. Y luego se había dormido.

María y José se acostaron uno junto a otro, mirando al niño dormido hasta que los rayos de sol asomaron por las grietas de las paredes del establo, y los animales que los rodeaban comenzaron a levantarse.

La tradición decía que el nombre de un niño varón no debía

ser pronunciado en voz alta hasta el octavo día de su nacimiento. El día de su circuncisión. Pero no había ninguna necesidad de hablar.

El ángel les había dicho a ambos cómo tenían que llamar al niño.

V

Las puertas de la sala del trono de Herodes se abrieron por fin y Baltasar, con el capitán Pedro orgullosamente en vanguardia, fue introducido para conocer su castigo.

La sala del trono era tan simétrica y rectangular como el resto de las construcciones del palacio. Las puertas estaban en un extremo y el trono en el otro, como para obligar a los invitados a recorrer la máxima distancia posible en pro de un efecto dramático añadido. Pero en contraste con el lujuriante paraíso que había visto fuera, Baltasar encontró el interior frío y monótono. Columnas de piedra flanqueaban ambos lados del estrecho pasillo. La luz del día se filtraba por las ventanas que había tras las columnas y por la gran abertura cuadrada que destacaba en el centro del techo, a unos trece metros de altura. Por la noche, las antorchas y lámparas dispuestas a lo largo de la estancia procuraban luz y calor de sobra, aunque Baltasar suponía que Herodes no pasaría mucho tiempo allí después de anochecer. ¿Por qué iba a hacerlo, con un palacio dedicado al placer esperándolo al otro lado del patio?

Conforme se acercaban al trono, Baltasar vio esclavos que se daban prisa en limpiar y darle la vuelta a la mesa que había a su derecha, y en recoger los cálices y bandejas que habían caído al suelo. Y mientras se felicitaba en silencio por haber deducido que, ciertamente, habían volcado una mesa, su mirada se dirigió al trono y a la figura sentada en él.

Baltasar había visto muchas cosas espantosas a lo largo de sus veintiséis años. Pero nada de lo que había visto le había preparado para aquel primer vistazo a Herodes el Grande.

Se rumoreaba que el rey llevaba varios años enfermo. Ya no

salía a pasear entre la gente. Ya no iba a supervisar y a disfrutar de la gloria de sus proyectos de construcción. Incluso el lujoso palco privado de su amado teatro llevaba años vacío. Algunos suponían que había muerto. Que sus hijos compartían el poder en secreto y se aprovechaban del temido nombre de su padre. Pero Herodes estaba vivo: si es que podía decirse así.

Estaba inclinado hacia delante, con la columna vertebral torcida. Sus ojos mostraban un tinte amarillento, su dentadura estaba en mal estado, su pálida piel estaba salpicada de llagas abiertas. Sus ojos y mejillas hundidos apenas parecían capaces de sostener el peso de la barba rizada y canosa, y las ropas le colgaban como sábanas en un tendedero.

¿Aquél era el poderoso Herodes? ¿Aquel hombrecillo apergaminado? ¿Aquel hombre diminuto? ¿Ése era el rey de Judea? Más que el hombre que había reconstruido Jerusalén, parecía uno de los leprosos ciegos que mendigaban por sus calles. En cambio, el trono era enorme, con un gran asiento de mármol blanco adornado con detalles dorados. Pero aunque había sido diseñado para inspirar un temor reverencial, sólo servía para que el hombrecillo sentado en él pareciera mucho más pequeño.

Pedro dio un paso adelante, sujetando bajo el brazo el casco de capitán. Dio un taconazo y, tal como había ensayado en el camino desde Bethel, se dirigió a su rey:

—¡Poderoso Herodes! Es un honor presentaros al Fan...

—Sí, sí —dijo el monarca sacudiendo la mano con indiferencia—. Déjanos.

Baltasar vio que Pedro se hundía en la desdicha al darse cuenta de que lo estaban echando. Pudo ver ardiendo ante los ojos del capitán los sueños de ascenso, los esclavos y el dinero de la recompensa. Casi había valido la pena encontrarse en aquel apuro.

Cuando Pedro salió enfurruñado, Herodes observó a Baltasar desde su trono, estudiándolo con sus ojos amarillentos.

Según sabía Baltasar por experiencia, los hombres poderosos eran gatos o perros. Los perros eran sencillos, directos. Si cabreabas a un perro, éste ladraba, te clavaba los dientes y te sacudía hasta que acababas muerto. Pero los gatos..., ay, los gatos eran retorcidos. A los gatos les gustaba jugar con su presa antes de comérsela.

—El Fantasma de Antioquía —dijo Herodes, abriendo los brazos y bajando los peldaños del trono—. Es un gran honor que honres mi humilde palacio con tu presencia.

Gato.

Herodes siguió bajando los peldaños hasta que se acercó lo suficiente para poner una mano sobre el hombro de Baltasar. Tanto que éste llegó a notar el olor a podrido que emanaba su cuerpo. Putrefacción de hongos y forúnculos. El hedor de la muerte. De súbito, se lo imaginó recorriendo su harén por la noche, apretando su carne desnuda y enferma contra los cuerpos de las concubinas. Imponiendo por la fuerza su decrépito yo a muchachas con edad para ser sus nietas. Casi vomitó otra vez.

—Henos aquí por fin. Los dos hombres más famosos de toda Judea.

Baltasar miraba al frente. No miraba a Herodes ni detrás de él, sino a través de él. Así como se había negado a dar a los soldados la satisfacción de verlo temblar, no pensaba dar al rey de Judea la satisfacción de responder; aunque se sintiera halagado porque hubieran comparado su fama con la de él.

—Aunque ¿puede ser muy famoso un hombre que ni siquiera tiene nombre? —Herodes retrocedió y observó a su víctima con admiración durante unos momentos—. Por favor —dijo—. Tengo que saberlo. Tengo que conocer el verdadero nombre del hombre que tanto tiempo me ha hecho perder todos estos años. Cuyo nombre, he de admitirlo, he maldecido a menudo en esta misma sala.

Baltasar no abrió la boca. Ni siquiera movió los agrietados labios.

—Sí —añadió Herodes tras la pausa—. Bueno..., supongo que un hombre ha de llevarse algo a la tumba.

El rey retrocedió y echó a andar, para gran alivio de la nariz de Baltasar.

—¿Sabes? —prosiguió el monarca—. Algunos de mis consejeros dicen que debería condenarte a muerte de inmediato. Aquí mismo, en esta sala. Me dicen que una ejecución pública es demasiado arriesgada. Que tienes demasiados admiradores entre el pueblo.

Baltasar no pudo impedir un escalofrío de orgullo. *A la gente le gustan los famosos.*

—¡Pero yo les dije que no! ¡Sobrevaloráis al público! —dije—. Porque si hay algo que al pueblo le gusta más que un forajido, es ver cómo lo castigan.

Por desgracia, Baltasar sospechaba que tenía razón. Pero siguió guardando silencio.

—Mañana te proporcionaré la ejecución que mereces. La espantosa y atroz muerte que vienes suplicándome desde hace años. Y a pesar de lo que crean mis consejeros, puedo decir con toda seguridad que tu sufrimiento complacerá al pueblo de Judea casi tanto como me complacerá a mí.

No..., es demasiado perfecto. Tengo que decirlo.

—Querrás decir que complacerá a tus amos romanos.

Un silencio sepulcral reinó en la sala. Baltasar vio a los sacerdotes de Herodes cambiando miradas nerviosas.

Ya estamos, me he ganado un puñetazo en mi rostro insolente. Aunque dudo que éste tenga tanta fuerza como el del capitán.

Pero Herodes se echó a reír, dejando al descubierto sus dientes podridos. Su aliento apestoso volvió a atacar los sentidos de Baltasar.

—¿Ves? —dijo el rey—. Eso es exactamente lo que esperaba que dijeras. Es una respuesta digna del Fantasma de Antioquía.

Y antes de que la conversación hubiera comenzado siquiera, terminó. Herodes dio media vuelta y lenta y frágilmente subió los peldaños del trono. Sus consejeros aparecieron con el siguiente asunto y a Baltasar se lo llevaron por donde lo habían introducido.

El rey era un hombre ocupado.

VI

Baltasar tuvo que admitir que las mazmorras de Herodes eran de lo mejor que había visto. Los suelos y paredes de color beis estaban lisos y secos y las celdas eran bastante grandes, de tres metros por tres. Pero las comodidades que más llamaban la atención eran los ventanucos enrejados que había en todas las celdas, en la pared que daba al este. *Ventanas en una mazmorra. Adónde iremos a parar.*

Lo condujeron por un corredor no menos de seis guardias de palacio con antorchas y lo introdujeron en la última celda. Se sintió contrariado al ver a dos presos sentados en el suelo, apoyados en la pared del fondo. Había supuesto que un huésped de su categoría se merecería unos aposentos privados. Uno era africano, esbelto y musculoso, con el entrecejo constantemente arrugado y la cabeza calva. El otro parecía griego, aunque era difícil comprobarlo a causa de su espesa barba castaña. Fuera cual fuese su nacionalidad, era gordo y bajo. Por la pinta que tenían, ambos habían pasado por duras pruebas.

—El Poderoso Herodes escuchará tu último deseo —le anunció el guardia de más rango.

Baltasar pensó unos momentos. En realidad, no había nada en el mundo que quisiera más que una comida, cualquier comida, y agua. Pero un plan era un plan.

—Me gustaría ver a un sacerdote —replicó. El guardia no se esforzó por ocultar su sorpresa y los otros presos cambiaron miradas de perplejidad—. Me gustaría que viniera un sacerdote y me ofreciera consuelo antes de que nos lleven. Uno para mí —Baltasar se volvió y examinó a sus compañeros de celda— y dos más para ellos.

—Ahórrales el trabajo a tus sacerdotes —terció el africano con un acento que Baltasar habría jurado que era de Etiopía—. Mi amigo y yo ya estamos bastante consolados.

—Por favor, insisto —dijo Baltasar, volviéndose hacia los guardias—. Tres sacerdotes. Para confortarnos a los tres, uno para cada uno.

El guardia que tenía el mando sopesó la petición unos momentos.

—Como quieras —accedió, desatando las muñecas de Baltasar, gesto que le sentó casi tan bien como le habría sentado un trago de agua. Los guardias se fueron, llevándose consigo la luz de las antorchas. Cerraron la puerta con llave y Baltasar se quedó solo en la oscuridad con aquel par de desconocidos. Entre ellos sólo había escasos metros de celda y unos débiles rayos de luz de luna. Movió los brazos en círculo para tratar de aliviar sus doloridos hombros y que la sangre le volviera a las muñecas.

—Enhorabuena —repuso el africano—. Debes de ser el tío más tonto que he conocido en mi vida.

—Es probable que tengas razón. Pero ahorrarás tiempo si me llamas Baltasar.

—Gaspar —se presentó el africano—. Y éste es mi compañero, Melchor de Samos, el mejor con la espada del imperio.

En el curso de su vida, Baltasar había oído una buena cantidad de fanfarronadas de mazmorra. Los delincuentes eran una raza de fanfarrones, sobre todo cuando se encontraban entre otros delincuentes. Pero aquello era lo más ridículo que había oído. El gordo compañero de Gaspar no parecía capaz ni siquiera de levantar una espada, y mucho menos de matar a nadie con ella. Pero como estaba demasiado débil para participar en las habituales justas verbales que se daban en aquellas celdas, Baltasar prefirió no hacerle caso.

—¿Y tú? —preguntó a Gaspar—. Supongo que también tendrás algún talento extraordinario.

—Mi único talento es ser lo bastante listo para asociarme con el mejor con la espada del imperio.

—No será tan bueno —objetó Baltasar—, si habéis acabado aquí.

—Nos capturaron cuando intentábamos robar un incensario de oro del Soreg —dijo Gaspar—. Por lo visto, mi pinta de judío no resulta muy convincente.

—Nos ajusticiarán por la mañana —recordó Melchor, con un tono que sugería que no entendía del todo el significado del verbo ajusticiar.

—Qué casualidad. A mí también me ajusticiarán por la mañana.

—¿Y tú? —preguntó Gaspar—. ¿Qué has hecho para terminar siendo huésped de Herodes el Grande?

Ya estamos.

—Si te lo cuento —respondió Baltasar, apoyándose en la pared de enfrente—, pensarás que soy un embustero.

—Por lo pronto creo que eres idiota. Un hombre que prefiere un sacerdote a una comida y agua es un imbécil.

¿Qué más da? Soy hombre muerto. Mejor que estos dos pasen su última noche pensando que soy un mentiroso.

—Soy el Fantasma de Antioquía.

A este comentario siguió un denso silencio, como siempre ocurría.

—Mucho gusto en conocerte —replicó Gaspar—. Yo soy César Augusto.

Melchor lanzó una carcajada.

—No me creáis si no queréis —insistió Baltasar—. Eso no cambiará el hecho de que moriremos todos por la mañana.

—Si eres el Fantasma de Antioquía —preguntó Gaspar—, ¿cómo es que te han capturado? Creía que tenías la fuerza de diez hombres.

—Yo he oído decir que medía dos metros y medio de estatura —adujo Melchor.

—Dos metros y medio —confirmó Gaspar—, y que era más veloz que un caballo. Y sin embargo aquí estás, con nosotros, un hombre que necesita el consuelo de un sacerdote en sus horas finales.

—Mirad, si no os importa, me gustaría... meditar un rato.

—Por supuesto. Vas a necesitar toda tu fuerza para derribar los muros de la mazmorra y liberarnos.

Mientras Melchor lanzaba otra carcajada, Baltasar miró a través de la reja de la ventana y la extraña y brillante estrella que había en el cielo. Un plan era un plan.

Aunque fuera un plan de cretinos, prácticamente sin ninguna posibilidad de éxito.

3

Una idea nefanda

«No se desprecia al ladrón cuando roba para saciar su apetito cuando está hambriento.»

Proverbios 6, 30

I

Hay múltiples formas de robar una bolsa.

Está el truco del tropezón: tu cómplice tropieza «por casualidad» con la víctima en una calle atestada de gente. Y mientras se disculpa con vehemencia, aprovechas para robarle. El truco del pedigüeño: tu cómplice, mejor si son varios, acosa a la víctima pidiéndole dinero por delante, mientras tú le quitas la bolsa del dinero por detrás. El truco de la pelea: dos o más cómplices fingen pelearse en la calle y tú mientras tanto robas a los mirones. El truco del brazo falso, el del intercambio, el de la víctima, el del profeta. Pero sea cual sea el método, los pasos son siempre los mismos: distracción, acción, desaparición.

La primera parte era fácil. Unas palomas que levantan el vuelo, un grito lejano, una mujer hermosa que pasa por allí, cualquiera de estas cosas podía distraer a un hombre el tiempo suficiente para apoderarse de su dinero. Y desaparecer también era fácil, ya que la mayor parte de las víctimas no se daba cuenta de que lo era hasta pasados unos minutos del robo, a veces incluso unas horas. Pero el robo, ah, el robo. El robo era lo importante. Era el elemento que requería habilidad y práctica. Ahí residía el arte, y Baltasar era un artista. Había muchas formas de robar una bolsa, eso seguro, pero ningún habitante de Antioquía era capaz de hacerlo tan bien como lo hacía él.

Y entonces sólo tenía doce años.

Aunque según los esquemas de la época ya era un hombre, un avezado delincuente..., el mejor cortabolsas del Imperio Oriental, según confesión propia. La primera vez que había ayudado a cometer un robo tenía cuatro años e hizo de cómplice de los muchachos mayores. A los seis, era capaz de afanarle la bolsa a las víctimas más incautas —a saber, borrachos y ancianos— él solo. A los ocho, tenía cómplices propios, casi todos mayores que él.

Durante los cuatro años siguientes, Baltasar había mejorado su habilidad, desarrollando sus propios métodos para elegir y engañar a las víctimas con objeto de que revelasen dónde llevaban la bolsa con el dinero. Uno de sus métodos favoritos era también el más fácil:

—Tenga cuidado, señor —advertía a una víctima ya elegida—. Hay rateros por todo el foro.

¡Y quién lo iba a decir! Nueve de cada diez veces, la víctima se llevaba la mano instintivamente a la bolsa para asegurarse de que seguía allí. Más adelante, Baltasar aprendió que bastaba con poner un rótulo que rezara: «Cuidado con los rateros» en una plaza pública para obtener el mismo resultado.

Un aspirante a ratero no habría podido desear un lugar mejor para medrar en el oficio. Antioquía sólo tenía trescientos años de antigüedad, una bagatela si se comparaba con las otras grandes ciudades del mundo. Pero en aquellos pocos años había experimentado un fuerte crecimiento hasta convertirse en lo que muchos llamaban «la Joya de Oriente». Una ciudad que rivalizaba en grandeza con Alejandría, con sus trescientos mil hombres libres y sus doscientos mil esclavos.

La gran mayoría de la población era griega, pero también había macedonios, judíos, chinos, indios, sirios y romanos. Como de costumbre, estos últimos eran la minoría todopoderosa. Con los romanos habían llegado todas las innovaciones de rigor: un anfiteatro, un acueducto para transportar agua potable y un circo para celebrar carreras de caballos, uno de los más grandes del imperio, con asientos para no menos de ochenta mil personas.

Pero de todas las mejoras romanas, el rasgo que mejor definía a Antioquía era los Pórticos, una arteria de proporciones casi inimaginable: pavimentada con adoquines, tenía diez metros de anchura y seis kilómetros de longitud, con pórticos que flanqueaban la avenida de principio a fin. Trazaba una línea recta de norte a sur, pasando por el centro de Antioquía, y discurría en sentido paralelo al río Orontes, que discurría a lo largo de los límites occidentales de la ciudad. Instalados a la sombra de las galerías laterales, los mercaderes vendían comestibles y artículos de todas clases, unos en tiendas fijas, otros en puestos ambulantes. Por la noche, los seis kilómetros de la calle estaban iluminados por antorchas y las multitudes seguían comprando, comiendo y haciendo vida social hasta la madrugada. Las dos mitades norte y sur de los Pórticos confluían en una inmensa plaza redonda que, siglos más tarde, sería reconstruida y transformada en foro por Valente, el titular del imperio romano de Oriente.

Aunque tenía a su disposición los seis kilómetros de bulliciosos pórticos, a Baltasar le gustaba trabajar en el foro. Era el corazón de Antioquía. Un lugar donde se celebraban reuniones, los mercaderes regateaban desgañitándose, se oían debates políticos a voz en cuello, y se veían caravanas de camellos que llegaban a todas horas con exóticos artículos de Oriente. El foro también ofrecía la mayor cantidad de bolsas que birlar y el mayor número de vías de escape. Pero esta ventaja no salía gratis. Había que pagar sobornos, costear soplos, dar su parte a los cómplices. Y como en todo negocio, se necesitaba invertir dinero para ganar dinero. Y tal como sucede en el negocio inmobiliario, los buenos sitios escaseaban.

A Baltasar le gustaba merodear por la periferia del foro, cerca de los cambistas. Pasaba horas observando a los hombres haciendo cola delante de sus mesas, en espera de que apareciese una víctima adecuada. La paciencia era la virtud más importante del cortabolsas. Baltasar había visto a muchos colegas fracasados por culpa de las prisas, demasiados muchachos de su edad que enseñaban muñones donde deberían haber tenido manos. Se necesitaba paciencia. Se necesitaba un plan.

A veces los cambistas le daban un soplo, a cambio de un generoso soborno, naturalmente. Pero aquel día Baltasar no había necesitado soplos. Había identificado a la víctima por sus propios medios: un comerciante griego, alto y con aspecto de cuarentón, con el cabello hasta media espalda y sotabarba abundante.

Una buena víctima debía reunir tres ingredientes: ir distraído, estar solo y llevar un montón de dinero encima. La puntuación de aquel sujeto era de dos sobre tres. Llevaba encima un buen montón de dinero, y desde luego andaba distraído, miraba a un lado y a otro y golpeaba el suelo con la sandalia mientras gritaba al cambista que se diera prisa. Era un hombre que tenía prisa por llegar a algún sitio concreto, y eso siempre era una ventaja. El problema era que no iba solo, sino acompañado de otro griego, algo más joven y algo menos distraído.

Las parejas no eran buenas. Matemáticamente, multiplicaban por dos la posibilidad de que te atraparan. Pero había formas de invertir el efecto y hacer que funcionara a tu favor. Baltasar hizo una seña a sus dos cómplices, un par de muchachos más jóvenes que esperaban a cierta distancia. Cuando estuvo seguro de que habían visto a la víctima, les hizo otra seña, remedando con la mano derecha el gesto de sujetar un asa.

Se había decidido por el método del derrame. Era su truco para las parejas. Baltasar siguió a los dos griegos de cerca mientras atravesaban el foro atestado de gente, esperando que sus dos cómplices entraran en acción. Si todo salía según lo planeado, los chicos aparecerían corriendo de repente, cargados con una jarra de vino, y tropezarían con los dos griegos, derramándoles el contenido encima. Y mientras los hombres se miraban las ropas maldiciendo, gritando y amenazando con dar una paliza a los muchachos por su torpeza, Baltasar cometería el robo: se acercaría a la víctima, acercaría un pequeño cuchillo a la bolsa de monedas, cortaría el cordoncillo de piel con que el tipo la llevaba sujeta a la cintura y se la llevaría sin alterar el ritmo de su marcha en absoluto. El tipo nunca se hubiera imaginado que la escena de la jarra de vino era una maniobra de diversión para robarle. Cuando aquel truco funcionaba, desbordaba belleza.

Cuando no, a correr.

Baltasar echó a correr tan rápido como le permitían las piernas, que eran, al parecer, sólo una fracción más rápidas que las de los griegos que lo perseguían. Había sido una operación catastrófica desde el principio. El derrame se había desarrollado torpemente y el vino había caído en los pies de los griegos y no en sus ropas. Y para empeorarlo todo, el compañero del griego ya había sido víctima de un robo con anterioridad. Cuando la conmoción inicial del tropiezo se hubo desvanecido, el griego más joven palpó inmediatamente el lugar donde llevaba la faltriquera y miró a su alrededor. Baltasar había cometido el robo a pesar del chapucero derrame. Por desgracia, sólo se había alejado unos pasos cuando oyó el temido: «¡Eh! ¡Tú!»

Y allí estaba él, moviendo más de lo previsto las larguiruchas piernas de doce años, perseguido por dos griegos de más edad y mayor tamaño, con los pies manchados de vino tinto y gritando:

—¡Detened a ese rapaz! ¡Es un ladrón!

Si lo cogían, significaba la pérdida de las dos manos como mínimo. Lo más probable era que lo condenaran a morir lapidado o decapitado. Los robos se habían convertido en una epidemia en los Pórticos y en el foro, y los romanos estaban tomando medidas enérgicas. En una ciudad romana no podía prosperar el delito. Tampoco los sirios nativos, por lo que parecía.

Corrió hacia el este por uno de los canales que llevaban agua potable al centro de la ciudad y que formaba parte de la red de acequias, túneles y cañerías que componían los acueductos construidos por los romanos. Aquel canal en particular estaba seco en aquel momento, lleno de polvo, palos y basura. Y por eso exactamente era por lo que Baltasar lo había elegido.

El barrio... Si puedo llegar al barrio, estaré a salvo. Podré desaparecer, pensó.

Había docenas de aldeas apiñadas en las afueras de Antioquía, tan densas que formaban una especie de segunda muralla alrededor de la ciudad ya amurallada de por sí. Había zonas riquísimas, zonas un poco ricas, zonas de clase media y zonas pobres. Y luego estaban los barrios bajos de los sirios. Los barrios hacia los que Baltasar corría ahora con la muerte en los talones.

—¡Basura siria! —oyó gritar a uno de los griegos que lo perseguían—. ¡Te arrancaré los brazos yo mismo!

Baltasar conocía palmo a palmo las cuatro manzanas que formaban la zona llamada Platanón, un laberinto de diminutas casas pegadas unas a otras y de calles estrechas y de tierra donde vivía la gran mayoría de los nativos sirios. Conocía todos los rostros de aquellas calles, todos los nombres de todos los residentes de todas las casas. Y sabía que podía confiar en que cualquiera de ellos lo ocultara en su casa, a salvo de los griegos. Pero antes tenía que llegar allí, y para eso iba a hacer falta un milagro menor.

En realidad, tres milagros menores.

Mientras Baltasar corría por el canal seco, las amplias calles de piedra y relucientes columnas de la ciudad se iban transformando en calles estrechas y casas de barriada pobre. Más adelante, las casas desaparecían bruscamente, al borde de un barranco de treinta y tantos metros de profundidad, aunque el canal seguía su curso por un puente estrecho y sin terminar.

El viejo puente se había derrumbado hacía poco, durante un terremoto, una de las desagradables realidades de la vida en Siria. Los romanos habían taponado el paso del agua mientras construían otro. Un equipo había empezado por el punto más cercano al barranco y otro equipo por el más lejano. El plan era que las dos partes del puente se encontraran en el punto medio, y ya casi habían llegado allí, sólo quedaban unos pocos metros. En los bordes del barranco había sendas grúas de madera que sostenían con sus brazos estirados las cuerdas utilizadas para levantar los bloques de piedra: las cuerdas que Baltasar esperaba que lo llevaran a la libertad en pocos segundos.

El primero de los tres pequeños milagros de Baltasar fue un éxito: aquel día no había nadie en el puente, aunque en realidad el hecho no podía ser calificado de milagro, dado el ritmo notablemente relajado de las construcciones romanas. El segundo milagro tuvo lugar inmediatamente después: la cuerda que colgaba de la grúa que le quedaba más cerca estaba a su alcance. Ahora únicamente necesitaba un tercer milagro: asirse a la cuerda y columpiarse hasta alcanzar el otro lado.

Cuando llegó al borde del barranco, Baltasar se desvió del camino y se introdujo en el canal. En el momento en que alcanzaba el puente sin terminar, tenía a sus seguidores tan cerca que casi le rozaban la ropa.

Puedes conseguirlo, se dijo.

Corrió con toda la fuerza que pudo imprimir a sus flacas piernas y llegó al borde del puente y a la cuerda que colgaba. *Puedes conseguirlo, Baltasar.* Y con un último salto, se cogió a la cuerda y saltó al vacío. *Puedes conseguirlo. Si no miras abajo, lo...*

Era imposible. En cuanto se columpió en el aire, supo que tenía problemas. La distancia entre las dos orillas era dos veces mayor de lo que parecía desde el puente, y el fondo del barranco dos veces más profundo. Y para empeorar las cosas, la parte superior de la grúa de la que se había colgado no estaba centrada entre las dos mitades del puente: estaba mucho más cerca del borde por el que había llegado. Mientras se acercaba al extremo del arco que trazaba con la cuerda, Baltasar se dio cuenta de que sólo tenía dos opciones, a cual más desagradable: o seguía sujeto a la cuerda y regresaba al punto de partida, es decir, al borde donde estaban aquellos dos adultos esperándolo, o se soltaba dando un salto. Hiciera lo que hiciese, aquel día no habría más milagros.

Se soltó de la cuerda.

Una vez más, tras la decisión llegó instantáneamente el arrepentimiento. No conseguiría cruzar el barranco. O al menos no por su propio pie. Había una posibilidad, una posibilidad mínima, de alcanzar el otro extremo del puente con las yemas de los dedos.

Baltasar se impulsó con las agotadas piernas mientras volaba, como si correr en el aire fuera a llevarlo más lejos.

Voy a dar con mis huesos en el suelo...

Estiró los brazos al frente cuando las piedras irregulares del otro tramo del puente salieron a su encuentro. Pero fue su pecho el que las encontró primero; se golpeó contra la base del otro tramo y sus pulmones se quedaron sin aire.

El impacto sobresaltó a una rata que había estado buscando comida entre la basura del otro lado del canal. La rata levantó la cabeza, con un gusano a medio comer en la boca, y vio a un muchacho humano colgando al borde del canal, haciendo esfuerzos por izarse. Fue un breve forcejeo, pues el muchacho empezó a deslizarse hacia el vacío casi de inmediato. La rata observó que los dedos del chico, sujetos a la base del canal de piedra, trataban de sostener todo el peso del cuerpo. Tras un breve pero valiente esfuerzo, el muchacho desapareció de su vista. La rata, que dio por hecho que el humano había muerto a causa de la caída, siguió hurgando entre la basura.

Baltasar no tenía ni idea de cómo había podido agarrarse. Estaba colgado, asido a poco más que a la tierra que había bajo sus uñas, y sacudía los pies. Tratando de izarse hasta una superficie que no existía. *No mires abajo. Es muy importante que resistas el deseo de...*

Miró abajo. Había más de treinta metros hasta el duro camino de grava del fondo, pero para el caso daba lo mismo que hubieran sido mil. Abajo vio un montón de bloques de piedra tallada, esperando el turno de ser trasladados. Se imaginó cayendo y estrellándose contra aquellos bloques. Imaginó sus sesos saliendo disparados por las grietas de su crá...

¡Mira arriba, idiota!

Baltasar levantó la mano izquierda hacia el puente y se sujetó. Sus huesudos brazos temblaron cuando se izó a pulso, esforzándose por llegar arriba como fuera, esforzándose por no hacer caso del espantoso dolor que sentía en los pulmones vacíos. Balanceó las piernas atrás y adelante, utilizando aquel movimiento para impulsarse hacia arriba. Y lo consiguió. Con cada vaivén, se agarraba un poco más, conquistando la base del canal centímetro a centímetro, hasta que por fin apoyó los codos en el borde y finalmente subió del todo.

El tercer milagro...

Se quedó boca abajo un rato, con la cara pegada a la piedra, recuperando el aliento, ajeno a la rata que había asustado. Se puso en pie jadeando y con los dedos sangrando, y recordó que sus perseguidores debían de estar pensando en utilizar la misma cuerda para continuar la persecución. Pero los griegos no estaban pensando en hacer nada parecido. Se habían detenido y lo observaban desde el otro lado del puente sin terminar, atónitos ante lo que habían visto.

Baltasar no estaba muy seguro de por qué hizo lo que hizo a continuación. Quizá fuera por la expresión de pasmo que vio en sus rostros; quizá fuese producto del miedo: el caso es que les sonrió. Con la misma sonrisa confiada que enfurecería a muchos de sus futuros perseguidores y que ahora enfurecía a los griegos, mientras daba media vuelta y desaparecía en la impenetrable fortaleza de los tugurios.

II

Vivían cinco personas juntas: Baltasar, su madre Asherah, sus hermanas pequeñas, Melita y Tanis, dos gemelas que tenían nueve años, y su hermano Abdi, de dos.

Baltasar quería a su madre, y a otro nivel, aunque aún tenía que descubrir cuál era, quería a sus hermanas. Pero Abdi era su sombra, su público, su adorador. El niño que quería jugar con él en todo momento, que se reía de todas las muecas que hacía, y que, a pesar de ser pequeño para su edad, era tan valiente como su hermano. Cuando Baltasar salía hacia el foro por la mañana, Abdi solía correr tras él, agarrarse a su pierna y gritar:

—¡Balsá, Balsá! ¡Quédate!

En las raras ocasiones en que no trabajaba, pasaban el día juntos. Baltasar llevaba a su hermano por la avenida de los Pórticos y se detenían a ver tocar a los músicos o a acariciar a los extraños animales que procedían de más allá del Himalaya. De vez en cuando, incluso gastaba algún dinero en comprar dátiles con canela para compartirlos con él: el secreto de ambos. Por las tardes, Baltasar llevaba a Abdi a orillas del Orontes y se ponían a la sombra de su palmera favorita, la que tenía un profundo corte en la parte inferior. *La que parece que tiene una cicatriz.* Y allí, a la sombra de la palmera con la cicatriz, Baltasar se sentaba a mirar a los pescadores, mientras Abdi dormía en sus brazos, acariciando con los dedos el pelo castaño de su hermano. A veces él también se quedaba adormilado.

Por la noche, cuando estaban los cinco juntos en la misma habitación, Baltasar le contaba a Abdi los cuentos que le habían gustado a él de pequeño: las conquistas de Alejandro Magno y Leónidas, las batallas de Cartago y Salamina. Y luego los cinco se dormían, cada uno en su camastro de paja, sobre el sucio suelo. Hasta dos años antes había habido seis camastros.

El padre de Baltasar se había ganado la vida igual que la mayoría de los hombres de la vecindad: pasando los calurosos días aporreando con una maza las piedras de una cantera que había al norte de la ciudad. Era uno de los pocos oficios considerados aceptables para los nativos de Siria. Antiguamente, habían sido granjeros y comerciantes. Hasta que Roma se apoderó de Antioquía y expulsó a los lugareños de sus tierras y foros para encajonarlos en los barrios bajos.

Las condiciones de trabajo en la cantera eran peligrosas. Las cuerdas se rompían, los tornos se desintegraban. Era normal que los hombres fueran aplastados por aludes de escombros o partidos por la mitad por piedras afiladas que saltaban de las paredes. A veces, como le había ocurrido al padre de Baltasar, morían aplastados por rocas de doce toneladas cuando se rompía un torno de madera.

Baltasar no había llegado a ver el cadáver de su padre, por lo cual daba gracias al cielo. Pero había oído descripciones de hombres que habían corrido una suerte parecida: los cuerpos, prácticamente planchados por el peso de las rocas; y no había podido menos de imaginar el aspecto que habría tenido su padre cuando aquella mole lo aplastó: todas y cada una de sus gotas de sangre, bilis y orina exprimidas de sus órganos, el contenido de su estómago y de sus intestinos saliendo despedidos y formando un grotesco dibujo en forma de estrella, sus sesos escupidos a presión por las cuencas de los ojos, y su cráneo convertido en un mosaico de añicos. Un momento antes había sido un hombre que trabajaba duro, con un retorcido sentido del humor, una barba cuidadosamente recortada y un gran amor por los dátiles con canela. Y un momento después era una bolsa de astillas de hueso, empapada en sangre. Borrado de la existencia en lo que se tarda en guiñar un ojo. O en partirse una cuerda.

La tragedia había convertido a Baltasar en el hombre de la casa.
El único sostén de su madre y sus tres hermanos. Y aunque su pro-
genitora no aprobaba su trabajo, tampoco se lo prohibía.

—Robar es pecado —le dijo con un suspiro al enterarse de lo
que hacía—, pero pasar hambre es un pecado mucho mayor.

Le puso ciertos límites, sin embargo, cuando se enteró de uno
de los métodos que había ideado el pequeño: ponerse un taled,
entrar en el templo judío y robarles la bolsa a los hombres mientras
estaban absortos rezando.

—Es una abominación —le había dicho su madre—, tanto si
adoras al Dios de los hebreos como si no.

Tras pagar a sus cómplices, recompensar a los que le daban
soplos y repartir los sobornos inevitables, las monedas que Baltasar
birlaba en el foro apenas bastaban para mantener la casa y a la familia. No había dinero extra para caprichos, como ropa nueva o
aceite para la lámpara o dulces. Ni para alfombras en las que sentarse o copas para beber.

Y con el tiempo se iba haciendo cada vez más difícil robar algo.
El foro se estaba volviendo demasiado peligroso. Baltasar empezaba a ser conocido, interrogado por los soldados romanos que patrullaban por los Pórticos. Los cambistas se hacían cada vez más
remolones cuando les pedía información, ya que si lo pillaban a él,
podían crucificarlos a ellos.

Pero ¿qué podía hacer? Robar bolsas era lo único que se le
daba bien, a pesar del fracaso de aquel día. Conocía a chicos poco
mayores que él que habían sido detenidos por matar a un cambista
y robarle. Conocía a aquellos chicos desde que había nacido. Conocía a todos sus padres y parientes. Como él, habían empezado
robando faltriqueras en el foro. Como él, habían llegado a un punto en que se los reconocía con facilidad. Un punto en el que necesitaban algo más que unas pocas monedas para continuar. Y entonces cambiaban de método. Y por eso eran condenados a
muerte. Ahorcados por los romanos y arrojados a una zanja en la
otra orilla del Orontes.

Y eso fue lo que le dio la idea al principio.

Cada día, los romanos detenían a unos cuantos hombres por diversas razones, o por ninguna razón en absoluto, y los condenaban a muerte. Cada día, sus cuerpos eran transportados a un campo sin cultivar de la otra orilla del Orontes, y enterrados. Y con los cadáveres enterraban los anillos, las pulseras y los collares. A los romanos nunca se les ocurría quedarse con aquellas joyas. ¿Y por qué no? Por lo único que los griegos, macedonios, romanos, indios, chinos e incluso los sirios tenían en común: la religión. Todos eran supersticiosos. Temerosos de lo desconocido. Mártires de la histeria colectiva, una histeria de genuflexiones, sacrificios rituales y palabras antiguas. Ni siquiera los romanos, a pesar de su brutal imperialismo, se atrevían a profanar un cadáver. Pero la religión no era una histeria que afectara a Baltasar.

Nunca lo había sido. No por falta de instrucción. Su padre, como la mayoría de los sirios, había adorado a los antiguos dioses paganos. Y su madre, aunque no era abiertamente religiosa, era una de las mujeres más supersticiosas del mundo. Él nunca le había encontrado la menor utilidad a aquellas creencias. Estaba más preocupado por alimentar a su familia que por arrojarse a los pies de una estatua, más preocupado por el mañana que por los sermones de un profeta que había vivido mil años antes. Un profeta que nunca había oído hablar de Roma ni de Herodes. No encontraba nada abominable en comer ciertos alimentos en determinados días, ni en cubrirse la cabeza de un modo y no de otro, ni siquiera, *que Dios me perdone*, en no cubrírsela de ningún modo. Las creencias de esa clase te metían en una jaula.

Y Baltasar quería ser libre.

III

Esperó tendido boca abajo, en la oscuridad, mojado y solo. Al este, las luces de la ciudad bailaban sobre las aguas del Orontes. Al oeste sólo había desierto. Baltasar había decidido evitar el puente y cruzar nadando. Nunca sabías cuándo ibas a tropezar con un romano. Y el coste de esa precaución era tiritar bajo el aire frío del desierto.

Casi nunca había estado en aquella parte del río. No había mucho que ver por allí, salvo algún ermitaño y terrenos con tumbas abiertas, una de las cuales vigilaba. Vio a cuatro esclavos trabajando juntos para enterrar a las víctimas del día, dirigidos por un soldado romano. Dos cavaban con palas una zanja profunda hasta la rodilla, otro transportaba cadáveres desde un carromato y los arrojaba dentro, y el cuarto rellenaba el agujero con la tierra amontonada al lado.

No había contado su plan absolutamente a nadie. Nadie debía enterarse, ni siquiera sus amigos más fieles del barrio. Ni sus cómplices del foro. *Nadie*. Una cosa era robar bolsas. Incluso un homicidio se podía perdonar. *Pero aquello...*

Iba a cometer algo nefando.

Empezó a cavar con las manos desnudas. Le había costado otra desdichada hora de tiritera, pero los esclavos y su carromato se habían ido por fin, y el soldado también. Ahora nada más quedaba él, solo en un terreno lleno de cadáveres, arrodillado sobre una tumba en la oscuridad de la noche. Mientras cavaba, Baltasar se dijo a sí mismo que no debía perder la calma. *Tranquilízate.* La superstición era para los pobres de espíritu, ¿no? Pues claro que sí. Se conminó a pensar en el botín. En todo el oro y la plata que lo esperaban enterrados...

¿Se había movido algo?

Habría jurado que algo le había rozado el dedo...

No, no se había movido nada. No hay nada que se mueva ahí porque los muertos no se mue...

Una mano surgió de la tierra y cogió a Baltasar por el cuello. Luego otra, anormalmente fuerte, le apretó el gaznate, tirando hacia abajo, hacia la tierra removida. Metiéndolo en la tum...

No, para, para. Deja de portarte como un niño...

Pero sí que había sentido algo.

Era una mano, tenía forma de mano, una mano diferente de todas las que había tocado en su vida. Una mano más fría que la tierra que la envolvía, con la piel tiesa y correosa. De pronto, Baltasar cayó en la cuenta de un detalle, un detalle que había pasado por alto hasta entonces. Nunca había tocado un cadáver.

Los había visto, claro que sí. Era imposible llegar a los doce años en aquellos barrios de Antioquía sin haber visto un cadáver. Pero en lo referente a cadáveres, de verlos a tocarlos había una gran diferencia. Respiró hondo y apartó el resto de la tierra...

En la tumba yacía un hombre que no tendría más de veinte años. A juzgar por la franja roja que le rodeaba el cuello y por el extraño ángulo de su cabeza, lo habían ahorcado. ¿Por qué?, Baltasar nunca lo sabría. No importaba. Lo que importaba era el medallón que rodeaba aquel cuello. Un medallón de oro que colgaba de un cordón de cuero.

Lo único que tengo que hacer es estirar la mano y cogerlo.

Inútil hacer caso de las trampas que le tendiera su joven imaginación; por muy real que pareciera que el hombre había abierto los ojos enrojecidos y sus manos buscaban el cuello de Baltasar, era imposible. La gente no resucita. No había ningún Dios que temer, ni pecados que cometer. No había nada más que supersticiones y los sermones de viejos profetas.

Lo único que tenía que hacer era estirar la mano y cogerlo...

Aquella noche, Baltasar regresó a casa más sucio de lo normal y más rico que en sus sueños más atrevidos. Pronto informaría a su madre de que se mudaban a un barrio mejor.

Se había hecho con un botín mayor de lo que nunca había soñado. En una noche había despojado a nueve cadáveres. Y de aquellos nueve cadáveres, había pescado un total de seis anillos (cuatro de oro, dos de plata) y cuatro medallones (tres de oro, uno de plata), y para hacer todo eso no había tardado más de tres horas. *¡Tres horas!* Baltasar estaba contento cuando conseguía robar una bolsa en ese tiempo. Y robar bolsas implicaba riesgos, propinas y sobornos. No, aquélla era la respuesta. Aquél era el camino. Tenía toda la orilla occidental del río para él solo. Y lo mejor de todo era que no había un final a la vista. Mientras los romanos siguieran ajusticiando personas, él seguiría haciéndose con sus objetos de valor.

A la mañana siguiente llevó a Abdi a la ciudad y comieron dátiles con canela hasta que casi se pusieron enfermos. Y mientras descansaban al pie de su palmera favorita del Orontes, la de la cicatriz en la parte inferior, cerca de donde Baltasar había cruzado el río por la noche, hizo a su hermano un pequeño regalo, fruto de su primer saqueo de tumbas. Un recuerdo. Era un cordón de cuero con un medallón de oro, una fina lámina con el dios Pluto grabado en una cara.

—El dios de la riqueza —explicó Baltasar al colgarlo del cuello de Abdi.

El único dios que merece ser adorado.

El medallón destelló al recibir los rayos del sol vespertino y siguió destellando ocasionalmente mientras Abdi saltaba y reía a lo largo de la orilla, orgulloso de su regalo, pero más orgulloso aún de que se lo hubiera dado su hermano mayor. Baltasar lo observaba a la sombra de la palmera de la cicatriz, sonriendo de oreja a oreja, mientras el reflejo de un redondel dorado cruzaba su cara de vez en cuando. El reflejo del medallón de su hermano. El medallón que pasaría la mayor parte de su vida buscando.

4

Una extraña luz en el este

«Nacido, pues, Jesús en Belén de Judá en los días del rey Herodes, llegaron de Oriente a Jerusalén unos magos, diciendo: "¿Dónde está el rey de los judíos que acaba de nacer? Porque hemos visto su estrella y venimos a adorarlo".»

Mateo 2, 1

I

Herodes sonrió, enseñando por entre los labios las puntas ennegrecidas de los dientes. Había tenido razón, naturalmente. Si hay algo que a la gente le gusta más que un forajido, es ver cómo lo castigan.

Se habían congregado miles de personas para ser testigos de la muerte del Fantasma de Antioquía. En contra de los temores de sus consejeros, no había habido protestas ni peticiones de que lo soltaran, ni llanto en las calles de Jerusalén por su inminente muerte. Sólo había un gentío que esperaba ansiosamente en la plaza que había delante de la puerta norte de palacio, apretujado alrededor de una pequeña plataforma de madera levantada en el centro. Un océano de gente que esperaba con ansiedad para ver de lejos una leyenda menor. Más concretamente, para echar un vistazo a su sangre.

Herodes estaba muy por encima de ellos, en la Torre de Mariana, observándolo todo por un ventanuco y cuidando de mantener su rostro enfermo oculto a las miradas. Sus soldados habían pasado el día entero recorriendo todas y cada una de las calles de Jerusalén, desde los suburbios más pobres hasta los pórticos del Gran Templo, difundiendo la noticia de que el famoso asesino, el demonio conocido como el Fantasma de Antioquía iba a ser ejecutado en aquella plaza al atardecer. Los comerciantes de toda la ciudad habían cerrado sus tiendas antes de hora, los profetas habían cancelado sus sermones vespertinos, los viajeros cansados incluso habían renunciado a su puesto en las largas colas del censo para dirigirse a la plaza. Herodes había esperado ver una gran multitud, pero aquello superaba con creces sus expectativas.

En la sala del trono se deliberó sobre el método de ejecución. Había tantos para elegir... y cada uno con sus ventajas y desventajas. La crucifixión era degradante, pero se prolongaba durante demasiado tiempo. Se corría el riesgo de provocar una reacción de simpatía. Quemarlo vivo era espectacular, pero demasiado peligroso en medio de una gran ciudad atestada de gente. Ahorcarlo era un procedimiento indigno de la ocasión.

Al final, habían decidido que el mejor método era decapitarlo. Rápido y fácil, y sin embargo salvaje y humillante. De acuerdo con la tradición, a los prisioneros había que amordazarlos y cubrirles la cabeza con una capucha, impidiéndoles pronunciar unas últimas palabras y ver el mundo de los vivos. Las capuchas, además, escondían el miedo que se reflejaba en el rostro de las víctimas, las deshumanizaba, reduciendo así la posibilidad de que el público simpatizara con su suplicio.

Una vez conducidos al cadalso, los condenados eran obligados a arrodillarse ante un tajo de piedra, y sus cabezas eran segadas rápidamente con un hacha de hierro. Había, no obstante, una serie de factores (el tamaño del cuello, el filo de la hoja, la habilidad del ejecutor) que podían obligar a propinar varios hachazos para separar completamente la cabeza del tronco.

En cuanto la hoja segaba limpiamente el cuello, quitaban la capucha y levantaban la cabeza para que la viera todo el mundo: la mandíbula colgando, la sangre que chorreaba de la parte superior del cuello y el rostro ya exangüe y pálido. Con un poco de suerte, podía tener los ojos abiertos. Y con mucha suerte, giraban todavía con una chispa de vida y miraban con horror los rostros de la multitud que gritaba de entusiasmo.

El redoble de los tambores llenó repentinamente la plaza mientras la puerta norte se abría y Antipas, el hijo ya adulto de Herodes, la cruzaba acompañado de la guardia real. Antipas era todo lo que su padre había sido antaño: musculoso y alto, de espalda recta, de piel olivácea y sana, con un poco de barba en la faz y el cabello oscuro. Herodes imaginaba a menudo lo que daría por estar en el lugar de su hijo, las atrocidades que cometería para volver a tener aquella edad, toda aquella salud y belleza. ¿Habría sido capaz de matar a su querido hijo Antipas si de ese modo recuperaba la perdida lozanía? En su cabeza no había ni la menor sombra de duda. *Por supuesto que sí.*

Antipas subió los cuatro escalones del cadalso y acalló a la multitud con un gesto de la mano.

—Pueblo de Jerusalén —gritó—. ¡Hijos de Israel! ¡Hoy estamos aquí para ver cómo se hace justicia con tres criminales!

Los gritos de entusiasmo crecieron, no por la idea de justicia, sino por el sangriento método con el que se iba a ajusticiar.

—¡Hemos venido a honrar la ley de Dios! ¡Y hemos venido a honrar a mi padre, el poderoso Herodes!

Antipas señaló con el brazo la torre situada encima de la puerta norte, y la multitud volvió a prorrumpir en vítores, no menos de los necesarios para resultar convincentes ni tan fuertes como para parecer de sumisión. Unos vítores que mostraban respeto en su justa medida. Miles de ojos llegaron a distinguir al poderoso Herodes en persona, su barba espesa y castaña, sus mejillas llenas y su piel inmaculada. El rey nunca había tenido mejor aspecto y saludó calurosamente con la mano a sus súbditos.

Desde otra ventana, el verdadero Herodes observaba la actuación de su doble.

Ya no podía pasear entre su pueblo. No en su actual estado. No hasta que descubrieran una cura. Pero no quería que los judíos sospecharan. Ni que corriesen rumores. Que lo imaginaran diferente del rey feroz y robusto que había sido hasta unos años antes.

El doble de Herodes saludó unos segundos más y luego desapareció de la ventana como le habían ordenado que hiciera. No era necesario que mirasen todo el tiempo al «rey» y se distrajeran con aquella imagen engañosa y se olvidaran del acontecimiento principal.

—Estamos aquí —prosiguió Antipas— para ser testigos de la muerte de tres ladrones. ¡Los dos primeros fueron detenidos cuando robaban objetos sagrados del Gran Templo!

Se elevó un coro de gritos indignados mientras los tambores redoblaban de nuevo y se abrían las puertas de la entrada norte. Melchor y Gaspar, con la cabeza cubierta por una capucha negra y las manos atadas a la espalda, entraron custodiados por una numerosa guardia.

En lugar de enfrentarse a la muerte con la serena dignidad que se había convertido en el distintivo de los hombres en su situación, los dos forcejeaban por librarse de las ligaduras y de los guardias que los sujetaban. Naturalmente, cuanto más forcejeaban, más gritaba la multitud, al borde del frenesí. Aquello era música para los oídos de Herodes, y deseó con más fuerza aún cambiarse por Antipas. Quería estar allí abajo, en aquel cadalso, para levantar personalmente la cabeza del Fantasma de Antioquía y elevarla hacia los cielos. Asirla por los pelos y sacudirla hasta que la última gota de sangre le resbalara por el brazo. Mirar los ojos que mirarían indefensos durante unos breves segundos antes de quedarse contemplando el infinito. Como había hecho en incontables ocasiones a lo largo de los últimos tres años, Herodes maldijo en silencio a la puta que le había contagiado todo aquello. La puta cuyos encantos habían sido su perdición.

Era tan joven, tan virginal y tan ingenua... La había gozado muchas veces y de muchas maneras. Y aunque al principio se había resistido, Herodes estaba seguro de que había llegado a gustarle. Y entonces encontró una marca. Una llaga en el pecho de la muchacha. Al día siguiente tenía otra en el cuello. Al cabo de una semana, estaba cubierta. Cubierta de llagas que supuraban un pus maloliente. Sus ojos se habían vuelto de color amarillo y su piel de un gris cadavérico.

Y entonces la vio. La primera llaga en su propia carne. Herodes había ordenado a sus médicos que se la suturaran, pero en su lugar habían aparecido dos más. Y luego diez, todas supurando un líquido maloliente, todas chupando el pigmento de la piel que las rodeaba hasta que todo su cuerpo estuvo gris y macilento, hasta que los dientes se le pudrieron y su apetito se desvaneció. Sus médicos le diagnosticaron lepra, aunque tuvieron que admitir que nunca habían visto una lepra como aquélla.

Un rey, un constructor de grandes ciudades, vencido por la miserable enfermedad de los mendigos.

No, Herodes no podía dejarse ver nunca más entre el pueblo, pero aún podía mandar sobre él. Lo hizo con argucias y engaño. Pero aún podía gobernar en la sombra, como hacía en aquellos momentos, entre las sombras de aquella torre que llevaba el nombre de su querida y difunta esposa, observando cómo conducían al cadalso a los encapuchados Gaspar y Melchor, que no dejaban de forcejear a cada paso para intentar liberarse, como si tuvieran alguna posibilidad de escapar. Como si pudieran colarse entre docenas de guardias y miles de espectadores con aquellas capuchas puestas.

Es sorprendente —pensó Herodes— *lo que un hombre es capaz de hacer para conservar la vida.*

El más bajo de los presos fue arrastrado hacia el tajo de la ejecución y obligado a arrodillarse ante él. La piedra tenía anillas de metal a ambos lados y entre ellas había una cuerda. En cuanto la cabeza encapuchada de Melchor estuvo sobre la piedra, le pasaron la cuerda sobre los hombros. Los guardias situados a ambos lados del tajo sujetaron los extremos de la cuerda con las manos y la estiraron hasta que estuvo tensa, manteniendo al preso pegado al tajo, a pesar de sus forcejeos.

—¡Y ahora —vociferó Antipas—, el griego llamado Melchor se encontrará cara a cara con la muerte!

La multitud guardó un silencio sepulcral. Quería oírlo. Oír el familiar crujido de un cuello que se parte y del metal que choca con la piedra. El verdugo levantó el hacha y la mantuvo en alto durante unos segundos, explotando al máximo el momento de expectación. Entonces sonó el golpe. El crujido de vértebras partidas se oyó claramente en toda la plaza, pero no el golpe del hacha contra el pétreo tajo.

No había cortado el cuello limpiamente.

Sin perder un instante, y mientras el cuerpo de Melchor se retorcía y la oscura sangre comenzaba a gotear por los lados del tajo de piedra, el verdugo levantó el hacha de nuevo y concluyó el trabajo. Antipas retiró la capucha de Melchor y levantó la cabeza para que la viera la multitud, mientras la sangre le chorreaba por el brazo y caía en las planchas de madera del cadalso.

Herodes no había visto antes a aquel hombrecillo griego. Era un delincuente común y, como tal, había sido encerrado directamente en las mazmorras. Nada de audiencias con el rey. Simplemente, una sentencia de muerte y al calabozo. No obstante, su rostro le resultaba vagamente familiar, aunque a aquella distancia era difícil estar seguro. *Además* —tuvo que admitir Herodes—, *a mí todos los griegos me parecen iguales.*

No importaba. Allí estaba, con la boca silenciada para siempre y la mandíbula caída, los ojos aún moviéndose, mirando los rostros radiantes de júbilo y los puños levantados. Mirando los últimos momentos de su vida. Allí estaba, una prueba de la autoridad absoluta de Herodes. Y la multitud no podía estar más contenta.

Cuando le pareció que ya habían tenido suficiente emoción, Antipas entregó la cabeza de Melchor a un guardia, que se la llevó para clavarla en el extremo de una pica, donde se secaría al sol durante un mes o más. Entonces le llegó el turno a Gaspar, que al igual que su compañero, no se quedó quieto. Hicieron falta cuatro guardias para obligarlo a ponerse de rodillas y toda la fuerza de los que sujetaban la cuerda para mantenerlo inclinado. El verdugo estaba decidido esta vez a dar un solo golpe, y así fue: el filo del hacha dio directamente en el tajo de piedra, con tanta fuerza que astilló el mango de madera de la herramienta. Una vez más, Antipas retiró la capucha y levantó la cabeza para que la vieran todos. De nuevo, la multitud vitoreó salvajemente.

Y cuando le pareció que ya habían gritado bastante, Antipas entregó la segunda cabeza y levantó una mano. La multitud calló. Había llegado el momento.

—Y ahora —dijo Antipas— vamos a ajustarle las cuentas al criminal que llaman el Fantasma de Antioquía. Un criminal que lleva tiempo robando a los honrados habitantes de Judea y que ha matado a sangre fría a muchos valientes soldados. ¡Un criminal que os ha hecho creer a muchos de vosotros que era un gigante! ¡Que os ha llevado a pensar que nunca podría ser capturado! ¡Y sin embargo, mi padre, nuestro poderoso rey, lo ha conseguido!

La multitud volvió a rugir, tal como Antipas había esperado.

—¡Ahora veremos todos que el tal «Fantasma» no es más que un hombre! ¡Ahora veremos todos el destino que aguarda a los enemigos de Judea y de su pueblo!

El rugido de entusiasmo llegó a un punto delirante cuando los tambores volvieron a redoblar y se abrió la puerta norte. Por ella apareció Baltasar con una capucha negra cubriéndole la cabeza y las manos atadas a la espalda. Mientras los guardias lo conducían al centro de la plaza, hombres y mujeres se pusieron de puntillas y se empujaron para tratar de ver a la leyenda. Los que lo consiguieron quedaron desilusionados. No era un gigante. Sólo era un hombre. Un hombre que, como los difuntos Melchor y Gaspar, forcejeaba con sus ligaduras, tratando de liberarse incluso en aquellos momentos.

Herodes, asomado al ventanuco, también veía forcejear al reo y esforzarse por soltarse de los guardias que lo conducían hacia las escaleras del cadalso. Nada podría haberlo contentado más. No sólo iba a morir el Fantasma de Antioquía, sino que el temible enemigo iba a encontrar la muerte como un cobarde, y a la vista de toda Jerusalén.

Como si respondiera a los pensamientos de Herodes, Baltasar hizo algo totalmente inesperado e indigno al llegar al tablado. Algo que no casaba en absoluto con la leyenda que se había forjado, y mucho más vergonzoso que forcejear con las ligaduras.

Se meó encima.

Herodes no se habría dado cuenta si Antipas no hubiera visto el oscuro redondel que se formaba en las ropas del preso, y se extendía piernas abajo.

——¡Miradlo! —exclamó Antipas, señalando la prueba—. ¡Aquí está el poderoso Fantasma de Antioquía! ¡El azote de Roma meándose en la hora de la muerte!

Las risas y los abucheos llenaron la plaza. Los insultos salieron desde todos los rincones. Herodes no podía creérselo. *Imposible, es demasiado bueno para ser verdad.* Sus dientes ennegrecidos asomaron de nuevo. La leyenda del Fantasma de Antioquía pronto estaría tan muerta como el cuerpo decapitado y empapado en orina de aquel hombre.

Al igual que Melchor y Gaspar, Baltasar tuvo que ser obligado a arrodillarse frente al tajo de piedra. A diferencia de ellos, se arrodilló sobre su propia orina. Le empujaron la cabeza para ponerla sobre el frío tajo de piedra, y tensaron la cuerda sobre sus hombros. Se necesitó toda la fuerza de los hombres que sujetaban la cuerda para mantenerlo en su sitio.

—¡Y ahora —aulló Antipas— libraremos a la tierra de un demonio!

La multitud quedó en silencio de nuevo mientras el verdugo levantaba el hacha. Tras detenerse algo más de lo habitual para conseguir un efecto dramático, gruñó a causa del esfuerzo y la empezó a bajar sobre el tembloroso prisionero. Pero mientras el hacha caía, Baltasar hizo un movimiento para vencer la tensión de la cuerda y levantó la encapuchada cabeza medio palmo, evitando que el hacha alcanzara su cuello.

Pero Baltasar no iba a ser protagonista de ninguna huida espectacular aquel día. Porque aunque el hacha no le partió el cuello, le partió la sesera.

Y el pobre se quedó tieso.

Lo mismo que la multitud. El griterío cesó. Los rostros exaltados adoptaron una expresión escéptica mientras observaban en silencio los chorros de sangre que saltaban a través de la capucha negra. Mientras veían al avergonzado verdugo tirar del hacha que había quedado clavada en el cráneo de Baltasar. Aquélla no era la decapitación que habían ido a ver, la decapitación por la que lo habían dejado todo. No era el acontecimiento por el que habían esperado varias horas soportando el calor. El silencio no tardó en dar paso a los abucheos.

Herodes estaba más irritado que toda la concurrencia. El Fantasma de Antioquía se había negado a cooperar incluso en sus últimos momentos. Incluso muerto se las había arreglado para poner en ridículo al rey de Judea. Para burlarse de su poder. Pero por fin estaba muerto. Aunque no había sido la ejecución que había esperado, al menos había sido una ejecución. El objetivo de librar a la tierra de un demonio se había conseguido. Y eso, en definitiva, era lo que realmente importaba.

Antipas se apresuró a subir al cadalso. Ansioso por recuperar el clímax anterior, ordenó al verdugo que terminara la faena y cortara la cabeza del prisionero, aunque estuviera medio partida. Deseoso de redimirse, el verdugo finalizó el trabajo de un golpe, y la multitud estalló en vítores de nuevo. Incluso Herodes sintió su espíritu más ligero al ver la cabeza del Fantasma de Antioquía separada definitivamente de su tronco.

Al igual que había hecho con Melchor y Gaspar, Antipas retiró la capucha y levantó la cabeza para que todos pudieran verla.

Pero no era la cabeza del Fantasma de Antioquía.

Como tampoco las cabezas anteriores habían sido las de Melchor y Gaspar.

La multitud siguió gritando y Antipas sonriendo. Ninguno conocía realmente el rostro del Fantasma de Antioquía ni sabía que aquélla no era su cabeza.

Pero Herodes sí lo sabía.

Desde las alturas en que se encontraba encaramado, lo comprendió. Comprendió que el Fantasma de Antioquía lo había vencido, peor aún, lo había humillado frente a su pueblo. Sintió tal rabia subiéndole a la garganta que casi empezó a gritar. Pero no pudo encontrar la voz. No podía hacer nada. Era un rey impotente, atrapado en una torre que llevaba el nombre de la esposa que lo había humillado. Atrapado en un cuerpo que lo humillaba. Lo único que podía hacer era mirar a su estúpido y sonriente hijo mientras éste sostenía en el aire la cabeza de otro.

II

Tres falsos sacerdotes se dirigían hacia el este a través de Jerusalén a la puesta del sol. Los tres llevaban la cabeza envuelta y la cara cubierta. Los tres vestían ropas de hombres muertos.

Una vez más, Baltasar había conseguido escapar gracias a la religión. A los guardias de las mazmorras nunca se les habría ocurrido pensar que nadie, ni siquiera unos conocidos asesinos, pudiera hacerle daño a un sacerdote. A los guardias no se les había ocurrido quedarse en la celda para proteger a los consejeros espirituales del rey mientras ofrecían consuelo a los condenados. Tampoco se les había ocurrido fijarse bien en los tres sacerdotes cuando llamaron a la puerta de la celda y anunciaron que habían terminado y estaban listos para salir... con la capucha echada sobre la cabeza para que no se les viera el rostro.

Los guardias no eran los únicos que habían dado por supuestas demasiadas cosas. A Baltasar tampoco le había pasado por la cabeza que tres hombres inocentes pagarían su libertad con la vida, ni que forcejearían y gritarían bajo la capucha, ni que se mearían encima. Su plan sólo había sido doblegar a los tres sacerdotes, robarles las ropas, atarlos y amordazarlos con jirones de sus propias ropas, y escapar de palacio antes de que alguien notara el cambio. Estaba seguro de que la artimaña quedaría al descubierto cuando los guardias volvieran a la celda y encontraran dentro a los sacerdotes atados, amordazados y medio desnudos. Pero a Baltasar no se le había ocurrido que los que entraran pudieran ser otros guardias.

En realidad, los hombres que volvieron a la celda, los hombres que pusieron las capuchas a los prisioneros atados y amordazados y los condujeron al tajo del cadalso para ser decapitados, no tenían ni idea de cómo eran Gaspar, Melchor y Baltasar, porque llevaban de guardia menos de una hora. Al final había resultado que los verdaderos sacerdotes habían sido condenados a muerte por el relevo de la guardia.

En medio de la emoción que despiertan las ejecuciones, nadie había notado que el griego bajo y rechoncho ya no era ni tan bajo ni tan rechoncho, ni que las manos atadas del etíope llamado Gaspar ya no tenían el mismo color. Como tampoco se había fijado nadie en los tres hombres que habían salido de las mazmorras vestidos con trajes sacerdotales, habían atravesado el palacio y cruzado el patio. Los guardias habían abierto obedientemente la puerta norte sin pensarlo dos veces, y los prisioneros se habían limitado a salir a la plaza, donde la muchedumbre empezaba a reunirse para presenciar la ejecución del año.

Anduvieron lo más despacio que pudieron, tan grandes eran el miedo y la angustia que los atenazaban. Sólo había una calle y el deseo de seguir adelante. El deseo de alejarse del palacio de Herodes todo lo que pudieran. Y cruzaron la ciudad hasta que llegaron al estanque de Betesda, donde la gente de los barrios vecinos se bañaba y donde Baltasar se detuvo a tomar el trago de agua más largo que un ser humano había tomado jamás.

El estanque estaba al lado de un mercado que recorría el muro norte del Gran Templo: una fila de mercaderes y vendedores ambulantes que abarcaba varias manzanas. Cuando hubo saciado la sed, Baltasar se encontró con fuerzas para idear otro plan.

Primero puso en práctica su vieja habilidad para los juegos de manos, yendo de un extremo a otro del mercado y sacando monedas de las bolsas de los transeúntes y robando chucherías de los puestos de los comerciantes que aún no habían cerrado para asistir a la ejecución. Robó objetos pequeños de oro y algo de incienso. Cosas que en los días futuros pudiera cambiar por comida y ayuda.

Luego utilizó algunas monedas robadas para comprar toda la comida y agua que pudieran transportar entre los tres. También adquirió algo de mirra para curarse las heridas, un truco que había aprendido de pequeño en el foro, escuchando a los mercaderes asiáticos. Utilizó parte de las joyas robadas para comprar un camello para cada uno. Montados en los camellos, se dirigieron al sur, dejando atrás los muros del templo. No sabían adónde se dirigían y tampoco les importaba, mientras fuera lo más lejos posible de Jerusalén.

Si Melchor y Gaspar habían abrigado alguna duda de que su compañero fuera el auténtico Fantasma de Antioquía, los chismes que se contaban en las calles de Jerusalén se las despejaron totalmente. Toda la ciudad hablaba de la ejecución. El Fantasma de Antioquía estaba en boca de todos. Baltasar había salvado la vida de aquellos dos bandidos y los dos estaban en deuda con él. Según la tradición, serían sus sirvientes hasta que hubieran pagado la deuda con la misma moneda. Era un código tan antiguo como el desierto y los ladrones lo aplicaban tan estrictamente como cualquier otro profesional. Incluso Baltasar, que nunca había conocido una tradición que no despreciara, la había honrado en el pasado. No era una tradición en el sentido religioso, como comer un animal en vez de otro, o llevar un sombrero en lugar de otro o ningún sombrero en absoluto. Era simple sentido común.

Todo servicio tenía un precio. Todo objeto un valor. Si alguien te forjaba una espada, le pagabas la suma convenida o la cambiabas por un objeto de igual valor. Si un hombre te salvaba la vida, o le pagabas la cantidad en que valorabas esa vida o le salvabas la suya a cambio. Hasta que ocurriera una de esas dos cosas, estabas en deuda con él. Era una sencilla cuestión comercial. Y si Baltasar creía en algo con fervor religioso, era en eso.

Todo tenía un precio. Y aunque todavía no sabía que su libertad le había costado las cabezas a los sacerdotes, sabía en cambio que acababa de aumentar el precio de la suya.

III

Los gritos resonaron en la sala del trono de Herodes. Los sirvientes se habían esfumado, temerosos de ser condenados a muerte por alguna infracción imperceptible. Los consejeros estaban encogidos en los rincones de la sala, lejos del cálido y parpadeante resplandor de las antorchas, lejos del frío claro de luna que entraba por las ventanas con inusual intensidad. Se escondían en las sombras, incluso tras las filas de columnas que discurrían pegadas a las paredes.

El rey se paseaba delante de los peldaños de su trono, con la espalda encorvada. Tres generales de Judea estaban ante él en posición de firmes, con el casco bajo el brazo y el rabo entre las piernas.

—¡No me importa si tenéis que quemar la ciudad hasta los cimientos para encontrarlo! ¡No pienso dejar que un ladrón de poca monta se burle de mí!

Su voz, ronca de por sí, brotaba con una tensión llevada hasta el límite. Había pasado la última hora maldiciendo a todo el que había osado ponerse ante su real vista. Exigiendo las cabezas de todo aquel que hubiera desempeñado un papel en su humillación, incluso el más pequeño: los guardias de las mazmorras, los guardias de la puerta norte, incluso el verdugo. Todos muertos.

—¡Quiero que lo persiga cada legión, cada hombre, cada caballo y cada espada, y lo quiero vivo ante mí!

Incluso su amado hijo Antipas había desaparecido después de aquel desastre. Ya sabía por experiencia que no debía ponerse en el camino de su furioso padre.

—¡Y si una palabra, una sola palabra de todo esto se pronuncia fuera de estos muros, os haré matar a todos, y con vosotros a vuestras familias! ¡Ninguno de vuestros hombres sabrá a quién persigue! ¡Por lo que se refiere a ellos y a toda Judea, el Fantasma de Antioquía está muerto! ¿Entendido?

Los tres generales asintieron moviendo la cabeza al mismo tiempo. Incluso un simple «Sí, majestad» podía ser malinterpretado en aquella situación.

—Bien, ahora, andando; a buscarlo.

Los generales inclinaron la cabeza ante el rey, giraron sobre los talones y salieron tan aprisa como pudieron sin dejar traslucir el temor que sentían. Cuando salieron, un tímido rostro brotó de las sombras que había detrás del trono de Herodes. Pertenecía a un consejero, un sujeto barbilampiño con el pelo gris corto y una constitución alta y enjuta. Había estado esperando una pausa en las invectivas, el momento adecuado para informar de las últimas noticias. Las peores noticias posibles. El consejero sabía que corría peligro de ser sentenciado a muerte sólo por ser el portador de las mismas. Pero alguien tenía que hacerlo. El rey tenía que saberlo. *Esta noche, tenía que ser precisamente esta noche...*

—Poderoso Herodes —murmuró.

Cuando el rey se volvió, ya había inclinado la cabeza como para pedir perdón.

—¿Qué tripa se te ha roto?

—Poderoso Herodes, yo... debo informarte de...

El consejero había levantado la cabeza y se había encontrado con los ojos del rey, aquellos horribles ojos amarillentos que lo fulminaban con la mirada. El consejero cayó repentinamente en la cuenta de que había perdido la capacidad de hablar.

—¿De qué?

—Es... es mi triste deber...

—¡Utiliza la lengua o haré que te la arranquen de cuajo!

El consejero abandonó toda esperanza de recuperar el uso de la palabra y se limitó a señalar el muro oriental. Los ojos amarillentos de Herodes siguieron la dirección que señalaba con el brazo.

—¿Qué? —preguntó—. ¿Qué quieres que mire? Lo único que veo son las columnas y los cobardes dignatarios que se esconden tras ellas.

—Quizá, si vuestra majestad tuviera la bondad de mirar por una de las ventanas...

Herodes estaba cansado. Estaba cansado y con ganas de que terminara aquel día de perros. Fuera cual fuese la causa de los titubeos de aquel cretino, no podía ser peor que la humillación que había sufrido. Arrastró sus cansados pies por el suelo de piedra, hacia el muro oriental.

Al darse cuenta de que el rey los vería si seguían allí, los consejeros, sacerdotes y cortesanos que se habían escondido tras las columnas se desplazaron hacia la parte trasera de la sala del trono. Se retiraron tan silenciosamente como pudieron mientras el monarca se acercaba, pero no lo bastante para escapar a su atención. ¿Acaso creían que estaba sordo? ¿Que estaba ciego? ¿Creían que un gran rey que llevaba treinta años en el trono era subnormal?

Herodes tuvo una visión maravillosa al dejar atrás las columnas y acercarse a la pared oriental. Una visión en la que él era el único habitante del mundo. Un mundo sin bandidos que perseguir. Sin cortesanos arteros ni generales ineptos, sin putas enfermas ni hijos guapos y codiciosos. Un mundo sin tarados a los que soportar. Puede que el cielo se le presentase así cuando llegara. Un mundo entero para él solo. Un mundo que pudiera construirse a su imagen y semejanza. Era un pensamiento sublime.

Al llegar a una de las ventanas de detrás de las columnas y asomarse, entendió por qué al consejero le había costado tanto contárselo. También supo que su larga noche no había hecho más que empezar. Se quedó sin aliento ante lo que vio, en el preciso instante en que comprendió más allá de toda duda lo que significaba. Porque allí, en el cielo, más allá de la silueta del Gran Templo, estaba la estrella más brillante que había visto en su vida.

—Las profecías, majestad.

El consejero estaba encogido detrás de él, esperando el arrebato de ira que sabía que llegaría. Pero Herodes no sintió que le subieran por la garganta las ganas de gritar. Ni que le culebreara la ira por el retorcido espinazo. Más bien le hizo gracia todo aquello. Por la mañana tenía al Fantasma de Antioquía en las mazmorras. Ahora, pocas horas después, el famoso delincuente era un hombre libre y, si tenía que creer en antiguas profecías, los cielos acababan de señalar la llegada del hombre que acabaría con todos los reinos del mundo, incluido el de Herodes.

Quizá fuera el dolor que sentía en la garganta. Quizá sólo fuese el hecho de que estaba agotado. Pero cuando Herodes volvió a hablar, lo hizo con voz suave, casi cariñosa.

—Llama a los generales, por favor.

El Fantasma de Antioquía tendría que esperar. Herodes tenía problemas más importantes.

IV

Habían estado discutiendo lo que era. ¿Un cometa? ¿Una hoguera que ardía en la ladera de una alta montaña? ¿Sería, como temía Melchor, el ojo omnividente del propio Herodes, que los miraba a ellos? Fuera lo que fuese, era brillante. Un sol diminuto, colgado en el cielo, a su izquierda, que eclipsaba los demás fuegos del firmamento mientras se dirigían hacia el sur.

Los prófugos, necesitaban un lugar donde acampar y descansar un par de horas. Ninguno había dormido más de unos minutos la noche anterior, y tenían por delante un viaje de una longitud y dificultades desconocidas. No podían ir a Jerusalén. No con los hombres de Herodes derribando a patadas todas las puertas de la ciudad para buscarlos. Y tampoco podían ir al desierto. No con aquella cosa encima..., aquel sol nocturno que borraba todas las ventajas que el desierto podía ofrecerles: vastas extensiones de oscuridad total en la que ocultarse.

A menos que quisieran cabalgar durante otras dos o tres horas, aquel detalle les dejaba poquísimas opciones. Concretamente, uno de los pueblos de las afueras de la capital. Baltasar no tenía intención de dirigirse a Bethel, que estaba al norte, sobre todo después de la falta de hospitalidad que le habían dispensado sus habitantes durante su última visita. Herodión estaba demasiado lejos. Y tenía en su nombre el de Herodes, y eso, incluso para un hombre poco supersticioso, no parecía buena idea.

Sólo quedaba Belén.

Era un pueblo de pastores. Eso significaba que habría establos donde esconderse. Y más importante aún, establos para esconder sus camellos. No podían dejarlos atados a la vista de todos, no en un pueblo donde los únicos animales eran las cabras. Tres camellos estarían fuera de lugar hasta para el soldado menos astuto. Sobre todo para uno que buscara tres delincuentes fugitivos.

En el extremo norte de Belén, antes de que el pueblo adquiriese forma y se convirtiera en una serie de calles empedradas y divididas en solares, los falsos sacerdotes vieron a su derecha un puñado de pequeñas casas de ladrillo, todas con un establo de madera al lado. El mayor de todos parecía lo bastante grande para alojar a tres hombres y sus camellos durante un par de horas. También era el que se encontraba más lejos de la calle principal, lo cual lo hacía mucho más atractivo.

—¿No crees que deberíamos avanzar un poco más? —preguntó Gaspar—. ¿Por si hay algo mejor en el centro?

Baltasar miró hacia Belén. Aparte de algunas hogueras, el pueblo estaba profundamente dormido. Las calles vacías. A la luz de aquella extraña estrella, se distinguía perfectamente cada adoquín y cada techumbre. No sería difícil localizar a tres hombres montados en camello. Podían pasar otra hora buscando algo mejor con aquella luz brillante iluminándolo todo, pero también podían quedarse allí donde estaban y dormir un par de horas.

Baltasar lamentó su decisión casi de inmediato.

Todo había empezado en el momento mismo en que los falsos sacerdotes asomaron la cabeza en el establo y sorprendieron a la muchacha dando de mamar al niño. Con el grito de la joven resonándoles todavía en los oídos, el carpintero había aparecido de repente y había hecho ademán de clavarles una horca de tres púas. Baltasar, naturalmente, había respondido cogiendo al carpintero por el cuello y dándole un puñetazo en la cara; le puso morado el ojo derecho y vio que también le sangraba la nariz. Al advertir la situación, la muchacha había gritado más fuerte, los camellos habían retrocedido y a Baltasar había vuelto a dolerle la cabeza.

El carpintero se esforzaba por no caerse; con la mano derecha empuñaba la horca y con la izquierda se tapaba la sangrante nariz. La muchacha intentaba impedir que perdiera el equilibrio sin dejar de mirar fijamente a los intrusos y abrazando al lloriqueante niño al mismo tiempo. Baltasar dio un paso hacia ellos con las palmas de las manos hacia arriba, para dar a entender que no había ningún peligro, un gesto que otros harían para calmar a un animal asustado; pero el carpintero quiso golpearlo con la horca y a punto estuvo de darle en la cara. En circunstancias normales, una agresión así le habría costado la vida al carpintero. Pero Baltasar no tenía espada y no podía arriesgarse a armar jaleo y llamar la atención. Necesitaba paz y la necesitaba ya.

—Tranquilos —repuso—. Que se calme todo el mundo.

Retrocedió con las palmas aún levantadas e hizo una seña a sus amigos, indicándoles que hicieran lo mismo. La muchacha dejó de gritar. El niño dejó de llorar, y aunque a Baltasar esto último debería de haberle parecido extraño, estaba demasiado cansado para darse cuenta.

—Bien —dijo—. ¿Cómo te llamas?

El carpintero lo miró durante lo que le pareció una eternidad, jadeando y con la sangre secándosele ya en los labios y las mejillas. Cuando el Fantasma de Antioquía empezó a temerse que no iba a responder, dijo:

—José.

—José, bien. Encantado de conocerte, José. ¿Y ella?

—Mi esposa —respondió el carpintero tras otra pausa—. María.

—Bien. ¿José? ¿María? Yo soy Baltasar. Éste es Gaspar y ese otro Melchor. No queremos haceros daño, sólo estamos buscando un lugar para descansar. Pero mira, José, si no bajas esa horca te la quitaré y te mataré con ella delante de tu mujer y de tu hijo. ¿Lo entiendes?

Baltasar vio que el carpintero se lo pensaba durante otra eternidad. *Un problema difícil, ¿verdad? Si sueltas la horca, estarás indefenso. Si no, tendrás que matarnos a los tres. Bien, ¿qué será?*

Como respondiendo a sus pensamientos, el carpintero tiró la horca a tierra. Gaspar se movió rápidamente hacia ella, pero Baltasar levantó la mano y lo contuvo. Necesitaba paz.

—Bien —empezó a decir entonces—, ahora sentémonos a charlar un rato.

Los falsos sacerdotes ataron los camellos, se sentaron sobre la paja y apoyaron los cansados cuerpos en los pesebres. José y María también se sentaron, pero quedándose en el otro lado del establo, a unos tres metros de distancia. María abrazaba al niño contra sí, conmocionada todavía por haber visto que agredían a su marido y por la vergüenza de que la hubieran visto a ella en unas condiciones tan íntimas y poco dignas. José estaba junto a ella, acariciándose la nariz golpeada.

—¿Qué asuntos obligan a tres hombres —preguntó María tras un largo silencio— a entrar por la fuerza en un establo ajeno en mitad de la noche?

—¿Sois los propietarios del establo? —preguntó Gaspar.

—Es nuestro. Nosotros llegamos primero —respondió ella.

—Necesitamos un lugar donde apoyar la cabeza durante unas horas —adujo Baltasar.

—Podríais haber ido a descansar a otra parte —replicó María.

—Nos tememos que no.

Ella los miró atentamente. Sus ropas estaban entre las más caras que María había visto en su vida. Estaban adornadas con joyas de oro y podía oler el incienso que transportaban.

—Es obvio que pertenecéis a la nobleza —dedujo—. Id y obligad a cualquier pastor a que os ceda la casa. Mejor aún, id a Jerusalén y echad a otro noble de la suya.

—Nuestra situación es... complicada —explicó Baltasar.

—Éste, aquí donde lo veis, es el Fantasma de Antioquía —informó Melchor.

Baltasar tuvo que reprimir el impulso de partirle la jeta al pequeño griego. ¿Cómo se podía ser tan estúpido? Allí estaban, disfrazados y huyendo para salvar el pellejo, y a él no se le ocurría otra

cosa que contar lo único que podía conducirlos a la muerte enseguida. Ahora, en el momento en que se quedaran dormidos, aquellos dos judíos irían corriendo a denunciarlos al primer soldado
que encontraran. A venderlos por la recompensa que ofreciera
Herodes. Ahora tendría que atarles las manos. Amordazarlos.

No había vuelta atrás. Se habían quedado con el culo al aire.
Baltasar esperó a ver en el rostro de los dos judíos la habitual expresión de pasmo y asombro; y siguió esperando, hasta que no
tuvo más remedio que pensar que José y María no sabían quién o
qué era el Fantasma de Antioquía.

Aquella ignorancia aumentó su cabreo. Todo le cabreaba: el
dolor de cabeza, el cansancio físico, el balido de las cabras del establo que había detrás, todo.

—Voy de aquí para allá —dijo al fin— cogiendo lo que puedo
a los romanos y a los que los sirven, y luego me esfumo. Y hay
gente a la que le ha dado por llamarme Fantasma de Antioquía.

—Entonces..., entonces eres un ladrón —concluyó María.

—No es un ladrón a secas —aclaró Gaspar—. Es el mejor ladrón que ha existido.

Baltasar se sintió aureolado de un orgullo íntimo. Obviamen-
te, era imposible saber si era «el mejor ladrón que ha existido».
Pero también era imposible saber si no lo era. En cualquier caso,
era bonito que reconocieran tus méritos.

—Que sea el mejor o no, no es importante —intervino José sin
dejar de tocarse la nariz—. Robar es pecado.

—¿No me digas? —protestó Baltasar—. Y querer matar a tres
hombres desarmados con una horca, ¿eso no es pecado?

José miró el arma que Gaspar tenía en la mano. Antes de aquella noche, ni siquiera había levantado el puño por mucha cólera
que sintiera, nunca. No estaba en su naturaleza. Desvió la mirada,
asustado de lo cerca que había estado de cometer un homicidio.

—Pensé que erais hombres de Herodes.

Baltasar y Gaspar cambiaron una mirada. Si no hubiera sido
por el escalofrío que les recorrió el espinazo, se habrían echado a

reír por lo irónico que resultaba que alguien creyera que eran hombres de Herodes. ¿Qué sabían aquellos dos?

—¿Por qué? ¿Acaso os están buscando los hombres de Herodes? —inquirió Gaspar.

—A nosotros no —respondió José—. Buscan al niño nacido en la ciudad de David, el niño que los profetas llaman Mesías.

Baltasar volvió a estar de repente en el banco de piedra que había delante de la sala del trono de Herodes, rodeado por los soldados que lo habían perseguido por el desierto. Oyendo la voz ronca del rey a través de la puerta. Algo sobre profecías. Algo sobre «muertos que se levantan», y «plagas», y un «Mesías». Pero aunque el recuerdo era reciente, no era muy nítido. En aquel momento tenía la mente en otras cosas. Por ejemplo, en su inminente muerte y en cómo evitarla.

—Es muy interesante eso que cuentas —señaló al fin—, pero ¿qué tiene que ver con vosotros?

Fue el turno de cambiar miradas entre María y José. ¿Debían contárselo? No conocían a aquellos hombres. Ellos mismos habían admitido que eran delincuentes. Aunque... el hecho de que fueran delincuentes volvía improbable que los delataran a Herodes.

—Comenzó antes de que nos casáramos —repuso José.

Lo explicó con toda la seriedad y claridad que pudo. Les habló del arcángel Gabriel que había visitado a María en sueños. Que María se había quedado embarazada, aunque no habían yacido juntos, y que habían recibido el mensaje de que el Hijo de Dios estaba creciendo en su vientre. Les habló de sus propias visiones, incluida la más reciente, la que había tenido la noche anterior. La visión en la que el arcángel Gabriel advertía a José de que Herodes iba a matar a todos los varones recién nacidos en Belén. María y él se estaban preparando para escapar cuando Baltasar y los otros dos habían irrumpido en el establo.

Cuando José terminó de contar la historia, se quedaron los seis en silencio. Los falsos sacerdotes con la boca cerrada, asimilando lo que habían oído. El niño estaba dormido y su pecho subía y bajaba en los brazos de María. Sólo se oía el balido ocasional de alguna cabra.

—¿Y tú te crees todo eso? —preguntó Baltasar—. ¿Crees que tu hijo es...?

—El Hijo de Dios —afirmó José.

—¿Y que el rey de Judea ha enviado soldados a matar... a un niño?

—Claro que lo creo —respondió el carpintero.

—¿No te parece que es algo sospechoso?

—¿Sospechoso?

Era una pregunta que caía por su propio peso. La única pregunta posible. Baltasar sintió un brote de simpatía por el carpintero. ¿De verdad tenía que explicárselo?

—Tu mujer se quedó embarazada antes de la boda, ¿y crees que ha sido una especie de... milagro?

José miró a Baltasar. La mancha amarillenta que tenía debajo del ojo empezaba a ponerse azul.

—Yo sé lo que vi —respondió.

—Aquí el único milagro es que creas a tu mujer —opinó Gaspar.

Baltasar no pudo contener la risa. Melchor también se rió, aunque no había entendido el chiste. Pero sí entendió la cara que puso José cuando se levantó y se acercó a ellos... y no le gustó. Los tres falsos sacerdotes también se levantaron y se encararon con el carpintero, que estaba en mitad del establo. Baltasar vio la expresión de sus ojos. La expresión de un hombre al que han ofendido en su honor y está pensando en hacer algo al respecto. *Vamos, pequeño carpintero. Esta vez haré algo más que partirte la nariz...*

María se puso detrás de José sin dejar de acunar al niño y lo cogió del brazo.

—Es inútil —murmuró.

—Sé lo que vi —repitió José, mirando a Baltasar fijamente a los ojos—. No sé por qué esperaba que me creyera un hombre como tú.

—Está claro —explicó Gaspar—. Porque sólo un tonto creería una historia tan absurda.

Ahora fue María la que avanzó hacia ellos y José el que la retuvo.

—¡Podéis ofenderme a mí! —exclamó—. ¡Pero no permitiré que ofendáis a mi marido!

Siguió avanzando, señalándolos con la mano libre y gritándoles. José hacía todo lo posible por sujetarla sin hacer daño al niño, que, a pesar del ruido y el movimiento, seguía callado.

—¡No voy a permitir que nos ofendáis por lo que vimos! —gritó—. ¡Y no voy a permitir que ofendáis el nombre de Dios!

—Vale, vale —dijo Baltasar—. Pero cálmate...

—¡No quiero calmarme! ¡Entráis aquí y nos atacáis! ¡Y luego nos insultáis!

—¡Di a tu mujer que se calle! —ordenó Gaspar a José—. ¡Va a despertar a todo el pueblo!

—¡No me callaré! —chilló María.

—¡No me digas lo que tengo que hacer! —gritó José a Gaspar, sujetando a su mujer.

—¡Eh, eh, eh, eh! —exclamó Baltasar.

La fuerza de la última exclamación fue suficiente para que todos cerraran la boca. El silencio se cernió de nuevo sobre el establo. Incluso los animales parecían haber captado el mensaje.

—Ya basta.

Baltasar se pasó los dedos por el cabello, masajeándose el cráneo. La cabeza lo estaba matando y con eso no ganaba nada. Lo único que quería era cerrar los ojos un minuto.

—Mirad, estoy seguro de que todo lo que habéis dicho es verdad. Estoy seguro de que los ángeles bajaron del cielo y os contaron lo que decís. Creemos todo lo que nos habéis explicado, ¿de acuerdo? Pero nosotros tres tenemos cosas mejores que hacer que escuchar a un par de zelotes. Por ejemplo, dormir unas pocas horas.

Volvió a ver la misma expresión en los ojos del carpintero.

Pero como estaba deseoso de resolver aquel problema y de descansar un rato, prefirió pasarla por alto.

—Pero... me temo que no podemos permitir que os vayáis —avisó Baltasar.

—Pero los hombres de Herodes... —protestó José.

—Eso me trae sin cuidado. No puedo correr el riesgo de que os vayáis y le contéis a algún soldado dónde encontrar a tres fugitivos durmiendo.

—¿Y por qué íbamos a hablar con los soldados que están buscando a nuestro hijo? —arguyó María.

—Vosotros os iréis cuando nos vayamos nosotros. Y si abro los ojos y os veo intentando salir, o vuelvo a ver a éste con la horca en la mano, pasará algo muy gordo en este establo. Así están las cosas.

Baltasar no esperó respuesta. Se le daba una higa. Lo único que le importaba era cerrar los ojos. Se sentó. Melchor y Gaspar hicieron lo mismo. José condujo a su mujer al otro extremo del establo y la ayudó a sentarse en el suelo.

—Deberíais avergonzaros —dijo María.

—Seguro que tienes razón —replicó Baltasar, dándose la vuelta—. Ahora basta de cháchara.

—Los tres deberíais sentir vergüenza. Un hombre que da la espalda a...

—¡He dicho que se acabó! —Baltasar levantó la cabeza y la miró de arriba abajo, esta vez con una expresión que no dejaba lugar a confusiones, una expresión de amenaza.

Contento de que lo hubiera entendido, se acomodó y cerró los ojos. Lo único que quedaba por hacer era aprovechar unas horas de sueño y esperar que no los despertara el ruido de los cascos de los caballos.

Así pues, durante tres horas, tres falsos sacerdotes —cual reyes del robo y magos de la fuga— durmieron en un estrecho establo, al lado de su oro y de su incienso, con las heridas untadas con mirra, y con José, María y el niño al otro lado. En silencio.

Y todos bajo la estrella de Belén.

5

La criatura negra

«Entonces, Herodes, viéndose burlado por los magos, se irritó sobremanera y mandó matar a todos los niños de menos de dos años que hubiera en Belén y en los alrededores.»

Mateo 2, 16

I

Los falsos sacerdotes —cual reyes magos ladrones— se levantaron antes del amanecer, desataron los camellos y los sacaron a la fría mañana. En el cielo se empezaban a ver los primeros retazos azules, aunque aún faltaba una buena media hora para que el sol saliera tras las montañas del este. Aún se columbraban estrellas entre los oscuros bordes de las nubes. Pero la estrella de Belén no se veía. En algún momento de las últimas horas se había desvanecido. Barrida por el viento del desierto. A Baltasar no le extrañó. Nada que brillara tanto podía durar mucho tiempo.

José y María no habían pronunciado palabra cuando los hombres se despertaron, ni los miraron cuando se fueron, ni siquiera cuando Melchor les deseó buen viaje a su afable y estúpida manera. Baltasar no los culpó por su falta de educación. En el transcurso de unas horas habían vencido al carpintero, le habían roto la nariz, habían faltado el respeto a su mujer, los habían secuestrado y se habían burlado de sus creencias. También él estaba contento de perderlos de vista. Que se fueran a contar sus fantasías paranoicas a otra parte.

Los falsos reyes magos montaron en sus camellos y miraron hacia el sur, hacia Belén. El pueblo ya se había despertado, salía humo de las chimeneas y los hornos de barro y las jóvenes sacudían las mantas de las camas en las calles. Los pastores se habían levantado antes de que el cielo empezara a teñirse de azul para llevar los rebaños a pastar, con sus hijos siguiéndolos. Las mujeres se habían levantado a cocinar para ellos. Y ahora que los hombres se habían ido, ellas y sus hijas se ocupaban de las faenas domésticas y atendían a los niños que eran demasiado pequeños para ayudarlas.

Era un pueblo dedicado casi por completo a las cabras, pero no todos los hombres de Belén eran pastores. Se veía a algunos conduciendo pequeños rebaños hacia el norte, por el camino que pasaba junto al establo donde habían pernoctado. Casi seguro que se dirigían a Jerusalén a vender sus animales para el consumo humano o para ser sacrificados en el Gran Templo. Llevaban a las cabras día tras día por el camino, descalzos, siete kilómetros de ida y otros tantos de vuelta. Un desdichado día tras otro. Salían antes del amanecer y volvían ya de noche. Todo con la esperanza de vender un animal apestoso. Con la esperanza de ganar lo suficiente para poner un mendrugo de pan en la barriga de sus hijos. Con una vida tan dura, el que no se ganaba el sustento robando estaba loco.

Ver a tres nobles montados en camello a aquella hora tan temprana era poco habitual, pero no tanto como para que los que llevaban las cabras a Jerusalén los mirasen más de una vez. Además, era mejor no mirar a los nobles con demasiada fijeza. Siempre cabía la posibilidad de que se sintieran ofendidos y les diera por usar el látigo o algo peor.

Aunque los prófugos querían alejarse de Herodes todo lo posible, decidieron tomar un atajo para lo cual tenían que cabalgar en dirección a su palacio. Su plan era dirigirse por el camino que iba al norte, a Jerusalén, hasta llegar a un par de kilómetros de la Puerta Sur y allí girar a la derecha y avanzar veinte kilómetros hacia el este por el desierto, hasta Qumrán, un poblado situado a orillas del mar Muerto.

Qumrán era la sede de una pequeña secta de monjes judíos que se llamaban a sí mismos esenios. Aunque la palabra *monje* evocaba una imagen de tranquila reverencia, los esenios eran como ermitaños locos: hombres que se prohibían las riquezas materiales, los placeres de la carne y el baño regular para dedicarse en exclusiva a sus creencias. Por lo que Baltasar sabía, esas creencias consistían en garabatear antiguas tonterías en papiros que luego escondían en las abundantes cuevas que había en las montañas del sector norte del mar Muerto. Por qué los escondían, o por qué se escondían ellos, era un misterio.

Baltasar se había refugiado en aquellas cuevas varias veces, y había hecho unas buenas donaciones a los monjes a cambio de su hospitalidad. Aunque no se preocupaban mucho por la riqueza material, les encantaban las cosas que les llevaba: alfombras para el suelo, ropas para cubrirse, pergamino y tinta para sus misteriosas cavilaciones. Baltasar conocía de nombre a muchos esenios. También sabía que podía confiar en que mantuvieran en secreto su paradero. Y lo más importante, sabía que los hombres de Herodes no se atreverían a turbar la paz de una aldea judía tan sagrada como aquélla. Ésa era una de las grandes virtudes del ejército de Judea, que estaba compuesto casi totalmente por judíos.

Cuando su rastro se hubiera enfriado lo suficiente, Baltasar dejaría libres a sus leales criados y desaparecería sin dejar huella. No le gustaba viajar acompañado. Era una de las razones por las que nunca trabajaba con socios. No se podía confiar en que los socios hicieran lo que convenía el ciento por ciento de las veces. Retardaban las operaciones. Tenían opiniones diferentes. Los reclutabas para que te ayudaran a robar bolsas y la cagaban al tirarles el vino a las víctimas, y tenías que huir por acueductos, para salvar la vida. Los socios eran poco aconsejables, aunque estuvieran en deuda con uno.

Los fugitivos estaban todavía a cosa de un kilómetro y medio de Belén cuando llegaron a sus oídos los primeros indicios de que iba a haber complicaciones. Un débil ruido en la semioscuridad que tenían delante. Un ruido que aumentaba, como el golpeteo de cascos de caballo. De muchos caballos. Junto con el ruido del galope, se oía también, cada vez más agudo, un chirriar de corazas. De muchas corazas.

—¿Qué es eso? —preguntó Gaspar.

Baltasar lo supo en el acto. Antes incluso de ver las primeras formas perfiladas en lo alto de la colina, antes de ver las espadas y las lanzas contra el cielo del desierto, lo supo. Era el fin de los tres.

Las tropas de Herodes galopaban en dirección sur, hacia Belén. Docenas de soldados, a juzgar por el ruido. Sin pronunciar palabra, Gaspar, Melchor y Baltasar hicieron salir a los camellos del camino y se metieron en el desierto, a su derecha, dejando paso libre a los jinetes que se acercaban. Levantaron la parte inferior de la kufiya para taparse el rostro, una medida, pensó Baltasar, instintiva pero inútil.

Como si ver a tres sacerdotes a lomos de camellos al lado del camino no fuera ya de por sí bastante sospechoso. Como si necesitaran vernos la cara con esta luz.

—¿Qué hacemos? —preguntó Gaspar—. Tiene que haber más de cien soldados y no tenemos armas.

Baltasar cayó en la cuenta de lo estúpidos que habían sido al seguir juntos. Los soldados estarían buscando a tres hombres, y allí estaban los tres. Habían sido estúpidos por detenerse en Belén. Estaba demasiado cerca de la capital. Tendrían que haberse internado en el desierto. Sí, aquella estrella había convertido la noche en día, pero el desierto era muy grande y no había tantos pueblos que registrar. ¿Por qué no lo había pensado antes? ¿Por qué no habían seguido avanzando? ¿Porque estaban cansados? ¿Era peor estar cansado que estar muerto?

—Baltasar, ¿qué hacemos?

Si salían corriendo ahora, seguro que atraerían la atención del ejército. Correr era admitir la culpabilidad, una invitación a ser perseguidos. La única posibilidad que tenían, y era una posibilidad remota, era que los soldados no los hubieran visto todavía. Mezclarse con la penumbra del amanecer.

—Seguid avanzando.

—Pero...

—Si nos ven, nos separaremos en direcciones diferentes. ¿Entendido? Haremos que se dividan y trataremos de perderlos en el desierto. ¿Melchor? ¿Te queda claro?

—Perderlos en el desierto...

No estaba escuchando. Estaba pendiente de los hombres con coraza que cabalgaban hacia el sur, levantando una nube de polvo oscuro. Los hombres que llegarían a su altura en pocos segundos y los harían pedazos.

—Todavía no —explicó Baltasar—. Que nadie se vaya todavía. Esperaremos hasta que nos vean...

Estaba claro que los verían. Estaban apenas a quince metros del camino, perfilados contra el cielo oriental, que se iluminaba por momentos.

No nos prestéis atención —pensó Baltasar—. *Sólo somos tres sencillos sacerdotes que cabalgan por un camino oscuro sin ninguna razón aparente...*

Los soldados pasaron al galope por su izquierda. Estaba claro que se encontraban lo bastante cerca para distinguir las siluetas de los tres prófugos; fue innegable que los yelmos de algunos soldados giraron hacia ellos y que algunos ojos les apuntaron como flechas en un arco tensado. Baltasar sujetó con fuerza las riendas de su camello, con la pierna derecha preparada para hundirle el talón en el costado en cuanto un caballo doblara en su dirección.

Pero ningún jinete se salió del camino. Siguieron cabalgando hacia el sur, hacia Belén. Baltasar no se lo podía creer. Los habían visto, de eso estaba seguro. Habían visto a los tres sacerdotes al lado del camino a una hora extraña, y ni siquiera se habían detenido a interrogarlos.

Cuando el rumor de los cascos se alejó y se debilitó a sus espaldas, los tres fugitivos se detuvieron y pusieron a sus camellos de cara al sur. Observaron con incredulidad y en silencio la oscura y polvorienta masa de caballos y hombres, aquel bulto confuso e informe, aquella criatura que se arrastraba por el camino hacia el humo de las chimeneas y los hornos de barro que se veía a lo lejos.

—No lo entiendo —murmuró Baltasar.

—¿Qué hay que entender? —preguntó Gaspar—. ¡Los hados están de nuestra parte!

—Pero... nos han visto.

—¿No podemos hablar de esto camino de Qumrán? ¡Vámonos enseguida!

Baltasar siguió observando a la híbrida criatura que corría hacia el norte de Belén, mientras el cielo se iluminaba a pasos agigantados. Por alguna razón, oía la débil y ronca voz de Herodes en su cabeza. Despotricando contra sus consejeros, sacudiendo las paredes de la sala del trono.

¡Baltasar... a Qumrán, rápido!

Gaspar tenía razón. ¿Qué había que entender? Habían tenido suerte, eso era todo. Podían quedarse allí meditando por qué, o podían aprovechar aquella suerte. Los falsos sacerdotes giraron los camellos hacia el norte y se dirigieron hacia su libertad, mientras aquella débil voz seguía sonando en el cerebro de Baltasar, en lo más profundo de las mazmorras de paredes suaves y rejas donde se alojaban todas las cosas malas. Sabía que los habían visto. Había notado los ojos fijos en él. Aquellas flechas...

Habían recorrido apenas unos metros cuando oyeron algo. Algo lejano y agudo. Algo que podía ser confundido con el aullido de un perro salvaje. Pero era un grito. De mujer. Luego oyeron otro.

Los tres hombres miraron a su espalda y vieron el camino vacío. Había desaparecido todo rastro de la criatura. Engullida por el pueblo. Absorbida como sangre en un paño. Y en alguna parte, entre el humo de las chimeneas y los hornos de barro, era causante de los gritos de una mujer.

—Baltasar, ¿no pensarás...?

¿Que el carpintero y su mujer tenían razón?

Herodes era capaz de muchas cosas, pero ¿de asesinar niños inocentes? No. No había hombre capaz de algo así. Ni siquiera aquel insignificante y retorcido hombrecillo en decadencia al que había visto cara a cara en el palacio. Y aunque hubiera sido capaz de una cosa así, era demasiado listo. Habría disturbios callejeros si se sabía. Una guerra civil. Herodes era muchas cosas, pero antes que nada era un político. Era demasiado listo.

Pero la voz..., aquella voz débil y furiosa que resonaba en lo más profundo del cerebro de Baltasar le decía otra cosa.

—Vamos a volver —decidió.

—¿Estás loco?

—Sólo quiero echar un vistazo, eso es todo.

—El ejército de Judea está buscándonos por allí y tú quieres ir a echar un vistazo...

—Nos han visto, Gaspar. Nos han visto y no les interesamos.

—¿Entonces?

—Deberían haberse fijado. ¿Tres hombres en camello? ¿Tres hombres con el rostro cubierto? Deberían...

Le interrumpió otro grito. Gaspar y Baltasar dejaron de mirarse y se volvieron hacia el pueblo. Aquel grito había sido diferente. Quizá la misma mujer..., pero había sido un grito diferente.

—Un vistazo, nada más —adujo Baltasar—. Eso es todo.

El Fantasma de Antioquía coceó los ijares del camello y enfiló el camino de Belén. Gaspar y Melchor se miraron a sus espaldas y lo siguieron. Después de todo, se lo debían.

El sol había asomado por fin tras las montañas orientales, comenzando así un trayecto que lo colocaría en lo más alto del cielo hasta envejecer y morir pacíficamente en el oeste. Su luz anaranjada se derramó sobre las espaldas de los tres prófugos, que miraban desde una elevación situada al este de Belén. Desde allí distinguían algunas de las calles adoquinadas del centro. Pero aquellas calles que habían estado llenas de gente que se dirigía a sus quehaceres cotidianos, ahora estaban vacías, inquietantemente vacías.

Vacías salvo por una mujer vestida de oscuro, que corría descalza hacia ellos por una de aquellas calles. Corriendo más rápido de lo que había corrido en toda su vida, porque en su vida nada había sido tan importante. Desde las alturas, Baltasar y los otros vieron el motivo.

Llevaba un niño en brazos.

Desnudo. Diminuto. Pegado al pecho de su madre, que corría para alejarse del caballo. Del caballo negro que galopaba tras ella con un soldado montado en el lomo, con la coraza crujiéndole y la espada desenvainada.

Baltasar oyó que la débil voz de la mazmorra aumentaba de volumen con cada salto del caballo. Oyó los alaridos enfermizos de un rey obsesionado por el poder. Un rey que había ordenado en otro tiempo la ejecución de su propia mujer y de sus hijos. Que se había vuelto contra su propia sangre. *¿Por qué no iba a ser capaz? Si un hombre podía matar a sus propios hijos...*

El soldado abatió la espada y alcanzó entre los omoplatos a la mujer, que cayó de bruces, y aunque intentó retenerlo con toda su alma, el niño salió despedido de sus brazos, aterrizó sobre los adoquines y rodó unos palmos más allá, demasiado frágil, demasiado indefenso para protegerse del golpe. Se detuvo. Había quedado boca arriba. Guardó silencio un momento y luego lanzó un chillido terrible, poniendo a prueba sus pulmones. Con los ojos cerrados. La mujer dio otro alarido, arrastrándose hacia él mientras el soldado desmontaba y se dirigía hacia el pequeño, que seguía gritando. Que gritaba pidiendo las reconfortantes caricias de su madre.

El soldado se acercó al niño, se detuvo un momento y le hundió la espada en el vientre.

El soldado le hundió la espada en..., el soldado le hundió...,

Un momento.

Eso no había ocurrido. A Baltasar le engañaba la vista. Había vuelto al sueño de océanos infinitos y fantasías lejanas. No, no era real. No podía ser real. Pero... el agua fría y corrupta que había en su sangre le dijo que sí lo era. La misma sensación familiar. La que lo había impulsado a perseguir el destellante medallón de oro.

Los gritos del pequeño se agudizaron y luego se interrumpieron. Sus brazos y piernas se agitaron débilmente unos momentos..., y todo él quedó inmóvil. El soldado arrancó la espada del frágil cuerpecillo y la limpió en la suela de su calzado.

Está muerto, está muerto, está muerto...

La madre seguía arrastrándose por los adoquines hacia su hijo..., gritando hasta quedarse ronca. El soldado se dirigió tranquilamente hacia ella —*So cobarde, so granuja... No te atreverás, te mataré*—, y le clavó el arma en la espalda. Pero la mujer siguió arrastrándose. Arrastrándose hacia su hijo, así que el soldado volvió a clavarle su espada. La mujer se tensó brevemente y luego se quedó quieta.

Melchor y Gaspar no podían dar crédito a sus ojos. Ellos eran delincuentes. Los tres lo eran. Habían visto asesinatos y crueldades en esta vida. Dios sabía que sí.

Pero ninguno había visto nunca nada parecido. Ninguno había ni siquiera imaginado que fuera posible. Lo que acababan de ver los había dejado mudos.

Baltasar se mordió los labios con tanta fuerza que la boca se le llenó de sangre.

No se podía hacer una cosa así.

A la mierda Qumrán. A la mierda todo. Decidió matarlos. Matarlos a todos. Iba a acabar con todas sus inútiles vidas, a pisotear todos y cada uno de sus cadáveres desmembrados. No sabía cómo iba a hacerlo, dado que no tenía armas y que los enemigos eran superiores en proporción de veinte a uno, pero lo sabía. Todo su ser estaba rebosante de algo. No de rabia, sino de algo más fuerte que la rabia. Algo más potente y justo.

La mujer que agonizaba en la calle levantó la cabeza. El caballo negro se alejaba con el soldado que lo montaba. Se iba dejando que la madre y el niño se desangraran en la calle. La mujer levantó la cabeza todo lo que pudo, dispuesta a mirar a su hijo una vez más antes de morir.

El sol se elevaba. Su cruda luz naranja se reflejó en el fino cabello del niño. Un cabello cuyo color ya nunca cambiaría. Los ojos cerrados, el pecho que ya no palpitaría nunca más. Sus manos. Diminutas, delicadas, frías. Pero había algo más. Algo encima de él. Algo por encima del pueblo de Belén bajo aquella temprana luz. La mujer creyó ver la silueta de tres hombres en camello, pero era difícil asegurarlo. El sol relucía tras ellos, formando un halo cegador sobre sus cabezas. Con su último pensamiento, se preguntó si habían llegado del otro mundo para darle la bienvenida.

Cuando Baltasar habló por fin, tuvo que esforzarse por pronunciar cada sílaba.

—Los dos tenéis una deuda conmigo, ¿no?

—Sí —respondió Gaspar—, pero no estarás pensando...

—Los dos tenéis una deuda conmigo, ¿no?

Gaspar vaciló. Sabía lo que vendría a continuación.

—Sí.

—Vamos.

Baltasar espoleó al camello y se dirigió al pueblo. Obedeciendo la ley del desierto, pero en contra de todo lo que les dictaba el instinto, Melchor y Gaspar lo siguieron.

José y María también oyeron los gritos. Y aunque no se atrevieron a salir del establo a mirar, supieron lo que era. Supieron qué estaba pasando. En aquel preciso momento. En aquel preciso lugar, en Belén. Oyeron los cascos de los caballos retumbando en el camino, el entrechocar de las corazas cuando entraron en el pueblo. Era demasiado tarde para echar a correr. Había demasiados soldados fuera.

José introdujo a María y al niño en uno de los pesebres del establo. Una cabra de piel blanca y negra protestó cuando él la apartó para hacer sitio a su mujer, que se encogió en posición fetal, con el niño a su lado, mientras él los tapaba con paja, en gran parte apelmazada y mezclada con estiércol seco. Apenas había suficiente para cubrirlos a los dos, pero tendría que servir.

Tras esconderlos como mejor pudo, José corrió el cerrojo de la puerta del establo y fingió ser el dueño del lugar, cogiendo su antigua amiga la horca de tres púas y haciendo como que limpiaba el establo. Si los soldados irrumpían allí, sólo verían a un hombre dedicado a sus faenas, nada más. Lo dejarían en paz y buscarían en otra parte. Pero si no se iban, si por alguna razón decidían registrar el establo, que Dios lo perdonara, pero utilizaría la horca para ganar un poco de tiempo para María.

José esperó y rezó. Rezó para que los soldados no se molestaran siquiera en mirar en el establo. *¿Por qué iban a hacerlo? No tiene sentido. Los establos son para los animales, no para los niños.* Rezó para que el pastor que se había apiadado de ellos, el que les había dado alojamiento, no los delatara ahora. Y sobre todo, José rezó para que el niño no empezara a llorar. Hasta ahora, cosa notable, había permanecido tranquilo y contento, incluso cubierto con paja y estiércol.

Un soldado solitario perseguía a un muchacho de doce años por las calles del centro del pueblo. No para matarlo, sino para degollar al hermano pequeño que llevaba en brazos. El niño se lo había arrebatado a su madre, convencido de que podía correr más que ella. Y había estado en lo cierto. Era más rápido de lo que ella hubiera podido ser nunca. Pero no era más rápido que el caballo negro guiado por el jinete acorazado que lo montaba.

El soldado desenvainó la espada mientras ganaba terreno al muchacho, sin saber que tres hombres en camello lo estaban persiguiendo a él por la misma calle. Sin saber que el Fantasma de Antioquía estaba casi encima de él, espoleando a su camello con todas sus fuerzas, con más brío que en toda su vida. Con más ahínco que el que había puesto para espolear al desgraciado camello con el que había huido por el desierto de Judea. *Con más velocidad que tú, montón de mierda.* Melchor y Gaspar lo seguían de cerca.

El camello respondió galopando sobre el empedrado y acercándose hasta ponerse detrás del caballo negro. Tan cerca que habría podido darle un golpe con la espada, si hubiera tenido una. Baltasar se decidió por la otra mejor opción. Asió al soldado por el cuello de la ropa y lo desmontó. El hombre cayó al suelo, donde fue pisoteado por los camellos de Gaspar y Melchor, que aunque no habían tenido la intención de pasarle por encima, no pudieron detenerse a tiempo. Y ahora que lo habían hecho, tiraron de las riendas y se volvieron para inspeccionar los daños.

Baltasar también detuvo el camello y vio que el caballo del soldado galopaba unos treinta metros y se detenía; luego se puso a trotar en círculo, sin saber qué hacer consigo mismo. Vio que el muchacho seguía corriendo con el niño en brazos, sin darse cuenta de que la amenaza que lo perseguía había desaparecido.

Corre, chico, y no dejes de correr hasta que caigas agotado.

El soldado yacía inmóvil, tendido de espaldas, con una profunda abolladura en la coraza, donde el camello lo había pisado. Era más viejo que muchos soldados de rango inferior y sus sienes estaban teñidas de blanco. Tosía sangre; a resultas de las costillas fracturadas y los órganos internos destrozados, supuso Baltasar. *Estupendo.* Su brazo izquierdo había quedado inutilizado, pisoteado por los camellos, roto a la altura del codo. El soldado gemía y se retorcía.

Sólo espero que sea el peor dolor que hayas sentido en tu vida.

Baltasar bajó del camello y fue hacia él. Caminaba con calma, como el hombre muerto que era. Pisó la muñeca del soldado, se agachó y le quitó la espada. No había mucho que mirar. Era la espada normal de un militar de baja graduación del ejército de Judea. Pero serviría.

Puso la punta de la espada en el cuello del soldado.

—Por... favor —murmuró el hombre, respirando con dificultad—. No... no...

—¿No qué? —preguntó Baltasar, llevándose la mano a la oreja.

—No me... mates...

—¿Que no te mate? ¿Es lo que intentas decir?

—No me mates...

El soldado sollozaba. Baltasar casi sentía vergüenza ajena.

—Si hubieras atrapado a ese muchacho con el niño, ¿habrías tenido la misma compasión?

—Por f...

Baltasar empujó la espada hasta que oyó el chasquido de la hoja en el momento de atravesar la nuez del soldado. El hombre se llevó la mano sana a la herida... y la sangre salió a borbotones entre sus dedos. Trató frenéticamente de arrancarse la espada, pero el Fantasma de Antioquía empujó con más fuerza e imprimió a la hoja un movimiento giratorio para ampliar la herida. Y entonces vio aquella palidez, aquella máscara de temor, la expresión horrible del que sabe que va a morir.

Muy bien —pensó—. *Espero que tengas miedo...*

Melchor y Gaspar habían desmontado a sus espaldas y vieron morir al soldado caído. Sus miembros se sacudieron débilmente hasta que quedaron inmóviles. Baltasar levantó la mirada del rostro del soldado, alertado por el resonar de corazas en la distancia. Al alzar los ojos vio a cinco soldados saliendo de una casa del otro extremo de la calle, con las espadas manchadas de sangre, mientras de la casa salían los gritos de un padre y una madre. Los soldados se dirigían hacia sus caballos cuando uno vio a Baltasar erguido al lado de su compañero muerto. Testigos de aquella tragedia, los soldados llegaron a la misma conclusión que había llegado el Fantasma de Antioquía un rato antes.

Era imposible.

Baltasar los vio lanzados a la carga, tan enfurecidos y deseosos de castigar aquella injusticia que se olvidaron de montar a caballo. Si los tres prófugos subían a los camellos, conseguirían escapar, no cabía la menor duda. Pero él, el Fantasma de Antioquía, no había ido a Belén para salir corriendo. Se mantendría firme. Acabaría con todos o perecería en el empeño.

Arrancó la espada del cuello del soldado caído y se dirigió al centro de la calle para recibir al enemigo. Los soldados tenían todas las de ganar. Eran más numerosos. Llevaban armadura. Pero a Baltasar no le importaba. Defendería su posición. Podría con los cinco.

—Dame la espada —dijo Melchor.

Baltasar ni siquiera se movió. Mantuvo la mirada fija en los hombres que se acercaban.

—Me encargo yo.

—¡Que me des la espada!

Notó algo en la voz de Melchor. Un tono diferente. Aquellas palabras no procedían del cachazudo simplón que había conocido en la mazmorra, ni del inofensivo angelito que había susurrado y hecho muecas raras al niño cuando salieron del establo.

Baltasar miró a Gaspar.

¿Habla en serio?

Gaspar asintió con la cabeza.

—Dale la espada —aconsejó.

No supo exactamente por qué obedeció y entregó finalmente su única arma al miembro más bajo y gordo del grupo. De alguna manera, le pareció lo más apropiado. Melchor la sostuvo con los dedos. La balanceó de un lado a otro para familiarizarse con su peso. Recorrió la hoja con las yemas, para probar su capacidad. Para comunicarse con ella. No era una espada muy buena, pero serviría.

Después de todo, sólo eran cinco hombres.

Cuando los soldados estaban ya sobre ellos, Melchor blandió la espada y cargó, pillando a los soldados por sorpresa..., casi muertos de risa al ver al pequeño griego que les plantaba cara en solitario. El soldado que iba delante se detuvo, afianzó los pies, blandió el arma y se puso de perfil, adoptando una postura clásica de esgrima. Estaba preparado para cualquier cosa. Sobre todo para el absurdo ataque de aquel renacuajo.

Un segundo más tarde, había perdido la pierna izquierda y estaba en el suelo gritando.

El pequeño griego había saltado hacia delante en el último momento y golpeado con la espada la pierna firmemente plantada del soldado, que no tuvo la menor oportunidad de devolver el golpe. Y mientras el hombre yacía de costado, sintiendo una pierna que ya no tenía, sus cuatro compañeros tampoco tuvieron oportunidad de defenderse.

Melchor giraba sobre sus talones y les propinaba tajos como si los soldados siguieran sus instrucciones: lo atacaban cuando él quería que atacaran y cuando él estaba listo para contraatacar reducía a la nada sus defensas.

El segundo soldado giró el torso, tomando impulso para descargar un golpe feroz. Pero al quedar momentáneamente al descubierto, Melchor le hundió la espada en el espacio abierto entre el peto y el espaldar de la coraza, rajándole el estómago.

Aún tenía la espada enterrada en las tripas del segundo soldado cuando atacó el tercero, dando tajos horizontales, buscando su cabeza. Aprovechándose de que era bajo, Melchor se agachó, recuperó la espada de un tirón y atacó de frente al adversario, cortándole el cuello con tal fuerza que sólo el espinazo le impidió decapitarlo limpiamente.

El cuarto y el quinto soldado atacaron a la vez, dirigiendo las espadas a la cabeza de Melchor, que utilizó la suya para cubrirse, y luego hizo algo increíblemente estúpido. Algo contrario a todo lo que enseñaban los instructores militares.

Se puso de rodillas, como si fuera a rezar.

Los soldados siguieron lanzándole golpes. Pero eran diferentes. Más débiles y torpes. Y entonces Baltasar vio lo brillante que había sido el movimiento de Melchor. Los soldados llevaban largos petos de acero para cubrirse el estómago. Petos que iban desde el cuello hasta la cintura. Y aunque eran útiles para protegerse en la lucha cuerpo a cuerpo, les impedía inclinarse por debajo de determinada línea. Lo único que Melchor tenía que hacer era seguir bloqueando sus torpes golpes y esperar a que alguno cometiera un error.

El cuarto soldado lo cometió, se inclinó demasiado y cayó de bruces a la izquierda de Melchor. Un segundo después, pagaba el error con la vida, pues el griego le golpeó la nuca con la espada, segándosela.

Ahora eran uno contra uno. El último soldado no era tan inútil como sus compañeros, pero tampoco era muy bueno con la espada. Fue el único que consiguió alcanzar a Melchor, haciéndole un rasguño en la espalda; y acto seguido entró a matar, echándose hacia delante. Pero tenía la espada demasiado alejada y los pies demasiado separados. Melchor lo desarmó de un golpe y atacó a su vez. El soldado alargó las manos para detener el ataque, pero el griego le atravesó la mano izquierda y le hundió la punta del arma en la cara, un momento antes de que se alojara en su cerebro. Melchor la retuvo allí hasta que notó el peso muerto del soldado. Entonces la recuperó, dejando que el oponente cayera a tierra.

El turno de enmudecer le tocó esta vez a Baltasar.

El hombrecillo griego era el mejor luchador que había visto en su vida. Más rápido y fuerte de lo que ningún hombre tenía derecho a ser. No había ninguna duda al respecto. Los delincuentes eran una raza de fanfarrones, pero allí no había alarde ninguno. Era un hecho comprobado.

—Te lo dije —dijo Gaspar—. El mejor del imperio.

Un segundo antes había habido cinco soldados persiguiéndolos. Ahora había cinco hombres tirados en la calle: dos moribundos y los otros tres muertos. Había muchas preguntas que formular, muchas tretas que aprender. Pero tendrían que esperar. Los gritos de las mujeres y los niños seguían oyéndose en todos los rincones del pueblo.

Baltasar y Gaspar se apoderaron de las espadas de dos soldados caídos, y luego los tres hombres montaron en los camellos y salieron al galope.

Las oraciones de José no habían sido escuchadas. Había soldados fuera. Desmontando. En cualquier momento cruzarían la puerta.

¿Habrían obligado al pastor a delatarlos? ¿Los habrían vendido aquellos tres ladrones a cambio de una recompensa? No importaba. Nada importaba ya. Sólo el plan. José era un simple pastor que limpiaba el establo. No, todo iría bien. Le harían preguntas y se irían. ¿Para qué iban a mirar allí? A menos que les gustara el olor de las cabras y la mierda. Lo único que tenía que hacer era permanecer tranquilo. No ponerse nervioso ni temblar. Lo único que tenía que hacer el niño era seguir callado.

Eran tres. Dos más jóvenes y uno más viejo, este último con un casco y una coraza más afiligranados. Algún oficial, pensó José. Entraron y se fijaron en lo poco en que había que fijarse.

—¿Quién eres? —preguntó el oficial.

—Un sencillo pastor, señor. Éste es mi establo. Ésas son mis cabras.

El oficial observó el rostro de José unos momentos y luego volvió a mirar a su alrededor. No era un establo muy grande. No valía la pena perder el tiempo allí. Había un millar de sitios para esconderse en Belén. Y casi todos mejores. Además, ¿qué iba a hacer un niño en un establo?

Convencido de que sólo las formas inferiores de vida se resignarían a dormir en un lugar semejante, el oficial indicó por señas a los soldados que saliesen con él.

José se sintió inundado de alivio. Lo había hecho bien. No se había puesto nervioso ni había temblado. El niño no...

—¿Qué ha sido eso?

El oficial giró sobre sus talones. Casi había cruzado la puerta cuando había resonado un leve grito en el pequeño establo. No era el balido de una cabra. Era algo diferente.

—Sólo ha sido una cabra, señor.

El oficial estaba a punto de convencerse de que no había sido nada, cuando de uno de los pesebres de la derecha salió otro grito. Esta vez casi fue una risa.

No, por favor, Señor...

Bajo una fina capa de paja y estiércol, María apretaba la boca de su hijo, tratando desesperadamente de ahogar sus exclamaciones.

—Son los animales, os lo aseguro, señor soldado.

José había perdido la calma. Notó que empezaba a sudar y que se ponía nervioso y trémulo.

—Sujetadlo.

Los otros dos asieron a José y lo obligaron a soltar la horca, poniéndolo contra la pared mientras el oficial desenvainaba la espada y se ponía a abrir las puertas de los pesebres.

—Os digo que son sólo los anim...

—¡Calla! —El oficial se volvió hacia sus hombres—. Si vuelve a hablar, matadlo.

Un soldado sacó la espada y la puso en el cuello de José. El oficial se volvió hacia la puerta del pesebre. La última que había a la derecha del establo. La abrió...

Allí, debajo de una cabra negra y blanca y una fina capa de paja y estiércol, había una muchacha tapando la boca de un niño con la mano. María gritó cuando el oficial la cogió por el vestido y le dio un tirón para sacarla de allí.

José se soltó del soldado que lo sujetaba, corrió hacia el oficial y le saltó a la espalda. Consiguió rodearle el cuello con el brazo y apretó con todas sus fuerzas, sabiendo que en cualquier momento lo atravesaría una espada por detrás. No importaba. *Que me atraviesen.* Pero hasta ese momento pensaba seguir apretando... apretando hasta asfixiar del todo a aquel tipo, con la esperanza de que María pudiera librarse y escapar.

El oficial soltó la espada y asió el brazo de José con las dos manos, introduciendo una por debajo para aflojar la presa. Recuperó el aliento y reunió fuerzas suficientes para arrojar por encima de su cabeza a José, que fue a parar al pesebre en el que se encontraban su mujer y su hijo. El oficial miró rápidamente al suelo, en busca de la espada que había tirado...

Pero ya no estaba.

Dio media vuelta y se vio frente a dos hombres que no había visto nunca. Dos hombres que flanqueaban al Fantasma de Antioquía. El mismo Fantasma de Antioquía al que había capturado y arrastrado hasta el palacio de Herodes desde Bethel. El mismo que iba a ser su salvoconducto para una vida mejor. También vio a sus hombres en el suelo del establo, los dos con la cabeza cercenada.

—Pero... pero tú tendrías que estar muerto —murmuró el capitán.

Y lo estoy —pensó Baltasar—. *¿No te das cuenta? Estoy realmente muerto.*

Baltasar le degolló.

José subió al camello de Melchor. Gaspar hizo arrodillar al suyo y ayudó a subir a María, con el niño en brazos. Baltasar cabalgaba solo, con una espada en cada mano.

Si se iban enseguida, podrían conseguirlo. Si cruzaban el camino y se dirigían hacia el norte, directamente al desierto. Pero seguían oyéndose gritos por todo Belén. Aún quedaban docenas de soldados fuera, registrando casa por casa. Matando niños que no habían tenido tiempo de saber que estaban vivos. Matando padres y madres que lo daban todo por salvarlos. Ahora, en aquel preciso momento.

Los gritos no iban a cesar, no hasta que el mismísimo tiempo dejara de correr. Era imposible extirpar gritos como aquéllos de los oídos. No por completo. Nunca por completo. Siempre estarían allí, débiles susurros en aquella mazmorra profunda a la que pertenecían todas las malas acciones. Baltasar lo sabía. Igual que sabía que podrían salir bien librados si se ponían en marcha en aquel momento. Igual que sabía que salvarlos a todos era imposible. Y sin embargo, no se atrevía a moverse.

Gaspar pudo verlo en su expresión. En la forma en que apre-

taba las riendas hasta que los nudillos se le ponían blancos, sin
dejar de mirar fijamente al sur, hacia el pueblo.

—Baltasar, o morimos tratando de salvarlos a todos, o salva-
mos a éstos ahora que aún tenemos tiempo.

Gaspar tenía razón, por supuesto. Baltasar ya se había enfrentado a aquella disyuntiva antes. La disyuntiva entre una muerte
noble y vivir para acabar cobardemente otro día. La tentación de
morir podía llegar a ser irresistible. La tentación de dejar que la
cólera te calara hasta los huesos, de dejarte arrastrar a una nueva y
gloriosa existencia. Arder con una llama breve y resplandeciente.
Pero era sólo una ilusión. Porque por muchos hombres que mata-
ras en los momentos finales, nunca serían tantos como los que habrías matado si hubieras seguido vivo. Ahí estaba la cuestión.
Cuanto más tiempo vivieras, más podrías matar. Era fácil olvidar
una verdad como aquélla con la cólera haciéndote un agujero en
las entrañas.

Aún tenía tiempo. Podía salvar a aquel niño. Lucharía por ver
cobardemente el fin de otro día. Y encontraría la forma, antes o
después, de incendiar todo aquel mundo hasta los cimientos. Quizás incluso encontraría la forma de borrar aquellos gritos de sus
oídos. Baltasar se juró que lo haría y espoleó a su camello.

Esta vez se internarían directamente en el desierto. Espolearían
a sus camellos para que avanzaran a toda la velocidad posible y no
pararían hasta llegar a Qumrán. Los esenios los mantendrían a salvo durante al menos una noche o...

—¡Vosotros! ¡Alto!

Baltasar se volvió. Dos jinetes los habían visto desde el sur, uno
de estatura y constitución normales, el otro un gigante. Ambos
iban siguiéndolos, uno al lado del otro, con las espadas desenvaina-
das.

—¡Seguid avanzando! —ordenó Baltasar a los demás—. ¡Que-
daos con ellos!

Dio media vuelta a su camello y cargó contra los dos jinetes, sujetando las riendas con la mano izquierda y con la derecha en la es-

palda. Iba a salvar a aquel niño. Melchor y Gaspar lo cuidarían. Ya los alcanzaría en el desierto en cuanto terminara con aquellos dos.

Baltasar fue en línea recta hacia ellos, con la nariz del camello apuntando directamente a los caballos. Chocaría contra ellos si era necesario, pero no pensaba ceder ni un palmo. Los soldados estaban a unos siete metros del impacto cuando se dieron cuenta de lo que pretendía y se separaron para que pasara por el medio. Al hacerlo, Baltasar soltó las riendas, echó atrás la mano izquierda y empuñó las dos espadas, una con cada mano, estirando los brazos como si fueran alas. *Como un hombre con alas.* Los dos soldados cayeron de los caballos y rodaron por tierra.

Baltasar dio media vuelta y desmontó empuñando todavía las dos espadas. El soldado más bajo estaba aún tratando de ponerse en pie y de recuperarse del impacto. Pero el grandullón ya estaba firme y recuperado. Con un gruñido, arremetió contra Baltasar, con la punta de la espada hacia el pecho de su enemigo. Pero el Fantasma de Antioquía se apartó a tiempo de su trayecto y le puso la zancadilla cuando se cruzó con él.

El más bajo ya se había puesto en pie y saltó sobre él mientras el grandullón se recuperaba. Pero la caída lo había aturdido y Baltasar le infirió profundas heridas en los brazos. Cuando el grandullón estuvo listo de nuevo, Baltasar imitó a Melchor, se puso de rodillas e hizo a los dos varios cortes en las piernas, hasta que el más pequeño cayó de espaldas y el grandullón se puso fuera de su alcance.

—Dile a Herodes —le dijo al grandullón— que el Fantasma de Antioquía se ríe de él.

Los aterrorizados ojos del soldado se abrieron de par en par.

—Le dirás que me río de él... —prosiguió Baltasar— le dirás que bailaré sobre su tumba.

El soldado meditó unos momentos y echó a correr hacia el pueblo, decidido a vivir cobardemente para ganar otro día a la muerte. Baltasar lo observó mientras huía, un gigante corriendo con las piernas llenas de tajos, y volvió su atención al soldado que se retorcía a sus espaldas. El hombre se arrastraba por el camino a pesar de los profundos cortes que tenía en los brazos. Trataba de escapar, aunque sabía que no tenía la menor posibilidad de conseguirlo.

—Nos... nos ordenaron...

—¿Os ordenaron qué?

—Nos ordenaron hacerlo. Herodes en persona lo ordenó.

—¿Qué ordenó?

—Que... que matáramos a todos los niños pequeños de Belén.

Baltasar levantó la espada por encima de su cabeza y la mantuvo allí. Apretaba con tanta fuerza la empuñadura de cuero que le temblaba todo el brazo.

—Un hombre capaz de obedecer una orden semejante no merece seguir en este mundo.

Baltasar abatió la espada y golpeó dos veces al soldado con la hoja plana. El primer golpe le rompió la nariz y le destrozó el tabique interno, que escupió un chorro rojo que aterrizó en la mejilla. El segundo le rompió la cuenca izquierda y le saltó el globo del ojo. Antes de que descargara el tercer golpe, el instinto del soldado despertó de su ensueño y el infeliz levantó las manos para protegerse. Baltasar le golpeó de nuevo y le cercenó la muñeca izquierda. La mano habría caído a tierra de no haber quedado sujeta por unos tendones e hilachas de piel. El Fantasma de Antioquía siguió golpeándole en el rostro, una vez, y otra, y...

Con la mandíbula rota deberías dejar de golpearlo está inconsciente Baltasar puedes dejar de golpearlo ahora que sus dientes están astillados Baltasar basta está muerto tiene que estar muerto ya qué estás haciendo Baltasar por qué sigues golpeándolo mira los sesos detente Baltasar él no es el responsable lo sé pero es lo mismo es igual que el que mató a...

Una mano le sujetó la muñeca por detrás cuando el Fantasma levantó la espada para descargar el enésimo golpe. Se volvió, dispuesto a matar al que se había atrevido a interrumpirle. Dispuesto a sacarle el cerebro por las orejas.

Pero no era un soldado. Era el carpintero, que lo miraba desde el lomo del camello de Melchor.

—Está muerto.

Todos lo miraban desde los camellos. Todos salvo María, que había apartado los ojos de aquella desagradable visión y apretaba al niño contra su pecho. Baltasar se soltó de la mano de José con una sacudida.

—Aparecerán otros —avisó el carpintero—. Tenemos que irnos.

Ya lo sabía. Sabía que tenían que irse…, pero no era capaz de mover los pies. En realidad, no podía mover nada. Le costaba respirar. Se sentía flojo. Débil. Todos lo miraban con cara extraña…

—Baltasar, estás sangrando.

¿Quién lo había dicho? ¿El carpintero? ¿Gaspar?

Se miró la ropa. Había una mancha de sangre que crecía en la parte derecha de su pecho. Se apartó las ropas y miró la herida. Un corte entre las costillas. Cada vez que respiraba, se formaban unas minúsculas burbujas de aire en la brillante sangre roja que manaba de la herida.

El soldado no había fallado.

El sol sólo estaba sobre las colinas del este, pero Baltasar pensó que ya se estaba poniendo. Llegaba la noche y, con ella, el tan necesitado descanso. Durante un momento creyó ver de nuevo la extraña y brillante estrella de oriente.

Esta vez fue el único que la vio.

6

El sueño

«Levántate, toma al niño y a su madre, huye a Egipto y quédate allí hasta que yo te avise, porque Herodes buscará al niño para matarlo.»

Mateo 2, 13

do de

I

Seis fugitivos cabalgaban hacia el este bajo el ascendente sol del desierto. Sólo cuatro estaban conscientes.

Cabalgaban sobre un planeta sin vida de montes pedregosos y barrancos irregulares, de pardos y marrones que se confundían en un abrazo sin sentido, convirtiéndose en uno solo mientras se acercaban a un horizonte que nunca alcanzaban. Era un lugar despojado de vitalidad. Donde la alegría se había desvanecido. Incluso el cielo azul y despejado parecía incoloro.

Baltasar iba boca abajo sobre el camello de Gaspar. Estaba pálido y empapado en sudor. La sangre seguía manándole del corte del pecho, empapando el pellejo del animal. Gaspar sujetaba las riendas con una mano y con la otra inmovilizaba la espalda de Baltasar, para que no resbalara mientras conducía al grupo por un terreno desigual. Melchor iba tras ellos, con una espada colgándole del costado y con la sangre de cinco hombres húmeda todavía sobre sus ropas. José era el último y detrás llevaba a María, que tenía al niño dormido en el brazo izquierdo y se asía a su marido con el derecho.

Gaspar no conocía el camino de Qumrán. No conocía el desierto de Judea muy bien. Sólo las rutas que lo atravesaban y que la voluntad de los hombres habían formado con el tiempo. Las rutas que conectaban Jerusalén con Jericó, Jericó con Antioquía, Antioquía con el resto del mundo conocido. Pero el desierto era otra cosa.

Los remolinos de polvo surgían de improviso, bailaban sobre la tierra y cegaban todo lo que tocaban. Allí esperaban escorpiones y serpientes para emponzoñar a las infortunadas almas que se pusieran en su camino, y el agua más cercana estaba a menudo a varios días de distancia. Calor, agotamiento y sed tenían la capacidad de meterse bajo la piel humana. De corroer su voluntad, hasta que el deseo de tenderse a dormir bajo el sol cegador parecía racional. El deseo de quitarse aquellas ropas sofocantes y andar desnudos parecía inteligente. Circulaban incontables historias de hombres que bebían puñados de arena, que se arrancaban la propia piel, que se humedecían con la propia sangre los labios agrietados para saciar la sed que los había enloquecido. Había un dicho en Judea: «El desierto está lleno de huesos de hombres fuertes».

La pendiente de las colinas se acentuaba según se dirigían al oeste. El desierto se fue elevando a ambos lados, envolviéndolos en piedra. Tragándoselos. Como gotas de agua de un océano que se dejan caer en un estrecho canal, los fugitivos cruzaron un barranco, una gigantesca fractura abierta en los huesos de la tierra, de sinuosa trayectoria entre los sinuosos surcos marrones y pardos.

Continuaron por el barranco durante casi dos kilómetros, avanzando con los camellos entre sus paredes irregulares, hasta que el niño empezó a llorar y María se dio cuenta de que hacía horas que no lo alimentaba.

Se detuvieron y se sentaron a la sombra que arrojaban las paredes de piedra que tenían alrededor. María con el niño oculto bajo sus ropas, José a su lado, tomando pequeños sorbos de un odre. Gaspar había desmontado a Baltasar y le había lavado la herida con agua. Pero tan pronto como terminaba de limpiarla, la sangre empezaba a manar de nuevo. Era desesperante.

Ninguno pronunciaba palabra. Melchor se sentó con las piernas cruzadas, haciendo dibujos en la arena con la espada. Si le había afectado de algún modo lo que acaba de ver, si persistía algún remordimiento por las vidas que había segado, su rostro no lo revelaba. Parecía totalmente ajeno al mundo a su alrededor, totalmente en paz con su situación.

Gaspar, en cambio, estaba consternado. No por el espectáculo de los niños asesinados. Esas imágenes las había guardado en un lugar en el que nunca las encontraría, en las tumbas donde conservaba todas las maldades que había visto y cometido. No, estaba consternado por ciertos hechos.

El hecho de que no fuera seguro recorrer ningún camino de Judea. El hecho de no conocer el desierto lo bastante bien para desaparecer y sobrevivir en él. El hecho de que sus posibilidades de huida estuvieran ahora por los suelos, agonizando. El hecho de que se iban a quedar sin agua en cuestión de horas.

¿Y luego qué? El carpintero y su mujer no harían más que retrasarlos. El niño moriría de frío o deshidratado en un par de días, y le seguiría la madre, hasta que sólo quedaran tres locos sorbiéndose la propia sangre con los labios agrietados, y eso suponiendo que los hombres de Herodes no los encontraran y los mataran antes, que era lo más probable. Era inútil. Todo era inútil.

Fue Baltasar el que finalmente rompió el silencio con una serie de toses y silbidos inconscientes. Cuando terminó el ataque de tos, José vio que le salía sangre por la boca. Cada vez estaba más pálido. Estaba empezando a tiritar.

—¿Se morirá? —preguntó el carpintero.

—Sí —respondió Gaspar.

Al hombre le sorprendió muchísimo aquella crudeza. Era como si le hubiera preguntado por el color de las ropas de Baltasar y no por su vida.

—¿Sí? ¿Y ya está?

—Sí.

—¿Y no podemos hacer nada?

—Ya he visto hombres con el mismo tipo de heridas. No se puede hacer nada. No vivirá más allá del atardecer.

—Pero nos ha salvado la vida. A todos nosotros. Estamos en deuda con él.

—Y por ese motivo lo llevo a cuestas y no lo dejo morir solo.

—Llevarlo a lomos de un camello no le servirá de nada. Tiene que haber algo que podamos...

—¡Ya te he dicho que es hombre muerto!

La palabra retumbó en las paredes del barranco y en los recodos desconocidos de más adelante. A continuación hubo un largo silencio, interrumpido sólo por el ruido que hacían los camellos cuando se apoyaban en una pata u otra y por el suave roce de la espada de Melchor en la arena.

—Después de lo que hemos hecho —manifestó Gaspar—, Herodes enviará a toda Judea detrás de nosotros. Él está muerto y nosotros estamos vivos. Nosotros aún tenemos una oportunidad. Él ya no.

—No —intervino María.

Gaspar casi había olvidado que la muchacha estaba allí. La miró fijamente con sus ojos hundidos. Era muy ligera, muy débil. Si quisiera, podría romperle los brazos y las piernas como si fueran tizones.

—Él volvió por nosotros —prosiguió—. No pienso quedarme aquí sentada viéndolo morir.

—Ya he dicho... que no podemos hacer nada por él.

—Sí —lo contradijo María—, sí podemos.

Gaspar no sabía a qué se refería. José tampoco estaba seguro, hasta que ella se volvió a él y le dijo:

—Zacarías.

Cuando María era muy joven, su tío Zacarías cosía heridas y trataba la tos en el pueblecito de Emaús, situado a quince kilómetros al noroeste de Jerusalén. Ahora tenía setenta años y disfrutaba de una vida tranquila con su esposa Isabel y su hijo menor. Por lo que María sabía, lo único que había hecho en los últimos diez años era vendar alguna que otra herida. Y su propia salud estaba decayendo. Pero tenían que intentarlo.

María se volvió hacia Gaspar.

—Conozco a alguien que podría ayudarlo. Un pariente de confianza.

—¿Dónde está?

—En Emaús.

Gaspar negó con la cabeza.

—Está demasiado lejos.

—Podemos llegar allí en un par de horas si vamos por el camino que conduce al villorio.

—¿El camino? ¿Es que no escuchas? Todos los soldados de Judea estarán buscándonos por los caminos.

—Por los caminos que entran y salen de Belén sí. Y cuando no nos encuentren en ellos, empezarán a buscar por otros caminos y por el desierto. Pero no en un pueblecito como Emaús. Todavía no.

Podría romperte los huesos como si fueran tizones...

—Podemos quedarnos aquí hasta que se muera o podemos dirigirnos ya mismo a Emaús, donde hay comida y agua. Donde hay un lugar para esconderse y una posibilidad de salvarlo.

—Si no nos matan antes.

—Sólo tienes que llevarnos allí. A Emaús. A partir de entonces, nos cuidaremos solos.

Gaspar intentó pensar en una opción mejor, pero sabía que ella tenía razón. Si se escondían en el desierto, estarían muertos en pocos días. Si intentaban llegar al pueblo, había bastantes posibilidades de que se tropezaran con los soldados por el camino. Pero al menos tendrían la oportunidad de luchar.

—Tú mismo lo dijiste —le recordó María—. Estás en deuda con él. Todos lo estamos.

Baltasar rompió el silencio con otro ataque de tos. Gaspar lo miró. El poderoso Fantasma de Antioquía. El hombre que le había salvado el pellejo.

II

Baltasar se dio cuenta de súbito de que lo transportaban. De que dos brazos lo rodeaban y de que lo sujetaba un hombre con grandes alas blancas que se agitaban a un ritmo suave. Un hombre cuyo rostro no podía ver, pero que de alguna manera conocía. No sentía miedo de aquel extraño, ni miedo de que lo soltara. Sólo sentía el viento en los oídos y el golpeteo de las alas.

Había una ciudad debajo de ellos, en el desierto. Una ciudad de tiendas de campaña, reunidas al pie de una gran montaña. Docenas de millares, quizá cientos de millares de personas se movían alrededor danzando en círculo. Bailaban alrededor de algo grande, algo brillante y dorado. Baltasar sólo deseaba ser uno de ellos, ver más de cerca el gran objeto brillante y dorado y comprobar si había piezas que pudiera coger y guardarlas entre sus ropas. Pero allí no era donde lo llevaba el Hombre con Alas.

Pasaron volando por encima de la gran montaña y sus multitudes de danzarines, descendiendo hacia la superficie del desierto hasta que la arena se convirtió en mar en un abrir y cerrar de ojos. No era el extraño e interminable océano de tiempo y espacio en el que Baltasar había visto reflejado el universo, sino una auténtica masa de agua. Volaron sobre el agua más aprisa de lo que él creía posible sin que la fuerza del viento los hiciera pedazos.

Volaron hasta que el agua se convirtió en playa, la playa en desierto y el desierto en una ciudad que brillaba al sol. Una ciudad con jeroglíficos y templos, obeliscos y pirámides. Aquel lugar también lo había visto con sus propios ojos. Había levantado la vista hacia aquellas tres hermanas, aquellas pirámides que se burlaban de los demás imperios con su esplendor. Pero nunca había imaginado que las vería desde arriba, como ahora.

El Hombre con Alas depositó suavemente a Baltasar sobre la cima de una de aquellas pirámides, la más alta de las tres. La estructura más alta del mundo y era así desde hacía más de dos mil quinientos años. Pero la pirámide se estaba cayendo, las piedras blancas de sus cuatro lados se habían ido erosionando con el paso de los siglos. Algunas secciones aún estaban lisas. Otras tenían partes sueltas que caían a la arena, dejando al descubierto los bloques de piedra más oscuros que había debajo.

Cuando el hombre de las alas blancas las plegó en su espalda, Baltasar le vio el rostro por primera vez. Ante aquella visión se quedó sin fuerza en las piernas. Se echó a llorar, todo él se sacudía con los sollozos. No recordaba la última vez que había llorado con tanta intensidad. No recordaba la última vez que había visto algo tan hermoso.

—¿Cómo? —preguntó entre lágrimas.

El Hombre con Alas extendió los brazos y levantó las manos para que Baltasar las viera. Las manos con las que le había sujetado. Estaban manchadas de rojo.

Baltasar bajó la vista entre lágrimas y se vio la ropa manchada de sangre oscura a la altura del pecho. Se la quitó aterrorizado, convencido de que encontraría una horrible herida debajo. Pero allí no había nada. Nada salvo un ligero rasguño en el pecho. Levantó la vista para ver si el Hombre con Alas le daba alguna explicación. Pero se había ido. No había ni rastro de él en el cielo. Estaba solo en la cima del mundo.

Algo cayó sobre su pie. Una gota.

Se miró el pecho de nuevo. El rasguño estaba empezando a sangrar. Sólo unas pocas gotas, como el hilo de lágrimas que le corría por las mejillas. Pero estaba creciendo. Primero fue un reguero, luego un arroyo. La sangre le caía por el pecho hasta el estómago, formaba un charco en el ombligo, el charco se desbordaba y el arroyo, que ya era un río, seguía cayendo. Un río rojo.

El rasguño se abrió poco a poco. La piel se rompió como un pellejo seco, dejando al descubierto músculos, costillas y pulmones. La grieta se ensanchó hasta que pudo ver su corazón debajo, latiendo cada vez más fuerte, más fuerte... Baltasar apretó los bordes de la grieta y trató de juntarlos. Trató de mantener todos los órganos en su sitio.

—¡No!

Las costillas empezaron a abrirse, cada una se fue desplegando y estirando como las patas de una araña blanca. Intentó sujetarse las costillas. Si las costillas cedían todos sus órganos internos se desparramarían fuera de su cuerpo, y allí quedaría él para el resto de los tiempos: un montón de huesos, órganos y piel suelta en la cima del mundo. Apretó con todas sus fuerzas, pero la araña no renunciaba a su libertad. Mientras hacía fuerza, Baltasar vio que las uñas de sus dedos empezaban a levantarse y que los dedos se despojaban de la piel, dejando las arterias al desnudo, palpitando con cada latido del corazón.

Sintió que lo mismo le ocurría en los dedos de los pies, en las plantas. Notó que los párpados se le caían y vio la sangre que se derramaba sobre las córneas.

Baltasar resbalaba por una cara de la gran pirámide, caía dando tumbos, como le había sucedido a tantos bloques de piedra durante siglos, sólo que él dejaba un rastro de músculos, tendones, sangre y huesos conforme se deshacía. Todas sus venas se desenredaban y estiraban mientras caía, se le salían del cuerpo como raíces de un árbol arrancado de cuajo.

Cuando llegó a la arena, ya no existía y sólo quedaban sus ropas.

Zacarías era demasiado viejo para operar a nadie. Demasiado viejo para llevar a cabo la intervención quirúrgica que necesitaba aquel hombre. Su vista ya no era la de antes. Le temblaban las manos.

Pero ¿qué remedio le quedaba? ¿Qué otro cirujano podía verlo a tiempo? ¿En qué cirujano se podía confiar para dar cobijo a los fugitivos que lo habían llevado allí?

José sostenía la lámpara por encima del pecho del hombre. El etíope y el griego estaban al lado de la puerta, preparados para ayudar si Zacarías los necesitaba. Su sobrina María esperaba en el cuarto de al lado con el niño. No estaba hecha para la sangre, y allí había mucha. El hombre había recibido una cuchillada y la hoja había llegado hasta el pulmón derecho.

—¿Se está asfixiando? —preguntó José.

—Se está ahogando —respondió Zacarías sin dejar de trabajar.

—¿Ahogando? Pero ¿cómo puede...?

—El aire entra por la herida, comprime el pulmón y la sangre queda atrapada, ahogándolo por dentro. Si le sacamos el aire, el pulmón se inflará, la sangre saldrá y tal vez, tal vez, tal vez, sobreviva. Ahora calla y déjame trabajar.

La esposa, Isabel, ayudaba al marido, igual que veinte años antes, cuando él tenía cincuenta y siete y ella era una viuda de treinta y seis. De ojos castaños y cabello del mismo matiz. Sin hijos y hermosa. Conocerla había sido lo mejor que le había ocurrido a Zacarías en toda su vida. Un milagro. Y aunque los años habían dejado claro que era estéril, él atesoraba cada momento que habían pasado juntos y estaba contento de tener una compañera en sus años de decadencia.

Pese a todo, siete años antes, cuando él tenía setenta y ella cuarenta y nueve, Isabel, del modo más asombroso, se había quedado embarazada. Zacarías había estado sumido en confusión al principio. No se lo explicaba. Tardó en aceptar el regalo que Dios le había dado. Pero el vientre femenino había seguido creciendo y al final había dado a luz a un saludable varón, a pesar de haber rebasado la edad fértil. Otro milagro. Un milagro al que llamaron Juan.

Zacarías introdujo lenta y cuidadosamente un pequeño tubo de metal en la herida, concentrado con cada fibra de su ser para impedir que le temblaran las manos. Eran unos segundos peligrosos. Los segundos que podrían determinar si el paciente viviría o moriría. Si lo hacía bien, un chorro de aire escaparía silbando por el tubo, seguido inmediatamente por una buena cantidad de sangre. Cuando el pulmón se hubiera vuelto a inflar, podría coser al paciente y, si era la voluntad de Dios, el infeliz recuperaría la salud. Si lo hacía mal, sólo conseguiría que se ahogara más aprisa.

Isabel sujetaba firmemente un paño alrededor del tubo, para que absorbiera la sangre, por pequeña que fuera la cantidad. Sólo había visto a su marido hacer aquello una vez, con un hombre del pueblo que había sido apuñalado por un soldado por escupir en la calle. Hacía quince años de aquello, había sido antes de que a Zacarías le temblaran las manos. Antes de que una nube cubriera sus ojos. Y aquel paciente había muerto allí, en aquella misma habitación. En aquella mesa.

Se alegró cuando su marido decidió dejar la medicina y vivir aquellos años dedicado a sí mismo. A su familia. Se sintió contenta de que Juan tuviera un padre capaz de impartir sabiduría. De enseñarle a ser un hombre. Sobre todo porque ella era la única que sabía que su hijo era diferente. Que estaba destinado a hacer algo extraordinario.

Poco antes del nacimiento de Juan, un hombre con unas gloriosas alas blancas se le había aparecido en un sueño. Le dijo que su embarazo era un milagro y que el nacimiento de su hijo anunciaría la llegada del Mesías.

—El Hijo de Dios caminará por la tierra —había dicho—, nacido de otra mujer de tu familia. Y tu hijo será su profeta.

Juan esperaba fuera con María. Ésta estaba sentada en un pequeño banco, al lado de la puerta cerrada. Juan estaba de pie a su lado, mirando al niño envuelto en pañales que su tía tenía en brazos. El pequeño le devolvía la mirada con sus ojos azules. Ojos que no distinguían nada más allá de lo que había al alcance de las manos.

Sin embargo, miraba intensamente el rostro que se inclinaba sobre él. Fascinado por él. Atraído por él. Juan lo miraba con la misma fascinación. Había visto otros niños antes, pero en aquél había algo diferente. Sentía una extraña y poderosa afinidad con él. Y también una vaga tristeza.

—¿Puedo cogerlo?

María no estaba segura. Juan era demasiado pequeño para confiarle algo tan frágil. Pero en él había un no sé qué. Un no sé qué que lo hacía parecer mayor de seis años.

—Con mucho cuidado y sólo un momento.

María le tendió al niño, suavemente, y Juan lo cogió con igual cuidado. Acunó al pequeño. Se lo apoyó en el hombro y le acarició la espalda con la mano. Meció al pequeño con delicadeza, tal como su madre le había enseñado. Y cuando el niño apoyó la cabeza en su hombro, Juan inclinó la suya hasta rozársela.

Era la misma cabeza que Antipas, el hijo de Herodes, ordenaría cortar décadas después, cuando ya era conocido como Juan el Bautista. Pero faltaba mucho para eso. También faltaba mucho para los padecimientos y la muerte que se abatirían sobre ambos con escasos días de diferencia. En aquel momento sólo existía la serena respiración de los dos y los gemidos del hombre desmayado que trataba de recuperar la suya en la habitación contigua.

Baltasar abrió los ojos y dio un grito, pero el sonido quedó ahogado por el agua; el aire de sus pulmones transportado en forma de burbujas. Se estaba ahogando. Esforzándose por alcanzar la luz del sol que se filtraba entre el cieno. Con una patada final, rompió la superficie y tragó una mezcla de agua y aire, que le produjo una tos ronca y dolorosa, pero también le dio fuerzas para nadar hasta la orilla más cercana. Se arrastró por la arena asiéndose con los dedos, sin dejar de toser para escupir el agua que tenía en los pulmones.

Los dedos.

Baltasar se observó las manos, esperando verlas despellejadas y con las venas al descubierto. Pero estaban enteras. Todo su cuerpo estaba íntegro. Mientras su respiración recuperaba un ritmo regular, levantó la cabeza y miró a su alrededor. Por encima de él, a pocos metros del margen del río, había filas de columnas altas y faraones de piedra, cada uno delicadamente esculpido, cada uno contando una historia diferente sobre los triunfos de un faraón diferente.

A su izquierda veía una barcaza que navegaba por el Nilo bajo el sol del mediodía, cargada con mercancías. En la orilla opuesta vio pescadores echando los sedales, algunos descansando a la sombra de las palmeras, como Abdi y él habían hecho años antes.

—¡Eh! —gritó desde el otro lado del río—. ¡Eh, aquí!

Aunque estaban al alcance de su voz, los pescadores no hicieron caso al hombre empapado de la orilla, como tampoco lo habían hecho cuando se estaba ahogando.

Pero sí prestaron atención a los peces.

Uno tras otro, los peces subieron a la superficie, unos sacudiéndose aterrorizados y otros simplemente panza arriba. Antes de que Baltasar entendiera qué pasaba, un pescador que había estado metido en el río con el agua hasta las rodillas dio un grito y echó a correr hacia la orilla. Baltasar vio ampollas en sus piernas cuando salió del agua y también vio que de la superficie del agua se elevaban nubes de vapor. El río estaba hirviendo. Los peces tigre, los peces gato y las percas subían a centenares hasta la superficie, donde quedaban flotando. Cocinados vivos por el mismo río.

La noche estaba cayendo con rapidez inusual, el sol se retiraba ya por el oeste, atemorizado por lo que había visto. El mundo se estaba oscureciendo por momentos ante los ojos de Baltasar, y el Nilo con él. Pero no por falta de luz. El río se estaba oscureciendo porque sangraba.

Un río rojo.

Ahora sólo la luna brillaba en el cielo, arrojando su claridad gris sobre Egipto. Pero aquella noche había algo diferente. Algo andaba mal. Había unas extrañas rayas en la superficie y cada vez eran más anchas.

La luna se estaba rompiendo en pedazos.

Como si fuera un plato gris que se hiciera añicos lentamente sobre un suelo de mármol negro, los pedazos empezaron a caer del cielo, cada uno del tamaño de una montaña. Los pedazos de luna comenzaron a llover sobre la orilla opuesta, ciudades enteras caían del cielo, haciendo que la tierra temblara con cada tremendo impacto. Los aterrorizados pescadores corrieron para no perecer cuando uno de los pedazos se estrelló a un kilómetro y medio de donde habían estado. Pero Baltasar no se movió. Él *lo sabía*. Sabía que no era más que una ilusión. No hacía falta correr, ni siquiera cuando vio aumentar de tamaño otro pedazo sobre su cabeza.

Ten confianza, Baltasar.

Y la tenía. Pero cuando el pedazo estuvo tan cerca como para que distinguiera el perfil de los cráteres en su superficie, sus pies se sublevaron contra su cerebro y empezaron a moverse por su cuenta. Lentamente al principio, luego a toda velocidad, alejándose de la orilla para internarse en el desierto.

Sintió que la tierra temblaba cuando el fragmento de luna se estrelló en el desierto, detrás de él. Fue igual que los terremotos que recordaba de sus tiempos de Antioquía, sólo que aquella sacudida fue mil veces más potente. Detrás de él se elevó del suelo del desierto una gigantesca nube de polvo, arrastrada por la onda expansiva del impacto. Hay muchas cosas que un hombre puede dejar atrás, sobre todo un hombre tan veloz como Baltasar. Pero una onda expansiva provocada por la Luna al chocar contra la Tierra no estaba en la lista. Lo único que Baltasar podía hacer era arrojarse al suelo y soportar lo que llegase. Se quedó boca abajo, estirado sobre la arena, cubriéndose la cabeza con las manos.

Las primeras motas de polvo le acribillaron las piernas por detrás. Los punzantes granos de las tormentas de arena que había capeado otras veces. Y luego la onda. Golpeándole como el puño de un gigante. El ruido ensordecedor. La arena arrancándole las ropas y la piel.

La presión que le absorbía el aire de los pulmones. Si había un Dios, aquél debía de ser el sonido de su voz.

El sonido desapareció. Y el desierto también.

Baltasar levantó la cabeza y se encontró en una vasta sala de paredes pintadas de brillantes colores, con la superficie más lisa que había visto en su vida. Más lisa que el cristal. Tres de aquellas paredes eran moradas, la que estaba detrás de él, la de enfrente y la que tenía a la izquierda. La pared situada a su derecha, sin embargo, era rosa. Un color que raramente se veía en el imperio, salvo en los rostros ruborizados de algunas mujeres romanas de piel clara. El suelo era de un blanco inmaculado. Ante él había una mesa blanca, a su lado una silla blanca y por encima, muy por encima de él, un techo blanco.

En el otro extremo de la habitación había un hombre de pie, de espaldas a Baltasar. Un hombre con largo cabello gris y ropas también grises. Parecía vaciar algo de una jarra de barro que sostenía en la mano izquierda mientras empuñaba con la derecha un bastón de madera.

El hombre de pelo gris se volvió con una copa de madera en la mano izquierda, una copa con agua. Su rostro era más viejo de lo que Baltasar esperaba. Casi anormalmente viejo, con profundas bolsas bajo sus ojos blanquecinos. Su piel ponía de manifiesto que había recibido mucho sol a lo largo de los años; sus manos sabían lo que era el trabajo. El anciano recorrió el limpio suelo blanco y se sentó al lado de la mesa. Observó a Baltasar con sus ojos blanquecinos durante un momento y luego le alargó la copa por encima de la mesa.

—Bebe.

Bebió. El agua fresca y clara era, quizá, la mejor que había probado nunca. Y cuando se la bebió, Baltasar se limpió la boca y habló.

—¿Quién eres?

—Un mensajero.

—¿De quién?

El anciano le sonrió. Era una sonrisa conocida. La típica sonrisa que más detestaba. La petulante sonrisa de suficiencia de un hombre que se cree sabio.

—Bien —dijo Baltasar—. ¿Cuál es el mensaje?

—No debes permitir que el niño muera.

Después de haber sido hecho trizas en la cima de una pirámide, haber visto peces hirviendo en un río de sangre y corrido para huir de una luna despedazada, Baltasar casi había olvidado al niño.

—Yo no lo abandoné. Lo he salvado.

—Todavía no. Tendrás que quedarte con él más tiempo.

—No tengo por qué hacer nada.

El anciano lo observó con sus ojos nublados.

—Si lo haces, no tendrás que volver a robar mientras vivas. Serás rico.

¿Qué es esto? ¿Un soborno? ¿Pon un poco de oro frente a un ladrón y lo verás correr? Si crees que se me puede tentar tan fácilmente, estás...

—¿Cuánto?

—Más rico que Herodes. Más rico que el mismo Augusto.

Debes de creer que soy idiota. Ningún hombre puede ser tan rico. Y aunque pudiera, no es posible que puedas hacer una promesa semejante...

—¿Cuánto tiempo tengo que quedarme con él?

El anciano sonrió.

—Hasta que dejes que se vaya.

—¿Y eso qué significa?

—Lo que te estoy pidiendo no es fácil. Te perseguirán ejércitos.

—Puedo arreglármelas con ellos.

—No sólo ejércitos de hombres.

Baltasar arrugó la frente y frunció los labios.

—¿Qué otros ejércitos hay?

El anciano sonrió de nuevo. Pero esta vez la sonrisa fue diferente. Menos petulante, más amenazadora. Una especie de mueca que significaba «Ya lo verás». Baltasar cambió de opinión. La sonrisa que más detestaba era aquélla.

—He preguntado por los ejércitos.

—¿Por qué no bebes otro trago?

Baltasar miró al viejo de arriba abajo. No le gustaba que jugaran con él. Otro trago de aquella agua fresca y clara que parecía ser la cura de todos sus males. Miró la copa medio vacía que había sobre la mesa. Pero cuando fue a cogerla, lo hizo con las manos de otro. Manos cubiertas de manchas pardas, con venas azules que sobresalían bajo una piel fina y quemada. Baltasar dio un respingo, echó la silla hacia atrás y trató de levantarse. Pero se sentía débil. Viejo. Cuando levantó la vista en busca de una explicación, el viejo ya no estaba.

Volvió a mirarse las manos, temblorosas y descoloridas. Sus ojos apenas alcanzaban a ver lo que había más allá de sus manos. Tenía algo en la mano derecha. Algo de oro. Baltasar levantó el brazo, lentamente. Sabía lo que era, pero no se atrevía a creerlo. No hasta que lo vio con claridad en la palma de su mano temblorosa. No hasta que vio el objeto que había pasado media vida buscando.

El medallón.

III

El paciente viviría. Había estado inconsciente casi dos días, sudando por culpa de la fiebre, pero estaba empezando a dar señales de recuperación. Zacarías lo había salvado.

Baltasar había tenido suerte. Aún era joven y fuerte, y la espada sólo le había perforado la membrana exterior del pulmón. Si hubiera penetrado un poco más, aunque sólo hubieran sido unos milímetros, no habría habido forma de salvarlo de morir ahogado. Pero el caso era que Zacarías había sido capaz de extraerle el aire y la sangre atrapados en su pecho y suturar la herida con una aguja de hueso e hilo de lino. Se estaba curando bien, gracias en parte a la mirra con la que viajaba el paciente.

Baltasar ya se incorporaba solo. Le había vuelto el color y con él el apetito. Zacarías estaba sentado al lado de la cama, a la luz de un candil. La casa estaba en silencio. Vio al paciente beber de la copa que tenía en la mano, limpiarse la boca y contestar educadamente no a la pregunta que le había formulado momentos antes.

—Por favor —dijo Zacarías—, cuéntame lo que has visto.

—Ya te lo he dicho, no quiero hablar de eso. Fue sólo un sueño.

Baltasar había murmurado en sueños. Murmurado algo sobre volar. Sobre la luna y las paredes de color rosa y las raíces de un árbol arrancado de cuajo. A lo largo de los años, Zacarías había visto a otros pacientes hacer lo mismo, y siempre había encontrado fascinantes sus visiones. La forma en que la mente interpretaba lo que les estaba pasando a los cuerpos. Lo vívidas que eran las visiones.

—Aunque sea extraño o absurdo, cuéntame lo que viste.

Baltasar miró al viejo de la barba. El hombre que se parecía al viejo de su sueño. El hombre que le había salvado la vida. Supuso que al menos eso se lo debía. Después de todo, estaban los dos solos. Los demás estaban durmiendo.

Así que lo hizo. Le contó que había sobrevolado el desierto. Le habló de la montaña y de la gente que bailaba alrededor del gran objeto dorado. Le habló sobre su cuerpo haciéndose trizas y cayendo por la cara de la pirámide. Sobre las estatuas a orillas del Nilo. Le habló de los peces panza arriba en un río de sangre, de la luna rompiéndose en pedazos y cayendo del cielo. Sobre la habitación con paredes moradas y rosa, y del hombre del bastón que le ofreció una bebida y le dijo que fuera a Egipto.

Pero no le habló del Hombre con Alas. Eso se lo calló.

Cuando hubo terminado de contar la historia, Zacarías se quedó sentado largo rato. Pensando. Baltasar creyó ver que los ojos del viejo se llenaban de lágrimas.

—Creo —dijo Zacarías al fin— que has sido elegido por Dios.

Lo que faltaba...

Los dos días siguientes a la operación, la casa de Zacarías se había llenado de historias. Había sabido quién era realmente el herido. Que los otros fugitivos y él habían tropezado casualmente con José y María en el establo. Que Baltasar los había salvado cuando los hombres de Herodes habían irrumpido en Belén. Su sobrina María le había hablado de las visiones del arcángel Gabriel y de su milagroso embarazo. La historia había animado a la mujer de Zacarías a admitir algo que le había ocultado durante seis años: que el mismo arcángel la había visitado a ella durante su no menos milagroso embarazo y le había dicho que su hijo Juan sería el heraldo del Mesías. Y ahora acababan de contarle a Zacarías un sueño de lo más sorprendente. Un sueño que creía que era un mensaje del mismo Dios.

—Creo —dijo— que te han dado instrucciones para que recorras el camino que recorrió Moisés. El camino del Éxodo. Creo que has sido elegido para llevar al niño y a sus padres a Egipto.

Tenía sentido. Egipto estaba relativamente cerca y más allá del alcance militar de Herodes. Y aunque técnicamente había sido una provincia romana durante los últimos treinta años, los romanos tenían poca influencia en los asuntos locales.

—¿Quieres saber lo que pienso? —repuso Baltasar—. Creo que lo mío ha sido una pesadilla.

—¿Los llevarás?

La voz no procedía de Zacarías. Baltasar se volvió hacia la puerta y vio a un muchacho. No sabía quién era ni cuánto tiempo llevaba allí.

—¿Los llevarás? —repitió el muchacho—. ¿Los llevarás a Egipto?

—Mi hijo —dijo Zacarías—. Tienes que perdonarlo. A veces se cree que es un hombre hecho y derecho.

A Baltasar no le gustaban los niños en general. Especialmente detestaba la forma en que lo miraba aquél. No había temor en sus ojos.

—Si los llevo —propuso, volviéndose a Zacarías—, será sólo porque me pilla de camino, no porque crea que un dios me ha enviado un mensaje.

—No importa que lo creas o no —respondió el anciano—, mientras Dios crea en t...

—Basta.

No pensaba oír ni una palabra más de aquella basura propia de zelotes. Ni aunque procediera del hombre que le había salvado la vida.

—He dicho que lo pensaré —añadió.

Si seguían la ruta en que pensaba Baltasar, había trescientos kilómetros hasta Egipto. Por el sur, más allá de Ajalón, luego por el desierto hasta Hebrón, donde podrían descansar y comprar víveres antes de emprender el último tramo hasta Egipto. Normalmente, habría tardado cinco días en recorrer un trayecto como aquél. Pero con sus actuales compañeros, más la necesidad de tener que evitar los caminos principales, esperaba tardar al menos el doble de tiempo.

Habían pasado cinco días desde la operación y Baltasar empezaba a sentirse como antes. En pie y preparado para irse. Melchor y Gaspar se ocuparían de que los camellos tuvieran comida y agua. Cargaron todas las vituallas que pudieron. Vestían ropa nueva, se habían bañado y tenían la barriga llena. Estaban preparados.

Y esperando.

Esperando porque los judíos estaban celebrando otro de sus antiguos rituales absurdos. *Si alguna vez necesitaste la prueba de que la religión es una pérdida de tiempo, aquí la tienes. Hace una hora que podríamos haber partido*, pensó.

Después de todo lo que había pasado, José y María casi habían olvidado que habían transcurrido ya ocho días desde el nacimiento de su hijo. Según la ley judía, los varones debían circuncidarse y recibir nombre el octavo día. Aunque la ceremonia del *berit milá* debería haber sido celebrada por un *mohel*, un anciano designado por el padre, casi siempre un rabino, dadas las circunstancias tendría que servir un viejo médico de manos temblorosas. José y María se dieron la mano al ver a Zacarías levantar el escalpelo y luego inclinarse sobre el niño.

Ambos rezaron una plegaria en silencio, pidiendo a Dios que guiara su mano.

7

Los presentes de los magos

«Y a vosotros os dispersaré yo entre las gentes y os perse-
guiré con la espada desenvainada; vuestra tierra será devas-
tada y vuestras ciudades quedarán desiertas.»

Levítico 26, 33

I

Durante un momento pareció que Herodes había terminado de gritar. Pero comenzó de nuevo.

Lo que salía de su boca enferma no era tanto una retahíla de palabras como una sucesión de notas agudas y angustiadas. Pulmones cansados que dejaban escapar ráfagas de aire entre unas cuerdas vocales ensangrentadas. Sonidos sin forma ni ritmo. Improvisaciones de un loco. Los cortesanos de Herodes se habían refugiado otra vez tras las columnas. Sus consejeros y sirvientes apretaban la espalda contra los muros de la sala del trono iluminada por el sol, tratando de empequeñecerse todo lo posible mientras su rey daba vueltas, destrozando y tratando a puntapiés todo objeto que osaba ponerse en su camino, escupiendo aquellos terroríficos sonidos sin sentido.

En el centro de su atribulada órbita yacía un cadáver, el de un gigante cuyas piernas habían recibido múltiples tajos en Belén, por la mano de un enemigo, y cuyo cuello había sido cortado recientemente por la mano de los amigos en Jerusalén.

Era el soldado al que Baltasar había perdonado la vida.

Lo habían conducido ante el rey pocos momentos antes. Dos soldados lo sostuvieron mientras recorría cojeando la sala del trono y lo ayudaron a doblar delante de Herodes las rotas rodillas. El gigante había contado lo sucedido con la cabeza inclinada y temblando de miedo: no habían conseguido matar a todos los niños varones de Belén. Su capitán estaba muerto y, con él, varios hombres más.

—¿Se alzaron los habitantes del pueblo contra vosotros? —preguntó Herodes. Había una débil esperanza tras aquella pregunta.

Una revuelta se podía perdonar. Mejor aún, podía ser aplastada. Sólo tenía que enviar más hombres.

—No, majestad.

—Entonces, ¿por qué uno de mis soldados viene arrastrándose hasta mí con la cabeza gacha, derramando su sangre en mi suelo? ¿Quién te ha hecho esto?

El soldado calló, avergonzado de lo que tenía que decir. Había pensado en mentir al rey, en decirle que eran treinta o cuarenta hombres los que los habían derrotado en Belén, en inventar alguna historia sobre una banda de misteriosos combatientes salidos de ninguna parte. Mercenarios de algún reino cercano. Pero mentir era inútil. Antes o después, Herodes sabría la verdad. Por vergonzosa que fuera, tenía que contarla.

—Tres hombres, majestad —dijo por fin.

El monarca se puso en pie y bajó lentamente, muy lentamente, los peldaños de su trono.

—¿Tres hombres?

—Tres hombres... con vestiduras de nobles.

En los extremos de sus brazos, los dedos larguiruchos de Herodes empezaron a cerrarse hasta que sólo hubo un par de puños.

—Mataron a nuestro capitán y... escaparon con uno de los niños. Uno de ellos me dio un mensaje. Supongo que para comunicárselo a vuestra majestad.

Herodes estaba ya delante del soldado. Su pequeño y frágil cuerpo tenía un aspecto casi cómico junto al gigante arrodillado ante él.

—Entonces —repuso— supongo que será mejor que me lo comuniques.

El soldado tragó saliva. Puestos a elegir, habría preferido desangrarse en las calles de Belén. Pero había caído sobre él aquella responsabilidad y tenía que ser consecuente.

—Dijo que «el Fantasma de Antioquía se ríe de Herodes». Dijo que... bailaría sobre vuestra tumba.

Las palabras tardaron en ser procesadas. Cuando las entendió, Herodes perdió el último rastro de cordura que le quedaba
y ordenó que cortaran la cabeza al soldado, inmediatamente. Incluso repetir algo semejante era un acto de traición. Así que los
dos soldados que habían ayudado a su maltrecho compañero a
arrodillarse, desenvainaron las espadas. El gigante no se resistió
mientras sus hermanos de armas le cortaban el cuello. Ni siquiera
cuando vio los hilos rojos que le corrían por los brazos, ni cuando
sintió el calor de la sangre que le manchaba el pecho. Ya lo sabía.
Lo supo en el momento en que el Fantasma de Antioquía lo había designado mensajero. Sabía que no saldría vivo de la sala del
trono de Herodes. El gigante cayó hacia delante, sintiendo como
si su cabeza estuviera llena de vino. Un momento después, ya no
recordaba su nombre. Y al momento siguiente estaba muerto y
Herodes gritaba:

—¡El niño morirá! ¡El niño morirá, y con él, el Fantasma de
Antioquía!

No valían consideraciones políticas, ni discusiones, ni consul-
tas a los consejeros. Sencillamente tenía que hacerse, por muchos
hombres y dinero que costara. Tenía que hacerse, aunque tuviera
que matar a todos los niños de todos los pueblos de Judea.

Ni el espectáculo de la sangre traidora que manchaba su suelo
ni el de la boca traicionera estúpidamente abierta mitigaban el
efecto de lo que había dicho el gigante. Que el Fantasma de Antioquía se reía de él. Y Herodes daba vueltas, vomitando aquellos
extraños y discordantes sonidos con la garganta irritada, mientras
sus consejeros esperaban en silencio. Esperaban a que su cólera se
calmase, ya que no podían acelerar el final del berrinche de su rey,
como tampoco se podía acelerar el final de una tormenta. Lo único
que podían hacer era refugiarse y esperar a que el temporal amai-
nara. Cuando por fin sucedió, Herodes se dejó caer en el trono.
Temblaba de agotamiento, hacía muecas para contrarrestar el dolor de garganta..., pero sonreía. Sonreía porque la tormenta había
dejado una semilla detrás. Una idea.

Sonreía, porque allí estaba de nuevo la prueba de que había sido bendecido con el mayor don que un caudillo podía poseer.

Visión de futuro.

Donde otros veían un árido páramo, él veía ciudades. Donde otros se lamentaban por las cenizas, él aprovechaba las llamas. Incluso en aquellos momentos, desplomado en el trono, debilitado por la ira, veía una oportunidad. Una forma de matar al niño y al Fantasma de un solo golpe, y conseguir algo mucho más importante en el proceso.

El emperador...

Herodes, como todos los reyes provincianos, gobernaba porque contaba con el apoyo de Roma. Pero su relación con el imperio era tensa desde la guerra civil romana, de la que César Augusto había salido victorioso. Por desgracia, Herodes había apoyado al principal rival de Augusto, Marco Antonio. Y aunque se había apresurado a jurar lealtad inquebrantable y eterna al nuevo César, Augusto había mirado con recelo al rey títere de Judea desde entonces. Pero ahora tenía una oportunidad de cambiar todo aquello. La oportunidad de mejorar las relaciones con Roma y de paso proteger su dinastía en Judea. Allí tenía la oportunidad de adular al emperador y al mismo tiempo utilizarlo.

Con la poca voz que le quedaba, Herodes llamó a un escriba y le dictó una carta. Comenzaba así:

Poderoso Augusto, Amo del Mundo:

Me humillo ante tu gloria y suplico que accedas a darme un consejo en un asunto de lo más grave. Un asunto de grandes consecuencias, no sólo para Judea, sino para todo el imperio...

II

Seis fugitivos montados en tres camellos, procedentes de Emaús, cabalgaban hacia el sur. Gaspar iba solo delante, Melchor y José en el centro, y Baltasar, María y el niño en la retaguardia. Se movían lentamente sobre la arena, lejos de los caminos y los ojos curiosos de los soldados, con la boca seca y los odres del agua casi vacíos. No había deudas de honor que los ligaran. Ni juramentos de amistad o creencias compartidas. Baltasar había salvado la vida a sus compañeros y ellos habían salvado la suya. A los ojos del desierto estaban en paz. Lo único que los unía era la necesidad común de escapar de Herodes.

Cuando el calor del día llegó a su punto culminante, el niño se despertó y comenzó a llorar. Baltasar se dio cuenta de que era la primera vez que lo oía desde que habían huido de Belén. Teniendo en cuenta todo lo que había soportado en los últimos días, el niño había permanecido extrañamente en calma, extrañamente silencioso. Ahora sus agudas y breves quejas vibraban en sus oídos, despertando el dolor de cabeza que casi había conseguido olvidar. Se sentía reseco, fatigado y medio muerto de hambre. Con cada movimiento oscilante del camello le recorría el cuerpo un dolor agudo procedente de la sutura de la herida. Y ahora un niño estaba gritando exactamente detrás de su pulsátil cabeza.

—Tenemos que parar —dijo María.

—No podemos —respondió Baltasar.

—Pero tiene hambre.

—Todos tenemos hambre.

—Tengo que amamantarle.

—Pues hazlo mientras cabalgamos. No miraré.

—No puedo. Con el balanceo del camello es imposible.

—Entonces me temo que pasará hambre.

¿Cómo podía decir una cosa así con tanta indiferencia?

—¿Estás negando a un niño hambriento la leche de su madre? —lo desafió María.

—No, estoy negando a los hombres de Herodes la oportunidad de atraparnos. Cuando encontremos agua o comida, nos detendremos. Si no, tú eres la mujer que... ya sabes.

—Pero...

—Mira, por mi parte puedes descender del camello para amamantarlo, pero no pienso interrumpir la marcha hasta que termines.

María pensó en pedir ayuda a Melchor o a Gaspar, pero habría sido inútil. Seguro que le dirían lo mismo. Pensó en recurrir a su esposo y suplicarle que la ayudara a convencer a Baltasar para que se detuviera. Pero sabía que, dijera lo que dijese José, no cambiaría las cosas. Las lágrimas anegaron sus ojos y se detestó por llorar. ¿Quiénes eran aquellos hombres a los que habían confiado su vida? ¿La vida de su hijo? Pero su frustración dio paso al temor cuando se dio cuenta de que el niño había dejado de llorar.

Quizá esté demasiado agotado para llorar. Demasiado deshidratado. Demasiado hambriento y débil. Quizá sea así como comienza el final. Quizá no tenga la menor idea de lo que estoy haciendo. Quizá no deberíamos haber salido de Emaús. Quizá todo haya sido una...

—¡Mirad!

La voz procedía de delante. Gaspar había detenido el camello y señalaba algo en el suelo. Algo en la arena, que reflejaba la luz del sol. Era un arroyo, una diminuta cinta de vida que atravesaba el desierto, de un par de palmos de anchura y unos dedos de profundidad. Corría de izquierda a derecha hasta perderse de vista por ambos lados y, por lo que veían, seguía una trayectoria casi totalmente recta.

Baltasar había recorrido aquella zona del desierto varias veces, pero no recordaba que allí hubiera habido nunca un arroyo. En realidad, no recordaba haber visto nunca que el agua corriese sobre la arena de aquella manera, fluyendo por ella sin ser absorbida. Le habría parecido algo imposible. Y sin embargo allí estaba, corriendo clara y fresca, de un horizonte a otro.

—¿Qué hacemos? —preguntó Gaspar.

Baltasar se quedó mirando un rato aquella extraña aparición y luego se volvió a María.

—Nos detenemos.

III

El joven oficial romano reconocía una oportunidad cuando la veía.

Era una de sus dotes. Aquella capacidad para sentarse, observar y esperar, dejando que los demás recogieran los frutos más bajos hasta que se presentaba la oportunidad mejor y más madura. La capacidad de saber cuándo había que ser agresivo. Y si la agresividad no bastaba, saber cuándo había que ser cruel.

Esta forma de disciplina era una cualidad por derecho propio. Pero unida a una ambición descarnada, se convertía en belleza, en un arma que había permitido a aquel oficial en particular ascender de graduación más aprisa que ningún otro en la historia de Roma. Ascender a lugarteniente y luego a capitán, hasta ser prefecto a los veintidós años. La mayoría de los reclutas a sus órdenes eran mayores que él, pero esto no le molestaba en absoluto. Se sentía a gusto en el poder. Había nacido para ostentarlo.

Avanzó por el pasillo central del palacio del emperador, flanqueado por dos lugartenientes. Golpeando con los talones el suelo de mármol, con los cascos sujetos firmemente contra la cadera, con las espadas oscilando en los costados. En la mano, el joven oficial llevaba la carta que le había entregado un jinete de Oriente aquella misma mañana. Una carta que llevaba el sello del rey de Judea.

En aquella carta estaba uno de aquellos frutos jugosos y maduros. El joven oficial lo supo en el momento en que la leyó. Un fruto que merecía su agresividad. Allí estaba la oportunidad de atrapar a un sujeto al que llamaban «Fantasma de Antioquía», un tábano de tamaño medio que había causado muchos dolores de cabeza al ejército romano durante la última década. Y lo más importante era que allí estaba la oportunidad de impresionar a su amado emperador y de asegurarse el futuro. Llegaría a general, eso estaba claro. No cabía ninguna duda. Y a este paso, antes de cumplir treinta años. ¿Y después? Senador, quizá. O gobernador de alguna provincia. Pero esos frutos estaban todavía colgados en el árbol. Ya los cogería a su debido tiempo.

El joven oficial llegó a las grandes puertas dobles del final del pasillo, cada una de siete metros de altura, recubiertas de plata y decoradas con apliques de oro. Un águila de oro, el símbolo del poder militar de Roma, dominaba aquellos adornos, abarcando con las alas extendidas la anchura de las dos puertas cerradas. El oficial y sus lugartenientes saludaron a los guardias apostados a ambos lados. Los guardias devolvieron el saludo y se apartaron, dispuestos a abrir las puertas de la sala del trono. Pero el oficial levantó una mano.

Todavía no.

Se detuvo un momento. Respiró hondo para serenarse. Quería que su entrada fuera notable. Después de todo, estaba a punto de pedir al gobernador del mundo que declarara la guerra a un ladrón y a un niño. Cuando se sintió preparado, el joven oficial se dirigió a uno de los guardias.

—Dile al emperador que Poncio Pilatos está aquí y quiere verlo...

César Augusto era el ser humano más poderoso que había existido hasta la fecha, aunque sólo era «humano» en el sentido morfológico de la palabra.

Para sus súbditos era un dios. Se reflejaba en la forma en que lo reverenciaban. Lo temían y adoraban sus imágenes, ya estuvieran estampadas en una moneda de oro o cinceladas en mármol. Tenía sesenta años, dos veces la esperanza de vida normal entonces. Pero había envejecido con gracia y aún proyectaba una sensación de poder firme, aunque con canas. El mismo nombre que sus súbditos le habían otorgado, Augusto, significaba eso precisamente, augusto, magnífico, admirable, y cuando aparecía en público, el protocolo exigía que fuera anunciado con una serie de lugares comunes, a saber:

> *¡Aquel que está más allá del alcance de los dioses! ¡Aquel ante el que se arrodillan todos los dioses! ¡Ante quien hasta las montañas inclinan la cabeza!*

Su reino llegaba a todos los rincones del mundo conocido: desde Hispania hasta Siria y desde África hasta las Galias. Mandaba sobre el mayor ejército y la mayor flota que el mundo había conocido; sobre los soldados mejor preparados, con el mejor armamento que los impuestos colectivos podían costear.

Pero todo ese poder no era nada sin visión de futuro.

Había sido la falta de visión de futuro lo que había acabado con su tío Julio. A pesar de todas sus hazañas militares, de todo su genio estratégico, a Julio César le había faltado visión de futuro.

El destino le había puesto el mundo en la palma de la mano, pero no había sido lo bastante hombre para cerrar los dedos y tenerlo en un puño. Había querido ser un hombre del pueblo. Había querido repartir su poder con el senado. Y por molestarse, los mismos senadores nombrados por él le habían dado veintitrés puñaladas. Por la espalda, mientras resbalaba en su propia sangre al tratar de huir. Abandonado en la escalinata del Senado, pudriéndose durante tres horas hasta que alguien se molestó en cubrir el cadáver. Ésa había sido su recompensa por ser un hombre del pueblo.

Pensar que habría podido evitarlo si hubiera estado dispuesto a utilizar el arma...

El mundo sabía que Roma había dejado de ser república por Julio César, que la había transformado en imperio. Sabía que era un hábil orador y un capacitado general. Pero sólo unos pocos allegados a él, entre ellos su adorado sobrino Augusto, conocían el oscuro secreto que yacía tras su poder. El arma que le había dado la confianza para marchar sobre Roma y apoderarse de ella:

Los magos.

Julio había llegado a hacerse con aquella arma mientras conquistaba las Galias, pero no porque se la hubiera robado a otro gobernante ni la hubiera creado de acuerdo con sus propias ideas. Había llegado a poseerla porque el arma lo había elegido a él. Así se lo explicó Julio a otro general, su confidente Pompeyo:

La campaña había sido un desastre. Los galos nos habían obligado a retirarnos. Una noche, mientras conferenciaba con mis oficiales, los guardias me llevaron a un visitante. Un hombre bajo y frágil con una túnica negra, barba gris, ojos hundidos y cabeza calva. Aparentaba unos cincuenta años, aunque caminaba con un bastón propio de persona mucho más anciana, un bastón cuya empuñadura era una serpiente de bronce. Estaba claro que era alguna clase de sacerdote, aunque nunca había visto un sacerdote con un aspecto parecido. Tenía la piel cubierta de extraños dibujos de tinta negra, y en sus brazos había cicatrices causadas por muchas quemaduras, tanto antiguas como recientes.

—Una visión me ha anunciado que el nombre «César» sonará durante mucho tiempo —dijo—. Que será adorado como son adorados los dioses. He venido a ofrecerte mi saber. Mi lealtad y protección. A cambio sólo pido una modesta parte de tu botín.

—¿Y para qué necesito la protección de un sacerdote? —pregunté—. Tengo cuatro legiones bajo mi mando.

—Porque a pesar de todas tus legiones —respondió—, te encontrarás al borde de la derrota. Perseguido por agricultores armados con piedras y palos.

Mis oficiales se levantaron y desenvainaron las espadas. Hablarle a un general de esa manera era imperdonable. Se castigaba con la muerte.

—¿Te has vuelto loco? —lo increpé.

Una extraña sonrisa cruzó el rostro del sacerdote, como si hubiera previsto aquella reacción. Como si hubiera querido que le dijeran aquello.

—Soy un mago —respondió.

Los magos eran una secta antigua. Maestros de una magia que casi había desaparecido de la faz de la tierra. Habían sido poderosos en la Edad de las Escrituras, cuando los ángeles y los animales mitológicos hollaban los mismos territorios que los hombres, cuando en las llanuras de Galilea y en las montañas de Hebrón habían combatido el cielo y el infierno. El mundo era diferente en aquel entonces. El tiempo apenas había comenzado y los dioses se mezclaban libremente con el hombre, ya fueran los numerosos dioses del Monte Olimpo o el solitario dios de Abraham. Y aunque casi todos los hombres vivían en temor y reverencia de sus dioses, unos cuantos luchaban para quedarse con ese poder.

En su mayor momento de esplendor, habían sido millares, ocultos en monasterios, estudiando las fuerzas superiores que los hombres corrientes temían. Las fuerzas oscuras. Aprendiendo a controlarlas, a dominarlas, a explotarlas. Se decía que un mago podía sacar fuego del aire. Convertir estatuas en seres vivos y seres vivos en piedra. Se decía que podían ver sucesos que aún no habían ocurrido, e influir en los pensamientos de los hombres a medio mundo de distancia. Durante miles de años fueron tratados como dioses vivos: reverenciados, temidos y raramente vistos fuera de los muros de sus monasterios.

Pero con el paso de los siglos, la Edad de los Milagros había dado paso a la Edad del Hombre, y su número se había reducido drásticamente hasta que, más de diez mil años después de que el primer hombre los hubiera llamado magos, solamente quedó uno, vagando por un mundo gobernado, no por dioses, sino por romanos. El último de su especie, el portador de un don olvidado que ya no tenía utilidad.

Pero Julio César le encontró una utilidad.

Con el último mago de su parte, dio la vuelta a su campaña en las Galias. Y cuando terminó, se volvió contra sus aliados y se quedó para sí con toda la gloria de Roma.

Como emperador, Julio aprendió a apoyarse en la habilidad del oscuro sacerdote para ver el futuro, en su habilidad para descubrir los secretos del enemigo gracias a una especie de profunda meditación que ponía a la naturaleza al lado de Roma, invocando el viento y el rayo para ahuyentar a los ejércitos que la asediaban, ordenando a los animales que traicionaran a sus amos. Incluso apoderándose de la mente de los senadores para cambiar su voto. Con el mago de su parte, Julio había pasado de general a dios. Pero al cabo del tiempo empezó a temer aquella arma secreta. En otra carta a Pompeyo, escribió:

Lo rodea una oscuridad que me saca de quicio. Si es capaz de leer los pensamientos ajenos, ¿qué le impide leer los míos? Si puede invocar los rayos y truenos de los cielos, ¿qué le impide utilizar uno para abatirme? ¿De qué sirve un arma si no la podemos utilizar sin temor?

César, víctima de manía persecutoria, ordenó la expulsión del «arma» en el año 44 a.C. Pero antes de partir para el destierro, el mago le dio un último consejo:

—Los idus de marzo —le había dicho—. Guárdate de los idus de marzo.

César no hizo caso de la advertencia. Y aquel mismo año, el día decimoquinto del tercer mes, lo mataron a puñaladas en el Senado. Al final, había tenido demasiado miedo para quedarse con el arma que lo había buscado. Había sido demasiado débil.

Pero Augusto no sentía aquella debilidad. Al conocer la muerte de su tío, había llamado al mago de inmediato y le había exigido lealtad. Lenta, deliberadamente, había ido consolidando su poder en el imperio, utilizando la clarividencia e influencia del mago para derrotar a su rival, Marco Antonio, y a aquella puta egipcia, Cleopatra. Sirviéndose del poder del mago para vencerlos, hasta que no les quedó más remedio que quitarse la vida vergonzosamente. Y para asegurarse de que no aparecía nadie más que pusiera en duda su supremacía, Augusto había ordenado matar a sus hijos.

Con visión de futuro y astucia, triunfó donde su tío había fracasado. Se había quedado toda la gloria de Roma para sí. Y mientras el mago siguiera recluido en Roma, César Augusto sabía que el imperio nunca caería.

Pero todo eso formaba parte del pasado, y el pasado era el refugio de los espíritus mediocres.

El futuro acababa de entrar en la sala del trono de Augusto. Allí estaba Poncio Pilatos, postrado ante él, con la inclinada cabeza reflejándose en el pulido mármol del suelo.

El hermoso Pilatos. El leal, el querido Pilatos que nos trae la petición de un rey viejo, enfermo y traidor.

Herodes el Grande. Este apelativo siempre había suscitado una mueca de desdén en Augusto, incluso antes de ser el amo del mundo. ¿Quién era aquel «grande» sino un siervo de Roma? ¿Un torturador de su propio pueblo y asesino de sus propios hijos? Sí, de acuerdo, Augusto había enviado niños a la muerte. Pero eran los hijos de sus enemigos. ¿Matar a un hijo propio? Eso era barbarie.

Escuchó mientras Pilatos releía el mensaje. Algo sobre un recién nacido. Una profecía. Alguien llamado el Fantasma de Antioquía. Cuando Pilatos terminó, Augusto meditó unos momentos y dijo:

—¿Quiere que envíe un ejército al otro lado del mar... para matar un niño?

—El Fantasma de Antioquía es la auténtica presa, César. Ha robado incontables riquezas en tus provincias. Matado a incontables hombres de tus ejércitos. Si nosotros...

Augusto levantó la mano. *Basta.*

—Dices que el pueblo de Judea cree que ese Fantasma ya está muerto, ¿no?

—Sí, César.

—Pilatos, ¿de qué sirve matar a un hombre que ya está muerto? ¿Dónde está la gloria para Roma?

Pilatos no pudo menos de sonreír. Conocía bien a su emperador. Tras hacer una pausa para aumentar la expectación, pronunció la frase que había meditado cuidadosamente mientras se dirigía a palacio. La que sabía que tendría que pronunciar al ser preguntado al respecto:

—Con todo respeto, César, esto no tiene nada que ver con la gloria de Roma. Se trata de enviar un mensaje al rey de Judea.

Augusto se removió en el trono mientras pensaba. No le gustaba la idea de armar tanto alboroto por un ladrón y un niño.

Pero Pilatos tiene razón..., aquí hay una oportunidad.

—Muy bien —dijo Augusto—. Atraparé al niño de Herodes y a su ladrón. Pero no porque Herodes lo pida, y tampoco porque hayan ofendido a Roma. Los atraparé porque Herodes no es capaz de hacerlo. Y al hacerlo yo, recordaré a nuestro enfermizo amigo lo pequeño que es realmente.

Un emperador vulgar habría enviado tropas, y allí habría acabado todo. Pero Augusto no tenía interés en ser vulgar. Haría algo más que enviar tropas. Haría una auténtica exhibición de su poder. Inculcaría el miedo a morir en el rey títere de Judea.

Enviaría al mago.

IV

Melchor y José dieron agua a los camellos y llenaron los odres en el arroyo del desierto mientras María se sentaba en el suelo con el niño bajo sus ropas. Baltasar se arrodilló en la orilla y cogió agua con las dos manos, primero para beber y luego para refrescarse la cara y limpiarse del pecho la sangre que seguía rezumando por los puntos de sutura.

—Esto es de locos —exclamó Gaspar, arrodillándose a su lado—. Tenemos a todo el ejército de Judea detrás de nosotros y nos paramos para que un niño beba del pecho. Ya podríamos estar a medio camino de Egipto si no los lleváramos a cuestas. Es demasiado peligroso, Baltasar. Tenemos que pensar en nosotros mismos.

—Yo estoy pensando en mí. Tenía sed. Encontramos agua. Me detuve.

—Sabes a qué me refiero.

—Claro que lo sé —replicó Baltasar, echándose más agua en la herida—. También sé lo que vi en Belén. Lo que todos vimos. ¿Quieres dejarlos a merced de los hombres de Herodes?

—Sí, lo vi. Y lo mismo nos pasará a nosotros si nos capturan. No escapé de una muerte segura para renunciar a mi vida por unos extraños.

—A mí tampoco me gusta, ¿estamos? Pero no volví a buscar a ese niño para dejar que se pudriera en el desierto. Cuando crucemos la frontera, seguiremos caminos separados. Hasta entonces, haremos de niñeras.

Baltasar se puso en pie, se sacudió el agua de las manos y se las secó en la ropa.

—¿Por qué al Fantasma de Antioquía le preocupa que un niño viva o muera? —preguntó Gaspar.

Era una pregunta estúpida, desde luego. La respuesta obvia era: «Porque todavía me queda un resto de decencia», o bien: «La verdadera pregunta es: ¿por qué no te preocupa a ti?» Pero Baltasar no dijo ninguna de las dos cosas, porque por obvias que fueran aquellas respuestas, no eran las indicadas.

Venga, díselo, Baltasar. Dile por qué te preocupa tanto. Por qué odias tanto, matas tanto, buscas tanto, como si alguna de estas actividades pudiera...

—Pregúntate esto —sugirió Gaspar, sacando a Baltasar de sus meditaciones—: ¿darías tu vida para proteger las suyas?

Baltasar miró a José y a Melchor lidiando con los camellos. A María sentada en el suelo, amamantando al niño bajo sus ropas.

—Si puedo evitarlo, no —respondió, y se fue de su lado.

Poncio Pilatos contemplaba el Mediterráneo. Pocas horas después de haber estado arrodillado en la sala del trono del emperador, se encontraba en la proa del *Heptares*, un pesado barco de guerra con capacidad para más de mil hombres, al mando de una flota romana de trirremes más pequeños. Nunca había visto una proa surcar el agua a tal velocidad, ni conocido una vela más hinchada que la que tenía encima de su cabeza. Normalmente, los cientos de hombres sentados bajo cubierta estarían remando al unísono. Pero aquel día no les quedó más remedio que quedarse quietos, con los remos en los muslos, mientras el constante viento de popa impulsaba el navío con una velocidad que ningún mortal habría esperado conseguir.

Pilatos no estaba seguro, pero tenía una idea de la procedencia de aquel viento extrañamente uniforme. El mago iba a bordo del *Heptares*, alojado confortablemente en sus dependencias privadas. Y aunque la puerta de su camarote estaba cerrada, podía oírsele murmurar al otro lado. Rezando en una extraña mezcla de latín y otras lenguas, repitiendo las mismas frases una y otra vez, como una cantinela. Pilatos no había sido capaz de distinguir todas las palabras, pero mientras pegaba la curiosa oreja a la puerta del mago, había oído una palabra que se repetía entre las otras: *ventus*.

Viento.

Antes de zarpar de Roma, el emperador había confiado a Pilatos la historia secreta de los césares y el mago, sus poderes y el papel que había desempeñado en la forja del actual imperio, así como lo que se conocía del origen y desaparición de su secta. Y cuando terminó, Augusto llamó al mago a palacio y se lo presentó al joven oficial.

Pilatos había hecho todo lo posible para esconder su miedo al conocer a aquel extraño y peligroso hombrecillo. Se había preparado para encontrarse con un individuo de aspecto extraño, pero no para lo que experimentaría al ver aquellos penetrantes ojos negros. Era como si aquellos ojos mirasen a través de su cuerpo, como si le estuvieran picoteando dentro de la cabeza. Sus pensamientos. Lo más inquietante era el hecho de que el mago era tal como Julio César lo había descrito en su carta, cuarenta años antes.

Que no hubiera envejecido ni un solo día en todo aquel tiempo aumentaba la inquietud de Pilatos.

—No habla —había dicho Augusto—, pero te dirá todo lo que necesites saber. Escúchalo, Pilatos, y devuélvemelo sano y salvo. Te estoy confiando mi posesión más preciada.

Y allí estaba él, solo en la proa del *Heptares*, jefe único de diez mil hombres y un místico. Pilatos se sentía más cerca de su destino cada milla que recorrían. Se acercaba a su presa, a su objetivo. Después de todo, en eso consistía todo aquello..., en un objetivo que se mostraba milla tras milla. En esta vida no había casualidades. Él creía que los dioses tenían un plan para cada uno de nosotros. Y tomara la decisión que tomase, creía que su vida encontraría la grandeza antes o después. Su nombre se oiría era tras era, sería inmortal.

Normalmente, con el mar a favor, un barco tardaba siete días en completar la travesía de Roma a Judea. A aquel ritmo, Pilatos se encontraría con su grandeza en menos de dos.

María cabalgaba detrás de un hombre terrible. Sí, había vuelto por ellos y los había salvado de los hombres de Herodes, y le estaba agradecida. Tan agradecida que lo había arriesgado todo para devolverle el favor y salvarle la vida. Pero tenía ganas de llegar a Egipto y librarse de él para siempre.

Aunque el sol iniciaba su curso descendente en el cielo, lo cual era de agradecer, la arena seguía irradiando calor, y se asaban desde la planta de los pies hasta los pañuelos que llevaban en la cabeza. Al menos el niño parecía ahora lleno y contento, y la miraba con unos ojos azules cuyos párpados le pesaban de manera creciente. Se echó agua del odre en la mano y la pasó por la cabeza del niño para refrescársela. Tiró de las ropas para que no le diera el sol en la cara mientras le susurraba una de sus historias favoritas de las Escrituras para que el pequeño cogiera el sueño que tanto necesitaba:

Y los hijos de Israel clamaron a Moisés. «¿Faltaban acaso tumbas en Egipto para que nos hayas traído a morir en el desierto? ¿No valía más servir a los egipcios que morirnos de sed aquí?» Y Moisés dijo: «El Señor me ordenó que os condujera, pues erais esclavos de un cruel faraón: y es mejor morir en el desierto que morir como esclavos».

Cuando era pequeña, María se había susurrado aquellas historias por la noche, para tranquilizar su ánimo inquieto, para confortarse cuando estaba asustada o nerviosa. Ella veía las Escrituras como un pozo sin fondo lleno de historias. Un lugar del que siempre podía sacar alimento, incluso allí, en medio del desierto.

Por ser mujer tenía prohibido estudiar los rollos de papiro en los que estaban escritas. Aunque se le permitía sentarse al fondo de la sinagoga y escuchar a los hombres leerlas en voz alta. De joven se había sentido transportada por aquellas historias: Jonás en el vientre de la ballena, la locura de construir una torre que llegara al cielo, la prueba de fe de Noé antes del Diluvio. Y aunque jamás lo diría en voz alta, se sentía orgullosa de poder citar aquellos pasajes mejor que muchos hombres que se abanicaban en la calurosa sinagoga y dormitaban a escondidas tapados con el taled. De repente, recordó una cita:

«No temáis —dijo Moisés—. Manteneos firmes y el Señor estará con vosotros. Tranquilizaos y él luchará por vosotros.»

—¿Qué estás murmurando ahí atrás? —preguntó Baltasar.

—No estoy murmurando. Estoy contándole un cuento para ayudarlo a dormir.

—Bueno, pues cuéntaselo en voz más baja.

María, contrariada, se mordió el labio. *¡Alma desdichada! ¡Pobre infeliz, insensible y sin compasión!* Se quedó en silencio unos momentos, recordándose que cada paso del camello que la llevaba era un paso menos para llegar a Egipto. Pero en ausencia de la tranquilizadora voz de su madre, el niño empezó a removerse. Pronto empezaría a llorar, y el insufrible individuo que tenía delante se volvería aún más insufrible. *Bien. Si no me dejas susurrar, tendrás que hablar conmigo.*

—¿Conoces las Escrituras? —preguntó.

Baltasar alzó los ojos al cielo. *Lo que faltaba.* ¿Qué le pasaba a aquella gente? ¿Por qué no podía guardarse sus delirios para sí?

—Puede que esto te deje de piedra —respondió—, pero no todas las personas que hay en este mundo son judías.

—No, pero incluso los romanos tienen historias sagradas. Seguro que tu pueblo también las tiene.

—Viejas tonterías, escritas por idiotas muertos. Igual que tus Escrituras.

—¿Cómo puedes decir eso cuando Dios ha hablado contigo?

—Dios nunca ha *hablado* conmigo. Y ya que tocamos ese tema, me gustaría que en eso te parecieras a él.

—¿Y tu sueño? Zacarías dijo que él te había elegido.

—Él no eligió nada.

—Entonces, ¿cómo sup...?

—Porque no existe ningún «él».

María no podía creer que un hombre pudiera decir algo semejante. Una cosa era ser cruel e insensible. Pero ¿blasfemar?

—Pero... eso es ridículo. ¿Quién envió las plagas a Egipto? ¿Quién creó la tierra que pisamos? ¿Y las estrellas? ¿Quién creó al hombre?

—Hace demasiado calor para discutir. Sobre todo con una mujer.

—No quiero discutir. Es que... nunca he conocido a un hombre que no crea en Dios.

Baltasar se volvió y la miró fijamente. A María le sorprendió la expresión de desdén que vio en su ceñudo rostro.

—Pues claro que no —dijo—. Eres una niña tonta de una tonta aldea de zelotes. Esto es el mundo real.

—Pero una vida sin Dios es...

—¿Es qué? ¿Qué tiene de bueno tu Dios? Dime qué tiene de bueno un Dios que no hace nada mientras los niños son degollados. Y las espadas las empuñan sus devotos seguidores, por cierto. Dime qué clase de Dios es ése.

María no supo responder.

—O tengo razón —prosiguió Baltasar— y no existe, o tienes razón tú y es un Dios capaz de ver morir a los niños. Un Dios que se queda sentado mientras hombres como Herodes construyen palacios y la gente buena pasa hambre. De un modo u otro, no merece que lo adoren.

María guardó silencio. Nunca había oído a nadie poner en tela de juicio al Señor. Pues claro que existía. Pensar otra cosa sería admitir que todo aquello en lo que creía era mentira. Y aún más:

significaría que estaba loca. Pero las palabras de Baltasar la confundían.

—Todos los hombres necesitan algo en lo que creer —replicó
al fin.

Sin mirarla, él se inclinó y sacó la espada de la vaina.

—Bien, tú tienes tu arma —añadió María— y yo tengo la mía.

Baltasar guardó la espada y volvió a concentrarse en el desierto
que se extendía ante ellos.

—Me gusta más la mía —dijo.

V

E ra de noche en el desierto.
Diez mil soldados romanos, con las llamas reflejándose en sus pulidos cascos y escudos, se encontraban formados ante un altar hecho con piedras amontonadas. Como Pilatos había predicho, habían llegado a las playas de Judea en menos de dos días. Más rápido de lo que hubiera creído posible la mayoría de los hombres allí reunidos. Algunos lo llamaban milagro. Pero sólo fue una pequeña muestra de las cosas extraordinarias que estaban por suceder.

Dos grandes piras ardían ante ellos, una a cada lado del altar, donde el mago se encontraba encima de un cordero sacrificado, al que habían cortado el cuello y cuya sangre habían recogido en un cuenco. Mientras los hombres observaban, el mago introdujo un dedo en la sangre y se trazó una línea en la frente. Volvió a introducirlo y trazó otra a lo largo de la serpiente de bronce que coronaba su cayado.

—*Nejustán*... —susurró.

Para los romanos no era más que una palabra extraña. No sabían que procedía del Libro de los Números ni que la serpiente de bronce que estaban mirando, *Nejustán*, había sido forjada por el mismo Moisés. Creada para adornar el cayado que utilizó al guiar a su pueblo a través del desierto. Era una reliquia de edad y poder incalculables. Cómo había llegado a manos del mago era un misterio.

El mago levantó el cuenco, se lo acercó a los labios y bebió un trago de la sangre del cordero. Luego avanzó hacia la pira, acercándose tanto a las llamas que sus ropas se agitaron al contacto con el aire caliente. Alargó el cayado hacia la hoguera hasta que la serpiente estuvo totalmente envuelta por el fuego. La sangre del cordero en sus labios se ennegreció y se quemó. El mago canturreaba para sí, diciendo las palabras cada vez más aprisa, mientras Pilatos y los oficiales miraban desde un lado del altar.

¿La serpiente se había... movido?

Al principio, los hombres creyeron que era una ilusión óptica. Hasta que, para su sorpresa, la serpiente de bronce se desenroscó lentamente y avanzó por el brazo del mago. Algunos soldados rompieron la formación y echaron a correr, aterrorizados por lo que habían visto. *¿Qué maldad es ésta? ¿Qué dioses la hacen?* Pero Pilatos permaneció impasible, incluso cuando *Nejustán* bajó por el cuerpo del mago hasta el suelo del desierto. No sabía cómo lo había hecho. No le importaba. Sólo sabía que estaba un paso más cerca de su recompensa.

El mago permaneció ante el altar con los ojos cerrados, recitando un antiguo encantamiento una y otra vez, guiando el animal que reptaba hacia el desierto...

Para cazar.

Baltasar estaba sentado junto a la boca de una estrecha cueva, observando el vasto desierto. Los otros estaban durmiendo detrás de él. Todos menos uno.

—Duerme un poco —dijo José, acercándose—. Es más importante que descanses tú que yo. Yo vigilaré un rato.

Baltasar observó a contraluz el perfil del rostro de José que le tapaba la luz de la luna. El joven rostro barbado de un carpintero de pueblo. Aunque debían de tener la misma edad, no habrían podido ser más diferentes.

—Me quedaré —dijo—. No te ofendas, pero no podría dormir sabiendo que estás tú vigilando.

José sonrió y se sentó a su lado.

—Crees que soy débil.

—Creo que eres ingenuo.

—¿Y qué he hecho para qué creas eso?

—Creer en lo imposible.

Vaya..., ya estamos otra vez. El hombre que se burla de otros por creer en la palabra de Dios.

—Entonces, ¿soy ingenuo por creer en las Escrituras?

—No, eres ingenuo porque la crees a ella.

José tardó unos momentos en descifrar lo que Baltasar había dicho y en comprender su significado. Cuando lo entendió, se le ensombreció el rostro y recordó lo que habían sido los días más duros de su vida. Aquellos días en Nazaret, cuando su felicidad se tambaleó y fue puesta a prueba su fe hasta el límite. Y todo porque su joven prometida había acudido a él con una triste confesión.

—Verás, la verdad es que no fue así —repuso José finalmente.

—No fue cómo.

—Que no la creí. Al menos cuando me lo contó. Quería creerla, por supuesto, desesperadamente. Pero...

—¿Pero?

—Soy un hombre paciente, pero creer algo así, como tú mismo has dicho, era imposible.

—¿Qué te contó?

José se quedó pensativo. *¿Qué le había dicho y repetido?*

—Me contó que la había despertado la voz de un hombre.

—No es un comienzo muy prometedor.

—Me dijo que había salido de la casa siguiendo la voz y que, una vez fuera, se encontró con que la noche se había vuelto tan brillante como el día. Y que, no obstante, las calles de Nazaret estaban vacías. No se oía nada. Ni el roce de las ramas de los olivos ni los trinos de los pájaros.

—Un sueño.

—Pero más real que ningún otro sueño que hubiera tenido. Tan real como lo somos nosotros en estos momentos, sentados aquí, en esta cueva. María me dijo que vio a un hombre acercarse. Un hombre resplandeciente y radiante que parecía salir del mismo sol y caminar hacia ella. Un hombre que no era de este mundo, un hombre con alas.

Baltasar trató de reprimir el escalofrío que le recorrió la columna al oír aquellas palabras.

—Y antes de que le diera tiempo a abrir la boca —prosiguió José—, María me dijo que lo supo, que supo con toda certeza que su nombre era Gabriel, arcángel del Señor.

—¿Gabriel?

—«Dios te salve, María, llena de gracia», le dijo. «El Señor es contigo. Bendita tú eres entre todas las mujeres. No temas, María, porque concebirás en tu seno y darás a luz un hijo. Y por esto el hijo engendrado será santo, será llamado Hijo de Dios.»

—¿Ya está? ¿Eso es lo que te contó?

—Sabía que era mentira. Lo sabía. Pensé: «No, es peor que una mentira. Una mentira se puede perdonar. ¡Esto es una blasfemia! ¡Dios nacido de una mujer!» Sólo se me ocurrían dos posibilidades: que María hubiera conocido a otro hombre, por voluntad propia o no, y se hubiera inventado la historia para justificar su estado. O que de repente le hubiera dado miedo la idea de convertirse en mi mujer y trataba de ahuyentarme. Pero pensé: «Si tanto me temía, ¿por qué se ha mostrado tan contenta hasta hoy?» Algo incomprensible.

—Las mujeres lo son.

—Pero entonces me di cuenta de que había una tercera posibilidad: que María se hubiera vuelto loca. Que realmente creyera lo que me había contado. Y cuanto más lo pensaba, más sentía en mi corazón que esta última era la explicación verdadera. Ella había contado la historia muy convencida... Su expresión no se alteró, sus ojos no mintieron en ningún momento, ni siquiera cuando lo hacía su boca. Quizá sólo fuera que quería creer cualquier cosa antes que..., ya me entiendes.

—Te entiendo.

—Pero ¿qué podía hacer? Si le daba la espalda, sabía exactamente lo que pasaría. Lo había visto antes: mujeres adúlteras sacadas a rastras de sus casas, puestas contra una pared mientras los hombres recogían piedras. Había visto a esas mujeres con la cabeza abierta y los sesos fuera, muriéndose solas. Si me negaba a creer a María, la condenaba a muerte. Pensé que siempre podía decir que yo era el padre. Pero ¿admitir que habíamos estado juntos antes del matrimonio? Nos habrían expulsado del único hogar que habíamos conocido. Nos habría rechazado el pueblo que amábamos.

—Así que te casaste con ella a pesar de todo.

—No. Me estuve lamentando. Añoraba la vida que habríamos podido tener. Todo había sido perfecto, entiéndelo. Pero en el espacio de un maldito día, mi futuro se había reducido a tres posibilidades: ser el esposo de una adúltera, el guardián de una novia poco dispuesta o el vigilante de una loca. Tres posibilidades a cual peor. Y entonces ocurrió un milagro.

Esta vez Baltasar tuvo que esforzarse para no elevar los ojos al cielo.

—Aquella noche —prosiguió José—, mientras meditaba estas tres posibilidades, el arcángel Gabriel se me apareció y me mostró otra posibilidad, la cuarta: que María me hubiera dicho la verdad. Que el Mesías estuviera gestándose en su vientre y que yo iba a ser su tutor.

Baltasar se quedó en silencio largo rato. Estaba claro que el carpintero no estaba bien de la cabeza. Sí, probablemente había tenido alguna clase de visión, un sueño vívido inducido por la desesperación. Desesperación por creer cualquier cosa menos la dolorosa verdad. Él también había tenido visiones. Cosas que habría jurado que eran reales en aquel momento. Le había pasado siendo niño, cuando desenterraba cadáveres en la ribera del Orontes. Le había pasado en el curso de su reciente operación. La diferencia era que él tenía la habilidad de discernir los sueños de la realidad. Las visiones se presentaban constantemente. Los sueños llegaban totalmente formados. Pero sólo eran eso, sueños. Nada más. Y el carpintero era un ingenuo si pensaba otra cosa.

—Bueno —añadió José—. Si cambias de idea y quieres dormir, dímelo.

El carpintero se retiró hacia el fondo de la estrecha cueva y desapareció en la oscuridad. Baltasar pensó en llamarlo. En tenerlo al lado un rato más para seguir burlándose de su estupidez. Pero ¿para qué? No..., deja al hombre con sus ilusiones. No merecía la pena gastar energía.

Se quedó sentado, solo, en la boca de la cueva, escrutando la oscuridad con ojos y oídos. Buscando las mustias estrellas de lejanas luminarias. Escuchando la posible aparición de algún lejano retumbar de cascos y resonar de corazas.

Pero no el roce de una serpiente de bronce resucitada por antiguas artes ocultas.

Si Baltasar, por casualidad, se hubiera fijado en el suelo, habría podido ver a *Nejustán* deslizarse por su lado y reaparecer luego para volver al negro desierto con un mensaje:

Los he encontrado...

8

El milagro de las palmeras rendidas

«Para herir en secreto al inocente, para asaetearle de improviso y sin temor.»

Salmos 64, 5

I

Herodes se encontraba mucho mejor.

Aunque era casi mediodía, aún estaba en su alcoba, con la cabeza apoyada en almohadas de seda y el pecho reluciente a causa de los aceites aromáticos. Estaba despierto, pero tenía los ojos apaciblemente cerrados mientras aspiraba los vapores curativos, tal como le habían aconsejado los médicos. Normalmente, Herodes aborrecía seguir sus consejos. Después de todo, habían resultado inútiles para liberarlo de la enfermedad maldita. A pesar de todos sus remedios, pociones y rituales, su piel seguía cubierta de llagas purulentas y las costillas le sobresalían del escuálido pecho como dunas en el desierto. A pesar de todo, tuvo que admitir que sus médicos habían hecho un buen trabajo a la hora de curarle el dolor de garganta que él mismo se había causado con sus gritos. En realidad, se sentía tan bien que había decidido quedarse en la cama, en el ala «de los placeres» del palacio gemelo. El palacio «del trabajo», con todos sus cortesanos hipócritas, disputas sin arreglar y malas noticias constantes, tendría que esperar. Aquel día sería de descanso. De placer. Se lo merecía. Se merecía algo nuevo.

Y allí estaba ella.

Sentada a su lado en la cama. Una chica que no había visto antes. Una chica de doce, trece años a lo sumo, con el cuerpo todavía sin desarrollar. Allí estaba, sentada al lado de su rey enfermo, poniéndole higos secos en la boca, de uno en uno. Herodes saboreaba cada dulce fruto, lo masticaba lenta y ruidosamente con sus dientes ennegrecidos..., con los ojos cerrados todo el tiempo. Había mirado de reojo a la joven belleza sin nombre en el momento en que entró cargada con una cesta de comida y ungüentos. Entonces iba completamente vestida. Ahora las ropas le colgaban de la cintura y su pecho desnudo presentaba rojeces en las partes en que Herodes lo había pellizcado juguetonamente con los dedos. El rey siguió recorriendo aquel cuerpo con los ojos cerrados. Masticando los higos con una débil sonrisa en los labios. Pero no era el tacto de los jóvenes y cálidos secretos de la muchacha lo que le hacía sonreír. Era el hecho de saber que César Augusto, el hombre más poderoso del mundo, estaba exactamente donde él quería.

Su instinto había dado en el blanco una vez más. Pocos días después de que su mensajero partiera hacia Roma con la carta en la mano, no menos de cien mil soldados romanos habían desembarcado en las playas de Judea. Aquello por sí solo era ya una especie de milagro. Ni siquiera Herodes había sido capaz de imaginar una respuesta tan rápida. Pero así era Roma. Contundente. Categórica. Había que descubrirse ante ella: para bien o para mal, los romanos nunca hacían las cosas a medias.

Herodes no era idiota. Sabía que no le era simpático al emperador y que éste no confiaba en él. Como también había sabido que Augusto no iba a ser capaz de resistirse a su carta ni a la oportunidad de hacer una ostentación de poder que le estaba ofreciendo en bandeja. *Querrá asustarme* —había pensado Herodes antes de enviar la carta—. *Recordarme que no soy más que un rey títere, un rey gimoteante que ha tenido la suerte de ocupar este trono.* Pero lejos de sentirse asustado o inferior, se sentía lleno de satisfacción y orgullo.

Había matado dos pájaros de una pedrada: había adulado a Augusto y, al mismo tiempo, había convertido al Fantasma de Antioquía y al niño en un problema de Roma. Que el emperador pensara lo que quisiera. Lo que importaba eran los hechos. Y el hecho era que Herodes estaba ahora en la cama, alimentado por una niña desnuda mientras los romanos se arrastraban por el desierto en busca de los fugitivos. No pudo evitar una sonrisa al pensarlo. Una legión formada por los mejores soldados del emperador haciendo los recados de Judea.

Tu pequeño «títere» ha sido más listo que tú, Augusto.

Pero había una pequeña pieza del rompecabezas que Herodes no había previsto: el «sacerdote de lo oculto». Corrían rumores de que viajaba con los romanos un adivino, una especie de mago. Rumores de que se había celebrado una ceremonia en el desierto. Un sacrificio cruento, una serpiente de bronce. Los consejeros de Herodes habían acudido a él con esos rumores. Le advirtieron que los romanos habían transportado algo extraño por mar. Algo que había asustado a muchos hombres que lo habían visto. Y aunque el rey se había sorprendido al oír que los romanos recurrían a los dioses por una nadería, no se había permitido compartir aquella preocupación. ¿Qué más daba? Los judíos tenían sus profetas. Los griegos tenían sus oráculos. Que los romanos tuvieran sus arúspices.

La niña me desea..., lo presiento...

Herodes abrió los amarillentos ojos para apreciarla. El miedo reflejado en su rostro. Las lágrimas. *¿Por qué lloran, si sus cuerpos se alegran cuando los acaricio?*

En algunos reinos era costumbre que las niñas yacieran con su rey. En algunos reinos —y Herodes había oído aquellas historias de primera mano, así que no tenía dudas sobre su veracidad—, las niñas eran enviadas al harén para vivir en él cuando llegaban a la edad núbil. Se les prohibía volver a casa o tomar marido antes de haberse entregado a su rey. Los romanos lo llamaban *ius primae noctis*, derecho a la primera noche.

Herodes sabía que los judíos no soportarían una costumbre así. Y aunque la soportaran, Judea era un reino grande. Había demasiadas niñas y un solo rey. Así que él había sido más selectivo: había enviado a sus hombres a las calles de la capital y a los pueblos, en busca de las criaturas más atractivas para concederles el honor de servir a su rey. Y ahora allí estaba una de las escogidas para tal honor, dándole de comer en su cama de seda.

Recorrió con sus flacos dedos el cabello castaño de la niña y la atrajo hacia sí. La acercó hasta que notó su respiración apresurada acariciándole el rostro. La sintió temblar. Temblaban a menudo. Pero ese miedo era bueno. Era normal que una niña normal y corriente temiera a su rey. Que se excitara con sus tocamientos y se sintiera honrada por sus atenciones. La niña acercó un higo a los labios de Herodes, pero el rey lo apartó con la mano.

—Es suficiente —dijo.

La atrajo hacia sí y la besó con intensidad. Notó su retroceso cuando le introdujo la lengua en la boca. La sintió forcejear para deshacerse de su abrazo. Era la parte que más le gustaba. La resistencia. Todas se resistían. Todas trataban de huir.

Pero al final todas eran suyas.

II

Una cabra montés levantó la cabeza mientras masticaba con aire ausente las hierbas secas que tenía entre los dientes, las insípidas briznas que sin saberse cómo brotaban en aquella tierra calcinada, de la mañana a la noche. Algo estaba pasando. Captó otro brillo con el rabillo del ojo, sintió otra diminuta, casi imperceptible vibración a sus pies. Y ahora miraba —sin parpadear siquiera, toda ella en tensión— los tres camellos que pasaban por delante del rebaño, a unos cien metros de distancia. Lo bastante cerca para inquietarla, pero no tanto como para echar a correr. Todavía no.

La cabra montés no recordaba haber visto un camello en su vida, aunque los había visto en incontables ocasiones. Observó el avance de aquellos grandes animales, de la parte izquierda a la parte derecha de su campo visual, con cinco figuras humanas montadas, una de ellas con algo pequeño en los brazos. Se movían lenta y resueltamente hacia lo que la cabra, a falta de una expresión más apropiada, conocía como «la cosa de allí». La cosa grande y suave tras la que se escondían todos los humanos. La cosa a la que ni ella ni sus congéneres se atrevían a acercarse.

Convencida ya de que ni los camellos ni sus pasajeros representaban ningún peligro, la cabra agachó la cabeza y siguió buscando briznas secas. Una búsqueda que había comenzado en el momento en que su madre la había parido con las patas húmedas y desgarbadas y que no cesaría hasta que entregase el último aliento. Cuando arrancó otro insípido hierbajo del suelo del desierto, ya se había olvidado de que unos camellos habían pasado alguna vez por allí.

Igual que había olvidado a los millares de romanos que habían pasado una hora antes.

José también miró a la cabra. El rebaño se había fijado en ellos y los había mirado atentamente al pasar, los cuernos curvos al aire, las bocas masticando distraídamente. Eran unos animales idiotas, sin duda. Pero eran también una alegre señal de vida en un desierto que los había envuelto durante horas, vacío y eterno.

Por fin veían Hebrón, aunque faltaban todavía unos kilómetros para llegar a sus lisas murallas. Serían unos kilómetros silenciosos, ya que José, María y los demás apenas habían pronunciado palabra durante horas. Todos estaban entumecidos por culpa de la noche que habían pasado dando vueltas y más vueltas en el suelo de una cueva, sin comer, sin beber, achicharrados por aquel implacable calor. Y el niño..., el niño había estado extrañamente silencioso otra vez. Demasiado deshidratado para pedir llorando la leche de su madre.

Sólo Dios sabía cuánto tiempo habían cabalgado. ¿Ocho horas seguidas? ¿Diez? Se habían puesto en marcha antes del amanecer y, cuando por fin dio la impresión de que el sol descendía hacia su lecho occidental, sus rayos seguían siendo mortíferos, quemándoles desde el cielo el rostro y el empeine de los pies, dando a su piel un doloroso matiz rosado.

Paciencia, José. Dios proveerá.

La frase se había convertido en su salmodia del desierto. Lo único que mantenía la duda fuera de las paredes de su mente, donde había permanecido asediada meses antes, esperando, ah, esperando con mucha paciencia que el hambre lo obligara a rendirse y acabara con su cordura. José sentía la presencia de la duda a su alrededor, como cuando María le habló por primera vez de su sueño. Los sables de la incertidumbre chocaban contra las murallas de su ciudad, preparados para aceptar su rendición. *Admítelo, José, es una embustera. Admítelo, José, has cometido un error. Admítelo, José, él no es el Mesías.* Bueno, sí, en momentos de debilidad y fatiga, como los actuales, esas voces aumentaban de volumen. Pero entonces llegaron a la cima y vieron a lo lejos las murallas de Hebrón, y José respiró profundamente el aire del desierto. Nunca había visto nada tan hermoso en su vida. La salmodia del desierto nunca había sonado con tanta veracidad.

Dios proveerá.

Hebrón había aparecido ante ellos de repente, como un oasis amurallado en el desierto. No lo bastante grande para llamarse ciudad, pero lo suficiente para llamarse pueblo. Estaba rodeado por unas murallas prácticamente cuadradas de ladrillos pardos. Detrás de aquellas murallas habría mercados en los que podrían aprovisionarse. Baños donde podrían limpiarse el polvo del rostro. Camas donde podrían pasar la noche, descansar y recuperar fuerzas. Dios, como siempre, había proveído.

Unos silenciosos kilómetros más tarde, al aproximarse a la puerta norte de Hebrón, el grupo pasó junto a una pequeña colina que tenían a la izquierda. En la cima habían plantado en el suelo una docena de postes de madera, a intervalos regulares. Para el ojo ignorante, parecían los cimientos desnudos de una estructura inacabada. Pero para Baltasar y los otros dos ladrones eran garras que salían de la tierra, listas para atraparlos si se acercaban demasiado.

La crucifixión era una de las innovaciones más sangrientas que habían importado de Occidente los romanos y rápidamente se había convertido en el método favorito de ejecución en aquella parte del imperio. Se clavaba las manos de los condenados a unos travesaños y éstos se izaban luego hasta que formaban una cruz con los postes previamente plantados en tierra. Los condenados quedaban allí agonizando durante horas, a veces durante días, humillados por su desnudez, cubiertos por sus propios excrementos. Cuando el hambre y la sed los torturaban, eran tentados con promesas de comida y agua. Solían ser objeto de pedradas y lanzazos.

Los soldados más brutos les rompían las piernas con porras. A veces lo hacían para acelerar su muerte. Más a menudo era para convertir sus últimas horas en un proceso más desdichado aún. Cuando por fin morían, por lo general desangrados, de frío, por algún ataque, de hambre o a causa de cualquier infección, dejaban que los malolientes y descoloridos cadáveres se secaran al sol durante semanas, una advertencia para los hombres que pensaban en cometer delitos similares. Una amenaza para hombres como Baltasar.

Por suerte, aquel día no se había crucificado a nadie. Baltasar había presenciado crucifixiones en ocasiones anteriores y no deseaba volver a verlas nunca más. Sin embargo, al dejar atrás la colina y conducir a los demás por la puerta norte, sintió que un escalofrío le recorría las venas. Había algo siniestro en aquellos postes. Algo siniestro en su forma y aspecto. Maderos desnudos y deseosos de compañía. Hambrientos.

Casi como si nos estuvieran mirando.

Algo iba mal. Baltasar tuvo esa sensación de repente. La sensación de que lo miraban. Era algo indefinido, instintivo, pero era real. Quizás hubiera percibido algo con el rabillo del ojo; quizá sintiera un diminuto, imperceptible cambio en lo que lo rodeaba. Fuera lo que fuese, decidió, en silencio, que no pasarían la noche en Hebrón.

Cruzaron la puerta y se mezclaron con la muchedumbre. Delante de ellos se extendía una amplia calle central que cruzaba todo el pueblo, atestada de gente y flanqueada por grandes palmeras. A la izquierda había un bazar en el que se mezclaba el parloteo, los gritos, los ruidos de los mercaderes, los clientes y los animales. A la derecha vieron docenas de peregrinos judíos que se dirigían hacia un macizo monumento cuadrado que se divisaba a lo lejos, un cubo limpio y sin ventanas, construido con bloques de piedra blanca, con muros de veinticinco metros de altura y dos de espesor. Aunque José no lo había visto hasta entonces, enseguida supo lo que era.

—La Cueva de los Patriarcas —susurró.

Era uno de los lugares más sagrados de toda Judea, el segundo después del Gran Templo. Por desnudas que estuvieran aquellas paredes de piedra blanca, guardaban algo extraordinario: la tumba de Abraham, el padre del judaísmo.

Decía la leyenda que Abraham y su esposa Sara habían pedido ser enterrados en una cueva de Hebrón. Durante miles de años, los fieles habían acudido a la boca sellada de la cueva para ofrecer sus plegarias al hombre que se había comunicado con Dios y a la mujer que había dado a luz a Isaac y a Ismael.

Herodes había ordenado construir un monumento encima de la tumba: otro regalo desinteresado para sus súbditos judíos. Y aunque muchos creían que el monumento afeaba la tumba, los hombres seguían viajando durante días para rezar ante sus muros. Para rezar sobre los huesos del hombre del que descendían todos los judíos, desde Isaac a David, pasando por Moisés. José había pensado a menudo en peregrinar él también, pero nunca había tenido la oportunidad, hasta aquel momento.

Y allí estaba él, con la cueva ante sus ojos. Y a pesar de los problemas que lo habían conducido allí, José no pudo resistir el impulso de unirse a los peregrinos que se acercaban en masa hasta sus muros, para comunicarse con el Señor. Se lo dijo al resto del grupo.

—¿Estás loco? —le recriminó Baltasar—. No tenemos tiempo para rezar. Tenemos que comprar víveres y salir de Hebrón lo antes posible.

—Si alguna vez hemos necesitado la ayuda de Dios —dijo José—, es en este momento. Además, estar tan cerca y no presentar mis respetos... sería un pecado.

—Pecado o no, no pienso verte rezar delante de un muro. Fin de la discusión.

—Nadie te obliga a que veas nada —repuso María—. Mi esposo y yo iremos solos mientras vosotros compráis provisiones.

—No vamos a separarnos —objetó Baltasar—. No cuando tenemos a todo el mundo buscándonos.

—¿Y a quién están buscando? —repuso María—. A cuatro hombres, una mujer y un niño. Si seguimos juntos, atraeremos más la atención sobre nosotros.

Baltasar apretó los dientes. Odiaba a aquella mujer. Su forma de mirar, su forma de hablar, como si lo supiera todo. Pero lo que más odiaba era que, al menos en aquel caso, tuviera razón. Atraerían menos atención si se separaban. *Pero me quedaré aquí y te fulminaré con la mirada un poco más, para que tengas claro lo mucho que te desprecio.*

—Bien —expuso al fin—. Nos encontraremos en la puerta sur dentro de una hora. Si no estáis, nos iremos sin vosotros.

María devolvió a Baltasar la mirada fulminante. *Para que tengas claro que no me das miedo.*

—Puerta sur —murmuró—. Una hora.

Después de atar los camellos en la calle de las Palmeras, el grupo siguió caminos separados.

Los tres prófugos se dirigieron hacia la izquierda, al bazar, donde Gaspar y Melchor cambiarían el oro robado que les quedaba por lo que pudieran comprar; mientras tanto, Baltasar se dedicaría a robar más oro. José, María y el niño fueron a la derecha, hacia la Cueva de los Patriarcas, mezclándose con el mar de peregrinos que iban a rendir homenaje al antiguo fundador de su fe.

José sujetaba a María como si le fuera la vida en ello, temeroso de que, si la soltaba, el niño y ella fueran arrastrados por la corriente humana. La zona que rodeaba el monumento era aún peor de lo que parecía, atestada de cuerpos y llena de un ruido incesante. Músicos que tocaban platillos y tañían arpas. Comerciantes que tentaban a los fieles y los invitaban a comprar recuerdos de todas clases. Había cabras que balaban y bueyes que mugían camino del sacrificio; cambistas que hacían tintinear monedas. Y por encima de todo aquel ruido, el zumbido de mil voces murmurando mil oraciones.

Y además estaban los profetas. Profetas que gritaban a voz en cuello, profetas rodeados de curiosos en los cuatro lados del monumento, profetas que proferían espantosas advertencias sobre la ira de Dios, sobre la ira de Herodes, incluso hablaban de la caída de Roma desde lo alto de tribunas improvisadas. Proclamaban que el día del Mesías estaba cerca, el día en que los hijos de Israel se verían libres de ataduras. Lo mismo que llevaban proclamando desde hacía miles de años.

—¡Golpeará la tierra con la vara de su boca! ¡Con el aliento de sus labios destruirá a los impíos! ¡El cumplimiento de la ley será su cayado y la fe la faja que ceñirá su cintura!

Mientras José y María trataban de abrirse paso, un profeta, un tal Simeón, peroraba ante un abúlico grupo de nueve o diez curiosos, todos aburridos, a juzgar por la cara que ponían. Era el mismo sermón lleno de ferocidad que venía profiriendo desde hacía días:

—¡Herodes ejecuta a todos los que osan hablar en su contra! ¡Gobierna con brutalidad y conserva el poder porque le tenemos miedo! ¡Bien, yo digo que él tiene razones para tener miedo! ¡Porque está escrito que la llegada del Mesías está próxima! ¡Un rey de los judíos que derrocará no sólo a los gobernantes de Judea y Galilea, sino a todos los gobernantes del mundo! ¡Y cuando llegue nuestro Salvador, será con... con una...!

La mirada de Simeón había caído sobre una joven que pasaba por el otro lado de la atestada calle. Una muchacha que llevaba un niño en brazos, conducida por un hombre. Se bajó del tablado, no muy seguro de los motivos que lo impulsaban, y se abrió camino entre la multitud a empujones.

José volvió la cabeza en el momento exacto en que aquel extraño de mirada salvaje cogía la mano de María.

—¡Oye, tú! —gritó—. ¡Suéltala!

Pero Simeón el profeta no obedeció. Se quedó mirando fijamente a María, como si se acabara de encontrar con una amiga largo tiempo perdida, con reverencia y terror a un tiempo.

—Una espada —dijo—. Una espada te atravesará el corazón...

Las palabras que salían de su boca parecían proceder de un lugar lejano, como si las pronunciara otra persona. Alguien que estaba detrás de sus ojos. Años después, Simeón ni siquiera recordaría haberlas pronunciado. Y cuando sus futuros seguidores le contaran lo que había dicho, aseguraría no tener ni idea del significado de aquellas palabras.

José lo hizo a un lado y empujó a María para que siguiera andando, deseoso de librarse de aquel loco. Simeón sujetó con firmeza la mano de la joven durante otro segundo y luego la soltó, dejando que resbalara entre sus dedos. La vio irse con los ojos repentina, inexplicablemente llenos de lágrimas. *Llenos de alegría*. Algo se le había removido dentro. Algo que no habría sido capaz de explicar.

Baltasar vigilaba desde lo alto y esperaba. Estaba encaramado en la muralla norte de Hebrón, cerca de la escala que había utilizado para subir. Miraba desde arriba el bazar que se extendía a lo largo del muro. Necesitaba dinero para comprar los víveres que tanto precisaban. Y para conseguirlo, tenía que robar una bolsa.

—Vamos —murmuró—. Sé que estás ahí...

No había tantas posibles víctimas como en los mercados de Jerusalén o Antioquía. El bazar de Hebrón era definitivamente más pequeño, con menos mercancías en venta y muchas menos bolsas repletas que robar. Observó el suelo desde su atalaya, sólo a unos cinco metros de altura, pero por encima de todo lo demás. Por encima de la gente que pasaba empujándose, recorriendo la polvorienta calle que atravesaba el centro del mercado, por encima de los hombres que regateaban con los mercaderes y de las mujeres que llevaban a rastras a los niños, pudo ver a Gaspar discutiendo con un hombre por el precio de unos frutos secos mientras Melchor permanecía fielmente detrás. Una anciana con un bastón avanzaba cojeando ciegamente. Un perro con la nariz pegada al suelo olisqueaba algo que...

—Ahí estás.

Baltasar se fijó en un hombre obeso con la ropa empapada en sudor. Por la calidad de sus ropas y el tamaño de su barriga, se notaba que era un hombre acaudalado. Y por lo irregular de sus andares, llevaba algo pesado en la cintura. Baltasar no creía que fuera un arma. *No, no eres un luchador. No eres un luchador ni un granjero ni un mercader de esclavos: eres un cambista. Uno de los más corpulentos que he visto en mi vida.*

Y eso a él ya le iba bien. Cuanto más corpulentos eran, menos conscientes de su cuerpo tendían a ser.

Buscó la escala y se dispuso a bajar para seguir a su víctima entre la multitud. Seguirlo, esperar el momento adecuado y prepararse para un tropiezo. *Tropezar. Los tropiezos siempre dan resultado con los gordos.* Si el momento era el adecuado, tropezaría «casualmente» con el cambista. Tendría que ser un buen choque: suficiente para sorprenderlo, pero no para hacerle daño. *No hay que hacerles daño, no. No queremos que se enfaden.* Como había hecho miles de veces, Baltasar se disculparía efusivamente por su torpeza y desaparecería antes de que el cambista se diera cuenta de lo que había perdido en el momento del impacto. Pensando en este plan, Baltasar puso un pie en la escalera, dispuesto a bajar y entonces...

Otra vez esta sensación.

La sensación de que lo miraban. La sensación de que algo iba mal. Pero mientras que la primera vez había sido algo vago, sin ninguna prueba sólida, en esta ocasión tuvo constancia casi de inmediato. Al apoyarse en la escalera, Baltasar había dado la espalda al bazar. En ese momento, levantó la vista y miró hacia el desierto por encima del muro. Y al hacerlo, el corazón le dio un vuelco, pues comprendió que tenían muy pocas probabilidades de salir vivos de Hebrón.

Romanos.

Miles de romanos concentrados en el desierto, a cosa de un kilómetro al norte del pueblo. Estaban formados. Pero no cargaban contra la puerta norte con las espadas en alto. Ni tampoco avanzaban lentamente, como si llevaran todo el día siguiendo el rastro de Baltasar y los demás. Sencillamente estaban inmóviles. En realidad, no parecían soldados que persiguieran nada. Parecían soldados que estuvieran...

Esperando. Nos están esperando a nosotros.

Baltasar y sus compañeros habían sido arrastrados a una trampa preparada para que se sintieran a salvo mientras se dirigían a Hebrón, sólo para acabar rodeados a su llegada. Encerrados en aquel cuadrado casi perfecto de murallas lisas. La explicación de cómo había sucedido se sabría más tarde, si es que llegaba a saberse. De momento, Baltasar tenía que buscar a los demás.

Pilatos era un hombre paciente.

Aunque no estaba totalmente seguro de cómo había sido, el mago, o más bien su serpiente, había seguido la pista de la presa hasta una cueva situada al sur de Emaús. Y aunque no estaba totalmente seguro de por qué, había decidido creer al mago al pie de la letra cuando le informó de que había tenido una visión en la que seis fugitivos caminaban por una calle flanqueada por palmeras altas y uniformes. Si aquella visión era precisa, el Fantasma de Antioquía se dirigía a Hebrón. Tenía lógica. Hebrón estaba en el camino de Egipto. Un lugar perfecto para aprovisionarse y descansar. La cuestión era qué hacer con aquella información.

Pilatos sabía que no podía irrumpir en Hebrón y matar a una pareja de aspecto inocente a sangre fría.

¿Clavarle una espada al niño a plena luz del día? Sólo un loco como Herodes haría algo así. Además, los judíos podían iniciar una revuelta.

Tampoco podía enfrentarse al Fantasma de Antioquía en medio del desierto. No con diez mil hombres detrás, levantando polvo. Los vería a kilómetros de distancia y los fugitivos tendrían tiempo de sobra para escapar.

Una emboscada. Era la táctica más inteligente. La táctica de la paciencia.

Pilatos iría a Hebrón, pero no entraría. Apostaría al grueso de las tropas fuera de las murallas de la población, custodiando al preciado mago del emperador y manteniéndose a respetuosa distancia de los peregrinos que acudían a ver la Cueva de los Patriarcas. Al mismo tiempo, enviaría hombres a cubrir todas las posibles salidas, cada puerta de cada lado. Un pequeño destacamento de soldados de infantería se apostaría en las calles adyacentes a la calle de las Palmeras, cerrándola para atacar sólo en el caso de que algo no saliera bien. Dejaría que sus víctimas entraran en Hebrón pensando que llevaban varios días de ventaja a sus perseguidores.

Pensando que estarían a salvo.

Pilatos había vigilado a conciencia el paisaje, con sus espías distribuidos entre la multitud y sus hombres subidos a los tejados. Él había vigilado a todos los que entraban en Hebrón por el norte, hasta que por fin vio tres camellos exhaustos entrando por la puerta norte, con tres pelafustanes armados, una pareja y un niño. Había visto al Fantasma de Antioquía y sus compañeros separarse, él y los otros dos ladrones se habían dirigido al bazar, y la pareja y el niño a la Cueva de los Patriarcas. Y aunque aquella separación era inesperada, podía afrontarla. Pilatos sabía entendérselas con lo inesperado. Observaba desde la ventana de un segundo piso que daba a la calle de las Palmeras, sabiendo que el destino y él pronto se encontrarían, de una forma u otra.

José había rendido su homenaje, sorteando a la multitud para poner una mano en el monumento que cubría la Cueva de los Patriarcas. Se detuvo un momento para rezar una oración por los difuntos mientras María esperaba cerca de allí con el niño. Al terminar la oración, la cogió de la mano y la condujo por el camino que acababan de recorrer.

En términos generales no había sido la experiencia que había esperado. El lugar estaba demasiado abarrotado. El monumento era demasiado vulgar. Y cuando por fin consiguió tocar la piedra con sus manos y enviar sus pensamientos a Dios, José había querido acabar cuanto antes. No se había concentrado. No por culpa del ruido de los demás peregrinos ni por las preocupaciones de los últimos días. Era otra cosa. Incluso en aquel instante, mientras se abrían paso entre la multitud, sintió la presencia de algo siniestro fuera de las paredes de su mente, y no sabía el motivo.

María y él avanzaron contra la corriente humana hasta que llegaron a la calle de las Palmeras. Una vez allí, se dirigieron por el centro de la calzada hacia el sur, hacia donde habían atado los camellos. Llegarían a la puerta sur con tiempo de sobra para reunirse con los demás.

Y entonces José presenció un milagro: y su corazón estuvo a punto de reventar.

Las palmeras que flanqueaban la calle estaban doblándose, inclinando la copa hacia ellos. Haciéndoles reverencias conforme pasaban. *¿Es posible? ¿Se inclinan ante nosotros?* José se volvió a María, preguntándose si ella también lo habría visto... pero ella tenía los ojos clavados en el niño. *El niño* —pensó José—. *¡Se inclinan ante el niño!* Antes de comprender del todo lo que estaba viendo, aparecieron unas frases en su mente. Un pasaje de las Escrituras. Una profecía de la llegada del Mesías:

*Las trompetas de los ángeles anunciarán su llegada. Su nombre
será alabado desde las cumbres de los montes, y los cielos y la
tierra se inclinarán ante él...*

Y allí estaba. La profecía se cumplía. Allí estaba la naturaleza,
inclinándose ante un niño. Allí estaba la confirmación de todo
aquello en lo que creía, y la destrucción total de los ejércitos de
dudas que habían asediado su mente. Las visiones, ser salvados de
los hombres de Herodes, el arroyo en el desierto, ¿y ahora aquello?
¿Los árboles rindiéndoles pleitesía? ¡No, no cabía ninguna duda!
¡Su hijo era el Mesías! ¡Alabado fuera Dios!

Y entonces llegaron las flechas.

Procedían de las copas de las palmeras rendidas. Caían de los
cielos, tan numerosas, tan juntas que los negros astiles parecían
un enjambre de insectos que volaran en formación. Insectos que
los habían visto, a María, al niño y a él, y habían comenzado el
ataque. Y durante los pocos segundos que tardaron las flechas en
cruzar el aire, José miró el lugar del que procedían. Y entonces
vio por qué se habían inclinado las copas de las palmeras. No
para venerar a su recién nacido rey, sino porque estaban cargadas
de arqueros. Sicarios que habían trepado a las copas para esconderse y esperar.

Una emboscada.

José estaba sobrecogido por la visión. Una visión a la que María era felizmente ajena.

*No puede ser. ¿Por qué iba Dios a permitirnos llegar tan lejos si
luego iba a acabar con nosotros?*

José estaba paralizado, esperando que Dios le dijera qué hacer.
Esperando que Dios proveyera, como siempre. Pero las dudas agitaban otra vez los sables, con más fuerza que nunca. Su joven esposa y él iban a morir en aquel lugar. Su hijo, su insignificante y corriente hijo, moriría a su lado, en aquella misma calle, a pocos
metros del lugar de descanso de Abraham y Sara. Con la diferencia
de que sobre sus cuerpos no construirían ningún santuario. No

acudirían los peregrinos a rendir homenaje a su herencia, porque no dejarían ninguna. Iban a ser acribillados por las flechas y después olvidados.

—¡Agachaos!

José sintió que una fuerza desconocida lo empujaba a un lado. Hasta más tarde no pudo juntar los fragmentos de lo que había ocurrido en aquellos pocos segundos: cómo Baltasar los había empujado, arrojándolos al suelo antes de que las flechas los tocaran. Cómo Melchor había llegado corriendo tras él y había sacado la espada para desviar la trayectoria de varias flechas en el aire antes de que alcanzaran su objetivo.

El niño estaba llorando, pero María no encontraba aliento para consolarlo. José y ella habían caído de costado, rostro frente a rostro, asustados los dos, inseguros aún de quién o qué los había tirado a tierra. Sin advertir a los soldados romanos que habían empezado a salir de todas las bocacalles en las que habían estado escondidos, espada en mano. Oyeron gritos a lo largo de la arteria cuando el velo de confusión se levantó y la gente de Hebrón empezó a entender lo que ocurría. Mientras las madres recogían a sus hijos y los apartaban a toda velocidad del camino de las armas, los padres se enfrentaron a los soldados romanos con sus puños.

Melchor y Baltasar se pusieron rápidamente en pie y ayudaron a los otros a levantarse. El último sujetó a María por el vestido, dispuesto a no soltarla en medio del pánico, porque había muchas posibilidades de que el niño y ella fueran arrollados si la soltaba. Con la otra mano empuñaba la espada, dispuesto a enfrentarse a cualquier cosa que se pusiera en su camino, mientras Melchor hacía lo mismo para cubrirles las espaldas.

Gaspar observaba de lejos a sus compañeros de fuga, reacio a unirse a ellos. Le resultaría fácil escapar en medio de aquel tumulto. Huiría y nadie se daría cuenta. *¿Y Melchor?* El pobre, el indefenso Melchor estaría perdido sin él. No, Gaspar no sería capaz de vivir con aquel peso en la conciencia si algo le pasaba. Además, no había ningún honor en traicionar a un amigo leal. *Pero tampoco hay* *honor en arrojar tu vida por la borda. Mira, Gaspar, mira cuántos soldados salen de las bocacalles.*

En el bazar se interrumpieron todas las transacciones cuando llegó el rumor de que estaba pasando algo muy sonado en la calle de las Palmeras. Los clientes curiosos echaron a andar y luego a correr en dirección a los gritos que llegaban del otro lado del mercado. Los comerciantes recogieron las mercancías y cerraron los puestos, temerosos del pillaje que solía seguir a aquella clase de alborotos.

Lo habían visto antes. Discusiones entre los peregrinos religiosos que se habían diseminado por las calles; animales que habían tirado a sus jinetes y arrollado a infortunados transeúntes. En una ciudad pequeña, el caos estaba a la orden del día. Casi todos los hombres que salieron corriendo del bazar esperaban encontrar un tumulto normal y corriente en la calle de las Palmeras. Pero lo que vieron fue una escena que nunca habrían podido imaginar:

El ejército romano le había declarado la guerra a Hebrón.

Al menos, eso parecía. Había arqueros romanos disparando a ciudadanos desarmados desde las copas de los árboles, soldados romanos aporreando a los padres que luchaban para proteger a sus mujeres, y mujeres que protegían a sus hijos escudándolos con el cuerpo. Un poderoso ejército atacando a la buena y amable gente de Hebrón. En realidad parecía que fueran tras unas pocas almas indefensas que estaban en el centro de la refriega, entre las que había una joven y un niño. Los hombres del bazar se quedaron mirando un momento. Había una norma no escrita en la Judea ocupada: «Luchar contra los romanos sólo sirve para atraer a más romanos». Era preferible dejar que siguieran con lo suyo y largarse. Pero aquello no se podía consentir. Los hombres se metieron en medio del caos de la calle, dispuestos a ayudar a sus hermanos y hermanas a defenderse de los agresores. Cogieron piedras y se las arrojaron a los arqueros de las palmeras, golpearon y repartieron puñetazos entre los soldados mientras se internaban cada vez más en el alboroto.

Baltasar iba abriéndose paso como podía, arrastrando a María tras él, cuando un soldado se dirigió hacia ellos con la espada en alto.

El Fantasma de Antioquía arremetió con la suya y le dio al romano en el casco, aturdiéndolo el tiempo suficiente para poder golpearlo otra vez. El segundo golpe le dio en la mandíbula y le dejó un profundo corte en la mejilla derecha, tan profundo que se llevó un trozo de lengua por delante. La sangre saltó salpicando a María en la cara. La joven dio un respingo, pero reprimió el impulso de llevarse las manos al rostro para limpiárselo y retuvo al niño en brazos mientras las rojas gotas le bajaban por las mejillas. Baltasar se volvió y entrevió su conmocionado rostro unos momentos, suficientes para que un pensamiento le cruzara la mente como un relámpago.

Lágrimas de sangre.

Nada más caer el primer soldado, llegaron otros dos pisándole los talones, codo con codo. Baltasar no podía enfrentarse a los dos a la vez, no con una mano tirando de María. No iba a poder parar las dos espadas. Vio exactamente lo que ocurriría: levantaría su arma para repeler el ataque y detendría la hoja del primer soldado. Y después, mientras tenía la espada levantada, el segundo soldado le atravesaría el vientre. *A no ser que, por algún milagro, los dos levanten la espada al mismo tiempo.*

Pero no ocurrió ningún milagro. El primer soldado levantó la espada y la descargó sobre la cabeza de Baltasar. Éste, como es natural, levantó la suya para detener el golpe, aunque sabía que iba a quedar con el pecho sin protección. Las espadas chocaron en el aire y Baltasar mantuvo allí la suya con todas sus fuerzas, esperando que el otro soldado lo atravesara en cualquier momento. Pero el segundo ataque no se produjo. Baltasar miró hacia abajo y vio el motivo: el segundo soldado estaba demasiado ocupado sujetándose su propia barriga, tratando en vano de detener la sangre que le salía a borbotones.

Gaspar le había atacado por el flanco.

En aquel momento, con un soldado sangrando y el otro desorientado, Gaspar atacó de nuevo, alcanzando en la cintura al soldado que se medía con Baltasar. Luego se unió a la lucha de los compañeros que trataban de avanzar. El Fantasma de Antioquía se preguntó por qué Gaspar había tardado tanto, por qué no había echado a correr con ellos cuando empezaron a volar las flechas. Pero ese asunto podía esperar. De momento, tenían que defenderse en medio del caos que los rodeaba: la calle de las Palmeras estaba tomada por una masa de soldados, lugareños furiosos y mujeres asustadas. Melchor y Baltasar se pusieron delante, José y Gaspar en la retaguardia, todos protegiendo a María y al niño, que estaban en el centro.

Los camellos.

—¡Los camellos! —gritó a los otros.

Baltasar sabía que era su única oportunidad: abrirse paso hasta donde estaban atados los camellos y escapar corriendo al desierto. Pero aunque llegaran a los animales, sabía que el plan estaba condenado al fracaso. Había visto la gran cantidad de romanos que esperaban más allá de las murallas. Había visto sus caballos. Sin embargo, una posibilidad remota era mejor que ninguna.

Mientras tiraba de María, ésta miró a un lado de la calle y vio a un lugareño, un padre joven —*de la edad de José*—, luchando con un soldado, al que tenía sujeto por el casco con ambas manos y al que trataba de derribar al suelo. Vio a su mujer —*de mi edad*—, cubriéndose tras él, protegiendo a dos niños pequeños con su cuerpo. María vio horrorizada que el soldado golpeaba con la espada el brazo del hombre, haciéndole un corte que dejó el hueso al descubierto. El hombre gritó y se llevó la otra mano a la herida, soltando al soldado, que volvió a golpearlo, esta vez en la cabeza. La hoja de la espada penetró hasta el cerebro y un chorro de sangre oscura surgió de la abertura del cráneo, bombeada por el corazón acelerado que pronto daría su último latido. Su joven esposa gritó dos veces, primero al ver a su marido caer al suelo y luego cuando el soldado levantó la espada para descargarla otra vez. La joven madre levantó una mano para defenderse, aunque sólo consiguió que se la partieran por la mitad cuando la espada le penetró entre los dedos. María miró a otro lado. No podía soportarlo.

Pero el horror estaba por todas partes. Al mirar al frente, vio a

Melchor empapado de la cabeza a los pies, con el rostro brillante a causa de la sangre que lo cubría. Conducía a sus compañeros a través de la refriega, con los rayos del sol reflejados en la hoja de la espada mientras la blandía a velocidad de vértigo, abatiendo a todos los infortunados romanos impelidos por el pánico que acababan cruzándose en el camino del hombre que mejor manejaba la espada del imperio.

María vio a dos soldados salir de la multitud y cargar contra ellos. Vio a Melchor blandir la espada en el aire, y cortar limpiamente la cabeza del primer soldado. La cogió con la mano libre antes de que tocara el suelo. Al principio pensó que lo había hecho por exhibicionismo, hasta que el griego levantó la cabeza cortada y la joven se dio cuenta de que la utilizaba como escudo, para detener el golpe del otro soldado y atravesarlo a continuación de una estocada. Fue una proeza tan impresionante que María casi se olvidó de la horrenda escena.

Pero a pesar de toda su habilidad, incluso a Melchor le estaba costando contener aquel ataque. Aquellos soldados estaban mejor adiestrados que los de Judea a los que se habían enfrentado en Belén, y eran más numerosos. Y de las bocacalles salían muchos más, a pie y a caballo, dando mandobles, abriéndose paso entre una multitud inocente para atrapar a un ladrón y a un niño. Los romanos incluso habían conseguido acertar algún golpe, y prueba de ello era que los gruesos brazos de Melchor sangraban.

Y no era el único fugitivo cuya sangre regaba las piedras de la calle de las Palmeras. Se oyó un grito cuando un soldado a caballo hundió la lanza en el hombro de Gaspar. No era una herida mortal, pero sí lo bastante profunda para obligar al compañero del Fantasma de Antioquía a soltar la espada y doblarse por la cintura. El romano estaba a punto de atacar por segunda vez a Gaspar cuando su caballo relinchó y retrocedió de repente. Baltasar retiró la espada del vientre del animal y el jinete cayó de la silla. Nada más tocar el suelo, le hundió la espada en la espalda. El caballo herido salió corriendo, abriendo un sendero entre la multitud. Como si el destino hubiera intervenido, el sendero apuntaba hacia el lugar donde estaban los camellos.

—¡Por aquí! —gritó Baltasar, cogiendo a María de la mano y tirando de ella.

Melchor rodeó a Gaspar con el brazo para ayudarlo a correr, dejando ambos un reguero de sangre mientras seguían a Baltasar por el sendero abierto por el caballo. En su avance, los fugitivos pasaron por encima de un montón de cadáveres y cuerpos agonizantes. Muchos eran hombres del bazar que habían acudido para unirse a la lucha. Habían atacado sin temor y ahora pagaban con la vida el precio de su valentía. Los ciudadanos de Hebrón eran muy inferiores en número y armas, y caían como moscas a lo largo de la calle de las Palmeras, cuyo empedrado estaba sembrado de cadáveres pisoteados.

Los fugitivos estaban a cincuenta metros de su objetivo cuando Baltasar distinguió un rostro extrañamente familiar entre la multitud. Un oficial se dirigía en línea recta hacia ellos, abriéndose paso con paciencia y precisión entre la masa de ciudadanos y soldados. Era muy joven para tener el mando —*diría que es más joven que yo*, pensó Baltasar—, aunque eso no era lo más notable. Baltasar no lo había visto antes, pero sintió una extraña conexión con el hombre que se dirigía hacia él sin parpadear. *Eres astuto* —pensó Baltasar—. *Suficientemente astuto para atraernos a una trampa en lugar de perseguirnos a cielo abierto por el desierto.*

No estaba seguro de por qué lo sabía, pero sí estaba completamente seguro de que aquél era el hombre que había mantenido sus tropas apartadas y ocultas, sabiendo que, de haber visto patrullas romanas, sus presas habrían huido asustadas antes de tener la oportunidad de dar el golpe. El hombre que había adivinado que pasarían por aquella población, el que había preparado la emboscada. De alguna forma, Baltasar supo que estaba mirando al causante de sus problemas. Y de alguna forma supo que aquel oficial tenía que representar aún un papel importante en su vida, aunque no sabía cuál ni por qué estaba tan seguro de algo así.

—Seguid vosotros —dijo a sus compañeros, dando la mano de María a su esposo.

—Pero ¿adónde vas tú? —preguntó José.

—¡Continuad!

El carpintero condujo a su esposa hacia los camellos, con Melchor y Gaspar cojeando tras ellos. Baltasar aprestó la espada al acercarse el oficial, que ya casi estaba a su altura. *Qué extraño* —pensó—. *Es como si ambos supiéramos que íbamos a estar aquí. Como si supiéramos que íbamos a estar frente a frente en esta calle, en este preciso momento.*

Antes de que pudiera pensar otra cosa, el oficial cayó sobre él y dieron comienzo al combate, sabiendo ambos, de alguna manera, que toda su vida habían estado moviéndose hacia aquel momento, como dos barcas a merced de la corriente en sendos ríos que desembocaban en el mismo mar. No había ninguna prueba visible que le confirmara aquella impresión. Sencillamente, se encontraron en medio de la calle, y blandieron las espadas con furor homicida. Y aunque a los grandes pintores les habría gustado conmemorar la ocasión al gran estilo, con ambos hombres luchando con denuedo y vestidos con sus mejores galas, la realidad era mucho menos atractiva. Baltasar y Pilatos estaban cubiertos de polvo, sudor y sangre, haciendo todo lo que podían para abrirse la cabeza mutuamente, entrecruzando las espadas sin parar.

Aunque Baltasar era mejor espadachín, Pilatos estaba más descansado y mejor alimentado, y no pasó mucho tiempo hasta que el Fantasma de Antioquía sólo alcanzaba a repeler, a duras penas, los incesantes ataques del romano. *Unos cuantos golpes más y acabaré contigo* —pensaba Pilatos—. *Y entonces iré a buscar al niño...*

De repente se oyó un alboroto tras ellos. Causado por una horda furiosa que quería unirse a la contienda y cuyos gritos se oían en toda la calle. Pilatos y Baltasar dejaron de combatir y se volvieron hacia el origen del ruido.

Cientos de devotos judíos llegaban gritando por el extremo norte de la calle, como si un dique que contuviera un mar de cuerpos se hubiera roto de repente. Los rumores del ataque romano habían llegado por fin a la Cueva de los Patriarcas y los peregrinos y profetas por igual se habían despojado del taled para correr donde los necesitaban, dispuestos a dar la vida para defender la santidad de la tumba de Abraham.

¡Cómo se atreven los impíos romanos a profanar una ciudad sagrada! ¡Cómo se atreven a matar a inocentes!

Los fieles atacaban a los romanos con todo lo que encontraban. Unos luchaban con las manos desnudas, otros utilizaban bastones y piedras. Del bazar habían salido docenas de hombres. De la Cueva de los Patriarcas habían salido centenares, todos convencidos de que lo hacían por una buena causa.

Era exactamente lo que Pilatos había temido. El motivo de que no hubiera irrumpido en la ciudad con los estandartes al viento. Ahora tendría que ordenar a sus hombres que retrocediesen si no quería causar una auténtica catástrofe, a saber, que la refriega se extendiera por toda la población. *Todo esto* —pensó, mirando el desbarajuste que se había organizado—, *todo esto por un niño y un lad...*

Pilatos recordó al Fantasma de Antioquía y giró sobre sus talones con la espada levantada, dispuesto a proseguir el combate singular; pero el Fantasma se había desvanecido.

No tiene sentido, pensaba Baltasar mientras corría hacia los camellos. ¿Cómo habían sabido los romanos dónde iban a estar? ¿Por qué había experimentado aquella extraña afinidad con el oficial?

Imaginó que no tenía importancia. Lo importante era que ya no había ciudad ni pueblo seguro para ellos. No había camino transitable. Ningún extraño a quien pudieran confiar su secreto. No con tantos romanos buscándolos. No podían volver a detenerse hasta que llegaran a Egipto. Pero sin provisiones no alcanzarían la frontera egipcia. Tendrían que buscar otra ruta. Una ruta que sus perseguidores no pudieran concebir. Ya no podían aventurarse a que los vieran en público, ni siquiera disfrazados. Era demasiado peligroso.

Necesitaban un sitio para esconderse un tiempo. Conseguir provisiones. Un lugar seguro. Y a pesar de todos los juramentos que se había hecho a sí mismo, Baltasar sabía exactamente cuál era ese lugar.

9

El regreso

«Si un enemigo me agraviase, podría tolerarlo; si contra mí se alzara quien me odia, me ocultaría de él; mas has sido tú, mi igual, mi compañero y mi íntimo.»

Salmos 55, 12-13

I

Se abrió la puerta y allí estaba, tan perversamente bella y peligrosa como la recordaba.

—Hola, Sela —dijo.

¿Cuánto tiempo había pasado? ¿Ocho años? *No, tienen que ser más. ¿Podrían ser más?* Baltasar estaba demasiado cansado para hacer cálculos. La verdad es que no era importante cuánto tiempo hubiera transcurrido. Sólo que allí estaban ellos y allí estaba ella..., un regalo para seis pares de ojos escocidos. Allí estaba el rostro por el que habían cruzado un océano de arena, sin comida ni descanso, tras salir de Hebrón con los camellos al galope, mientras el día daba paso a la noche helada, y ésta a su vez a la deslumbrante mañana y luego al día abrasador. Allí estaba la razón por la que habían seguido cabalgando, medio muertos, en busca de la tierra prometida de Beersheba, la última parada antes de iniciar la larga marcha hacia Egipto por el desierto de Judea. La última oportunidad de aprovisionarse. Sin nada para guiarse, salvo la débil esperanza de que la información de Baltasar estuviera al día. De que los rumores que había oído fueran ciertos. Y siempre con la seguridad de que los romanos les iban a la zaga.

Pero al llegar a las murallas de la ciudad, los fugitivos se habían encontrado con que la tierra prometida de Beersheba era un páramo. Al principio creyeron que quizá los romanos habían atacado de nuevo, pues apenas se veía a nadie en las calles. Habían abandonado las fogatas encendidas y había perros famélicos vagando por las calles en busca de algún bocado. Pero había sido el hambre y no la espada romana lo que había asolado Beersheba. Porque sus

cosechas habían quedado diezmadas por lo único que los agricultores temían más que la sequía:

La plaga de langostas.

Apareció en forma de nube negra. Una tormenta viva que abarcaba la mitad de Judea y que había llegado del norte de África devorándolo todo a su paso. Millones, docenas de millones de ojos
impersonales y de bocas insaciables que saltaban de campo en
campo, de árbol en árbol, arrasando con todo lo que tocaban. Y
aunque ya habían transcurrido varios meses desde que habían sobrevolado Beersheba, dejando una estela de destrucción, el terreno seguía alfombrado de mudas secas, de los caparazones que cada
langosta había desechado para renovarse antes de seguir adelante.
Toda la ciudad era como un caparazón seco, transformada de arriba abajo, pero no renovada.

Las calles antaño rebosantes de vida estaban ahora inquietantemente silenciosas y vacías. Con las cosechas se habían ido los
comerciantes y tenderos, y con los comerciantes y tenderos se habían ido los tratantes de esclavos con sus esclavos. Todos se habían
ido en busca de comida y comercio, dejando sólo un puñado de
hambrientos lugareños, apegados al terruño. Al llegar y ver todo
aquello, la débil esperanza de Baltasar se había desvanecido por
completo:

Ella no estará. Se habrá ido con los demás.

Pero allí estaba.

Allí estaba, en la puerta de una casa de dos plantas, de lisas
paredes blancas y tejado de tejas rojas, de estilo inequívocamente
romano. Allí estaba ella, atónita al ver la cara de Baltasar.

*Pues claro que está atónita. Aquí estoy, después de todo este
tiempo, después de lo que pasó, después de la forma en que terminó.*

Sela lo miró durante un tiempo que le parecieron siglos, sin
cambiar de expresión. Su cabello negro como la noche. Su talle
alto y esbelto, con la piel como cobre bruñido, igual que sus ojos.
Diez años. Sí, diez años. Ahora debía de tener veinticuatro, año más
o menos, aunque su aspecto no parecía haber cambiado desde la

última vez que la había visto.

Baltasar sonrió, con aquella sonrisa triste que ella había amado. *La que ella nunca pudo resistir. A pesar de toda su cólera, de toda su tristeza y desconfianza.* En lo que respectaba a él, todas estas cosas no habían tenido ninguna importancia. Siempre que ella lo miraba, parecían fundirse los dos. Aquello había ocurrido cuando eran jóvenes y disfrutaban de esa clase de amor que sólo los jóvenes tienen. El primer amor. El nudo en el estómago, pasar la noche despiertos contando las horas que faltan para volverse a ver.

¿Habrá pensado alguna vez que llegaría este día? ¿Habrá esperado verme aquí cada vez que abría la puerta? ¿Ha pensado en mí como yo he pensado en ella? ¿Habrá estado con otro? ¿Con más de uno? ¿Estará con alguien ahora?

Abrió la boca para decirle un cumplido. Todavía no lo tenía pensado del todo, pero se inclinaba por alabar su belleza. Algo como: «Los años no han pasado para ti».

No, es una estupidez. Pues claro que han pasado.

«No has envejecido ni un día», se le ocurrió inmediatamente después, pero le faltaba la poesía que estaba buscando.

«Estás igual que te recordaba.» *No, eso evoca el pasado y desde luego no quiero tenerlo presente ahora.*

Con la boca abierta y el tiempo acabándose, decidió recurrir a un saludo inocuo pero seguro: «Me alegro de verte».

Pero antes de que las palabras salieran de su boca, un puño se estrelló contra la suya.

Se lo habían propinado con tanta fuerza que los dientes se le convirtieron en armas y se volvieron contra él, haciéndole limpios cortes dentro de los labios. Baltasar casi se desmayó cuando el cerebro le tembló dentro del cráneo, y retrocedió trastabillando hacia la calle adoquinada, esforzándose por mantener el equilibrio.

Al principio no se enteró de que le habían sacudido un golpe. No había visto ningún cambio de expresión que lo alertara de lo que iba a ocurrir. Ella estaba allí, hermosa y diáfana, y cuando se dio cuenta había tres mujeres cuyo rostro flotaba tras un grueso cristal empañado. Cuando sintió los primeros dolores en la boca, abriéndose paso entre la niebla, recibió más golpes. Primero otro puñetazo, y luego Sela le asestó un puntapié directamente en el cuello.

Durante un minuto todo fue belleza y recuerdos. La música de un encuentro de amor largo tiempo pospuesto. Baltasar estiraba el cuello, buscando aire al borde de la inconsciencia, mientras caían sobre él puñetazos y patadas sin compasión. Los brazos le colgaban estúpidamente junto a los costados mientras su rostro recibía un golpe tras otro. Puñetazo, sandalia, sandalia, puñetazo. Lo único que impedía que se desmayara era la curiosidad. Su mente estaba tan concentrada en adivinar qué estaba ocurriendo que se negaba a rendirse. Incluso cuando recibió otro puntapié en la barbilla, la cabeza le salió disparada hacia atrás y Baltasar cayó a tierra con un golpe sordo.

En alguna parte, al otro lado de un cavernoso espacio sin forma, los demás lo miraban sorprendidos y silenciosos. Uno de los presentes gritaba algo. Algo así como: «¡Espera!», o: «¡Ya está bien!», o: «Pero ¿qué haces?»

¿Es el carpintero? ¿Es el carpintero quien le dice que pare? No estoy seg... Ooooohhh, me duele la cara...

Cuando Baltasar quedó de espaldas, con la mano en los labios y la nariz hinchados, Sela se detuvo por fin y miró fijamente al resto del grupo que había en la puerta: tres hombres, una muchacha y un niño. Todos con la boca abierta. Todos mirándola y preguntándose si ahora iba a emprenderla con ellos. Con el pecho palpitando a causa del jadeo, Sela se apartó el pelo de los ojos y dijo:

—Pasad.

II

Tenía catorce años la primera vez que la vio. Sólo dos años más que la primera vez que había profanado una tumba, aunque era cien años más sabio.

Recordaba el día, la hora, el vestido de ella, la luz. Se dirigía a su casa después de haber estado en el foro, donde tiempo atrás se había dedicado a robar bolsas en medio del ruido y la locura, arriesgando mucho para tan mísero beneficio. Pero eso había acabado. Ahora todo era diferente. Ahora ya no necesitaba robar bolsas, ni pagar a cómplices ni sobornar a nadie con parte de los beneficios. Aquellos días Baltasar visitaba el foro para gastar, no para ganarse el sustento. Y disponía de mucho para gastar, gracias a su genial idea de que era más fácil robar a los muertos que a los vivos.

Después de aquel primer robo de una tumba, había vadeado las aguas oscuras casi todas las noches para saquear las tumbas romanas de la otra orilla del Orontes. Casi todas las noches, siempre que la luna no brillara demasiado o los centinelas estuvieran demasiado cerca, había exhumado los cadáveres recién enterrados de los condenados a muerte. Al principio había pasado miedo, sí, sobre todo cuando desenterraba los cadáveres más espeluznantes. Los que habían muerto decapitados o lapidados. Por haber sido inhumados tan recientemente, su sangre aún estaba húmeda y las expresiones de sus rostros eran impresionantes. Solo en la oscuridad, la imaginación le había jugado malas pasadas durante las primeras semanas: había visto sus ojos abrirse de súbito, sentido sus dedos fríos en los brazos. Pero con el paso de los meses aquellas alucinaciones fueron disminuyendo y el miedo había ido debilitándose, hasta que un día se dio cuenta de que habían desaparecido por completo.

En los dos años siguientes a la gran idea, Baltasar había adquirido tal soltura y habilidad que hubiera podido despojar diez cadáveres en una sola noche, suponiendo que los verdugos hubieran estado tan atareados. Los desenterraba, los despojaba de todo lo que tenían y los devolvía al desierto sin que los romanos se enterasen siquiera de que él había estado allí. Se llenaba los bolsillos con sus anillos y medallones, con su plata, su oro y su seda. Y todo sin un solo cómplice. Mucho más beneficio y un porcentaje mínimo de riesgo.

Un mes después de empezar las operaciones, ya había robado lo suficiente para que su familia se mudara a un barrio nuevo. Un año después, volvieron a mudarse, esta vez a una casa que en tiempos había pertenecido a un noble romano. Sus hermanas tenían buenas telas para coser. Abdi tenía ropa y juguetes nuevos. Y su madre tenía todo lo que una madre podía desear: una casa nueva que cuidar, mucha comida para cocinar, un horno nuevo, alfombras para sentarse, lámparas de aceite para iluminar la vivienda. Y aunque Baltasar sabía que abrigaba sospechas sobre su riqueza recién adquirida, nunca le preguntaba de dónde procedía el dinero ni adónde iba todas las noches. Lo más cerca que había estado de hacerle preguntas había sido poco antes de que se mudaran a la casa del noble. Después de verla, la madre se lo llevó aparte, lo miró a los ojos y dijo:

—Antes de dormir bajo este techo, prométeme una cosa.

—Lo que quieras, madre.

—Prométeme que nuestra felicidad no es a costa de la de otro.

Baltasar se la quedó mirando, debatiéndose mentalmente sobre si mentirle o no. Más en concreto, buscando la forma de mentirle con convencimiento. Por una parte, era innegable que su felicidad se debía a la de otro. Dicho más claramente, de otro que había pagado su felicidad con la vida. Por otra parte, su madre le había abierto una puerta por la que poder escapar. En puridad, se apropiaba de bienes de personas que ya no los utilizarían nunca más. Un collar o un anillo de oro no iba a cambiar el hecho de que ya estaban muertos, ¿verdad? No iba a hacerlos más infelices de lo que eran al morir. Por lo tanto, pudo decirle con toda sinceridad:

—Te lo prometo.

Baltasar había sentido la tentación de contárselo, y también a sus colegas de oficio. Pero había tenido la boca cerrada. No había dicho ni una palabra de sus asuntos con los muertos. A su familia no y menos aún a sus compinches ladrones. No porque temiera su condena, aunque sabía que algunos lo condenarían por infringir antiguas creencias, viejas supersticiones. Lo que realmente temía era la competencia. Sabía que no era el único chico capaz de hacer oídos sordos a unas cuantas convenciones morales y a unos cuantos difuntos. Y menos cuando había tanto dinero en la tierra, esperando que se lo llevaran.

No, había dado con una cueva del tesoro que se llenaba constantemente y no pensaba compartirla. Y menos cuando los romanos enviaban tantos hombres al verdugo con sus joyas puestas. No cuando todo le iba tan bien.

Entonces la vio y todo se fue al carajo.

Había salido del foro y se dirigía a su casa con un saco de trigo a cuestas por las calles empedradas de su nuevo barrio. Un barrio que era la sede de las mejores familias de Antioquía. *Familias como la nuestra.* Típico en él, recorría aquel trayecto mirándose los pies, con la mente perdida en un tropel de ideas e imágenes inconexas.

Algo divertido dijo Abdi está nublado hoy los cadáveres estarán esta noche los pies me están matando padre sintió algo cuando murió.

Pero aquel día, en aquel preciso momento, decidió levantar la cabeza. Y al hacerlo se encontró con una aparición de otro mundo. Al principio creyó que era un fantasma, el fantasma de una hermosa muchacha, tan real como las alucinaciones que había tenido en las tumbas. Estaba sola, sentada en los peldaños delanteros de una villa de ladrillo, una villa de una planta, una de las casas más bonitas del barrio.

Era la criatura más hermosa que había visto en su vida, y lloraba a moco tendido.

Un diminuto rayo de sol se había colado entre las nubes y le caía en la espalda, inflamando los bordes de su pelo negro y dándole aquel aspecto fantasmagórico o del más allá. Era natural de Siria, como él. Pero Baltasar supo de inmediato que no era en absoluto como él. Aquella muchacha no se había ganado la vida robando. Nunca había conocido el hambre.

Pero tampoco lo has tenido fácil. No, lo has pasado muy mal en este mundo. Y eso te hace aún más hermosa, aunque no estoy seguro de por qué, ni siquiera estoy seguro de que puedas ser más hermosa de lo que ya eres.

Casualmente, Sela levantó la vista en aquel preciso momento y vio a un muchacho de pie en medio de la calle, con un saco de trigo al hombro, mirándola como un animal idiota. Totalmente inmóvil, con la boca abierta, observando cómo lloraba.

—¿Qué miras?

—Yo... pues...

—¿Te crees gracioso por estar ahí mirándome?

—¡No! No, yo...

—¡Déjame en paz!

La muchacha se volvió, cruzó los brazos y esperó a que el chico se fuera. Y siguió esperando.

—No —dijo él.

Más tarde, Baltasar sólo recordaría retazos de lo que había ocurrido a continuación: Sela volviendo a levantar la cabeza y mirándolo con los ojos anegados en lágrimas, bella y peligrosa. Recordaba haber dejado el saco en tierra y reunido valor para ir a sentarse a su lado. Recordaba haberle preguntado qué le sucedía. Recordaba que ella se había resistido y que luego había bajado la guardia. Y recordaba que cuando empezó a contárselo todo, la muchacha no se detuvo hasta mucho después de anochecer. Era otra versión de una historia que había oído ya muchas veces. Otra tragedia protagonizada por los ocupantes romanos.

Sela era hija única y su madre había muerto siendo ella muy joven. Demasiado joven para recordar su rostro, su voz y su tacto. Pero su padre, un rico comerciante, pudo proporcionarle una vida confortable. Era un hombre tranquilo y amable. Y aunque nunca hablaba de su esposa fallecida en voz alta, Sela sabía que nunca había dejado de llorarla. Adoraba a su hija única y, a cambio, ella se consagró a su felicidad, absteniéndose de los pasatiempos propios de la niñez para estar a su lado. Todo parecía muy agradable, recordaba Baltasar ahora. Días agradables que transcurrían plácidamente, fundiéndose hasta formar una infancia relativamente placentera, aunque anodina.

Y entonces, como cuando un escorpión pica a un caminante en el pie, los días agradables de Sela conocieron de repente un violento final. Su padre se había encontrado en el bando perdedor de una disputa económica con un miembro de la autoridad provincial romana. Un ayudante de un consejero del gobernador de Antioquía nombrado por Roma. Y aunque no era capaz de recordar los detalles de la disputa, algo sobre precios prometidos frente a precios pagados, Baltasar sí recordaba el resultado: el padre de Sela había despertado aquella noche al oír un golpe en la puerta; lo habían sacado a rastras de la casa mientras la hija arañaba y empujaba a los soldados sin rostro que la rodeaban. Aquella misma noche lo habían enviado al verdugo sin juicio previo, lo habían decapitado y arrojado a una tumba del desierto. Y todo por el capricho de un anónimo burócrata extranjero de medio pelo. Todo por una disputa económica. Y allí acabó todo. Así de rápido ocurrían estas cosas.

Baltasar recordaba el escalofrío que había sentido, desde los dedos de los pies hasta los de las manos, cuando ella le contó aquello. Y aunque no pensaba hablarle nunca de sus transacciones con los muertos, ni aquella noche ni ninguna otra, se preguntaría a menudo si su padre habría estado entre los cadáveres que había desenterrado al otro lado del Orontes. Si alguna pequeña parte de su felicidad se había debido a la de ella.

Había transcurrido un año desde la muerte del padre de la muchacha y allí estaba, con catorce años, sola en una casa grande. Esforzándose por sobrevivir como mejor podía una muchacha honrada, aunque sin conseguirlo ni por asomo. Allí estaba, llorando a lágrima viva y contándoselo a un muchacho que acababa de conocer. Contándolo tal como lo creía.

—Juro que... antes de morir... veré arder Roma hasta los cimientos.

Baltasar recordaba haber pensado: *Vaya, qué bonita imagen, toda Roma en llamas. Una hermosa joven riéndose mientras contempla el incendio desde una colina y el aire cálido empujado por el viento hace bailar su cabello alrededor de su rostro.*

Baltasar le dijo que la creía. Aunque en silencio dudaba de que un ejército, y mucho menos una persona sola, pudiera realizar tal hazaña. Pero no le cabía ninguna duda de su resolución. Sentía la furia irradiando de su cuerpo, igual que el calor irradia de las piedras que rodean una hoguera mucho después de que las llamas se han extinguido. Y aquella furia era contagiosa. Furia y belleza, tristeza y soledad, todo mezclado en aquel rostro.

Recordaba un beso y la apercepción de que estaba desesperada y eternamente enamorado.

Los días agradables se habían sucedido después de aquello. Baltasar había ido sacando del cascarón a la muchacha sincera y protegida que había encontrado en la entrada de la villa y le había enseñado a luchar, a robar y a arreglárselas de la mejor manera posible. Dándole a conocer una parte de Antioquía que ella, en la comodidad y aislamiento de su niñez, nunca había conocido. La adoraba, cuidaba de ella, pasaba todo su tiempo libre con ella, a menudo con Abdi al lado. Por su parte, Sela adoptó el papel al que estaba acostumbrada y se consagró a hacerlo feliz. Obligando a Baltasar a borrar el ceño de su rostro. Obligándolo a reír. Enseñándole una parte de Antioquía que él acababa de descubrir y que nunca había conocido a fondo.

Eran esos días que tienen un resplandor áureo en los recuerdos de los ancianos. Días en que todo eran promesas y una eternidad por delante. Días que pasaron confiando el uno en el otro, susurrando palabras que nunca se habían atrevido a susurrar antes. Y las noches, aquellas noches increíblemente cálidas, paseando por los Pórticos cogidos de la mano o desnudándose a la luz de las estrellas a orillas del Orontes. Entrando en el agua y poniéndose uno frente al otro, abrazándose por encima de la superficie. Sintiendo la desnudez del otro en el agua oscura. El mismo río que Baltasar había vadeado tantas veces, que separaba el mundo de los vivos del de los muertos. Pero todo aquello quedaba muy lejos cuando estaba con ella. En aquellos momentos todo era perfecto y siempre lo sería, como si el destino los hubiera puesto deliberadamente en aquel lugar, si es que alguien creía en cosas tan estúpidas como el destino. Como si lo hubieran enviado para redimirla de su soledad. Para cuidarla. Y como si ella hubiera sido enviada para redimirlo a él. Y todo había sido tontamente vertiginoso, erótico y perfecto.

Y de pronto, como cuando un escorpión pica a un caminante en el pie, todo se había venido abajo en un instante.

Como si tal cosa.

III

Se mirara como se mirase, era una casa grande, sobre todo para una mujer que vivía sola. La primera planta tenía dos dormitorios, uno en el que Sela había dormido sola durante los últimos cinco años y otro en el que trabajaba cuando encontraba trabajo. En medio había una espaciosa cocina y una zona común, con una mesa, sillas y alfombras que cubrían cada palmo del suelo. Había tres dormitorios más pequeños en la planta superior que el anterior propietario había llenado de niños. Pero ella nunca les había dado utilidad. Al menos hasta aquella noche.

Aún no había empezado a oscurecer cuando los fugitivos se excusaron y desaparecieron escaleras arriba para pasar la noche, deseosos de librarse del tenso silencio que se había adueñado de la casa desde que habían llegado. Baltasar refunfuñaba a solas en un dormitorio, mientras se curaba las heridas del rostro y del amor propio, y maldecía en silencio todos aquellos recuerdos vertiginosos, eróticos y perfectos que habían cristalizado en su memoria tras la larga ausencia. Yacía de espaldas, mirando al techo con sus ojos negros. Oía a Melchor y a Gaspar hablando en susurros a través de la pared derecha y los ronquidos sonoros y rítmicos de José a través de la izquierda. No sabía cuál de los ruidos detestaba más. Ni si los detestaba. Ni si lo detestaba todo.

No tendría que haber venido. Tendría que haber adivinado que ella reaccionaría así.

Todo había sido estúpido e infantil. Él era un asesino. Un ladrón. El Azote de Roma. Y fíjate ahora. Cuidando de un niño y de un par de zelotes. Golpeado con saña por una mujer. Con heridas en la cara y en el pecho. Con el ejército romano pisándole los talones.

Sólo María y el niño se habían quedado abajo después de anochecer. Sela se sentó con ellos a la mesa de la zona común, observando a aquella muchacha de quince años, *no mucho mayor de lo que yo era cuando lo conocí*, que bañaba a su diminuta y arrugada criatura en una palangana de agua caliente. El niño tenía los ojos azules abiertos y miraba a todas partes, lo miraba todo sin ver realmente nada. Tenía la cabeza inclinada sobre un hombro para aliviar la tensión del diminuto cuello y los restos del cordón umbilical habían adquirido un color negruzco y se secaban en su ombligo, amenazando con caerse en cualquier momento.

Sela permanecía sentada en silenciosa admiración, observando al pequeño. Oyendo los hipidos involuntarios que surgían de su cuerpo mientras su madre limpiaba con delicadeza el polvo del desierto de su frágil cabeza. Ella nunca había tenido un hermano o un primo del que cuidar. Que supiese, nunca había tenido un niño en brazos. *Abdi fue lo más cercano que yo...*

—¿Admites huéspedes? —preguntó María.

Era una pregunta razonable, dado que la casa era mucho más grande de lo que una mujer soltera y sin ingresos necesitaba o podía costear.

—No —respondió Sela—. Pero trabajo. Ahí..., en una de las habitaciones.

María se sintió avergonzada por haberlo preguntado. *Por supuesto.* Comprendió la clase de «trabajo» que hacía Sela. *¿Una mujer hermosa sin esposo ni hijos? Una mujer hermosa y sofisticada que parece tener mucho dine...*

—No soy una prostituta —añadió Sela—, si eso es lo que estás pensando.

—¿Qué? —protestó María—. ¡No! No, yo no pensaba..., yo no pensaba eso.

Sela vio colorearse de un rojo intenso las mejillas de la joven madre. *No, claro que no, por eso te has indignado y ruborizado.*

—Digo la buenaventura —aclaró.

—Ah...

—Los agricultores me pagan por predecir el clima; las mujeres me pagan por decirles cuántos hijos van a tener. Nos sentamos, formulo invocaciones, pagan. Aunque el negocio no va muy bien desde la plaga de langostas. Nadie necesita que una adivina les diga que en Beersheba las cosas van a ir mal, muy mal, durante muchísimo tiempo.

—¿Y tú... sabes esas cosas? ¿Las respuestas que buscan?

—Sé lo que la gente quiere oír.

El color desapareció de las mejillas de María, aunque trató de evitar que su expresión pusiera de manifiesto su desengaño. Predecir el futuro no era mucho mejor que la prostitución, sobre todo cuando lo que la adivina decía era una mentira. Hablando en términos religiosos, era peor. Las Escrituras prohibían expresamente aquello. A los ojos de Dios, Sela era una falsa profetisa. *Y los falsos profetas son herejes. Y los herejes, bueno...*

—¿Te encuentras bien? —preguntó Sela—. Pareces preocupada.

María siguió lavando al niño, mirando con aire ausente un rincón oscuro de la habitación mientras en su mente daba vueltas la condenación eterna de Sela. De repente se sintió como si estuviera sentada a la mesa con un leproso. Como si el pecado de esa mujer fuera contagioso. Sintió el deseo irrefrenable de llevarse al niño de allí, de protegerlo de aquel pecado. De quitárselo del cuerpo junto con la suciedad. Dadas las circunstancias, lo menos ofensivo que se le ocurrió decir fue:

—Es que yo... no sabría mentir a la gente.

—¿Por qué no? A mí me has mentido.

María la miró fijamente. Las imágenes de la condenación eterna habían desaparecido como por ensalmo.

—Yo no te he mentido.

—Pues claro que sí.

—¿Por qué dices...?

—Cuando te dije que no era una prostituta, tú estabas pensando que sí lo era. Pero insististe en que no. «¡No! No, yo no pensaba..., yo no pensaba eso», dijiste..

María volvió a ruborizarse.

—Mírame y dime que me equivoco.

—Yo... no quería ofenderte.

—Ajá. Lo hiciste por educación. Yo lo hago para dar algo de esperanza a gente desesperada y ganar unas monedas por hacerlo. En cualquier caso, las dos somos unas embusteras.

A María no le gustaba aquella mujer. No le gustaba estar allí. No le gustaba nada de todo aquello. Por enésima vez desde que José y ella habían salido de Nazaret, sintió un zarpazo de añoranza del hogar. Anhelaba ver los rostros familiares del pueblo, las comidas, sonidos y olores. Anhelaba el consuelo familiar. La elevación espiritual que suponía estar rodeada de otros fieles. Su marido y ella estaban solos en el gran mundo. Un mundo terrible, lleno de asesinos, paganos y hambre, de ladrones irrespetuosos y pecados contagiosos. Estaban solos, y eran los portadores de una carga insoportable: proteger al ser más importante que había existido del hombre más poderoso de todo el orbe. Y, ay, Señor, era tan pequeño...

IV

Herodes miró el cadáver obscenamente pálido que tenía al lado. Silencioso e inmóvil. Con los ojos abiertos y saltones. Con saliva seca en las comisuras de la boca.

No fue culpa tuya —se dijo—. *Estabas en el lugar menos indicado cuando recibí la noticia. Estabas delante cuando tuve necesidad de matar.*

Suponía que lamentaba haberla matado, aunque sólo fuera porque le habría gustado gozarla otra vez. Gozar de su humedad y calidez. Pero en cierto modo le había hecho un favor. Sólo había que pensar en todos los sufrimientos que le había ahorrado. Aunque al final no se hubiera contagiado por un simple tocamiento, eran muchos los años de desilusión que le esperaban. Años de envejecimiento, de aceptar un marido. De criar hijos. Su cuerpo la habría traicionado, su belleza la habría abandonado al envejecer. Pero se había librado de todo aquello. Aquella joven sería hermosa eternamente.

Además, ¿quién podía echarle la culpa de haber reaccionado con tanta furia? Había sido una noticia desagradable. Los habían encontrado. Le habían explicado que los romanos habían acorralado en Hebrón al Fantasma de Antioquía y al niño. Tenían arqueros apostados en la calle de las Palmeras y hombres escondidos en las calles adyacentes. Pero cuando los emboscados se lanzaron al ataque, había estallado una revuelta. Zelotes y peregrinos habían atacado a los romanos en manada, deteniéndolos antes de que pudieran hacerse con sus presas.

¿Por qué no los atacaron en el desierto? ¿Por qué no los arrestaron sin hacer ruido cuando cruzaron las murallas de la población? ¿Por qué los romanos siempre tienen que hacer un espectáculo de todo?

Pero por muy desagradable que hubiera sido el resultado, por muy furioso que se hubiera puesto, no fue aquello lo que lo impulsó a matar. No. Fue el miedo y no la furia lo que le había costado la vida a aquella muchacha. El miedo lo que había llevado las manos de Herodes a su cuello y le había arrancado la vida hasta que sus ojos saltones dejaron de ver y le salió espuma roja por la boca. La había matado porque por primera vez desde que comenzaron los problemas estaba asustado.

Para cualquier espíritu racional, los hechos sólo podían causar miedo. Los romanos habían llegado a tocar al Fantasma de Antioquía. Habían estado tan cerca que habían tocado la tripa del niño con la punta de sus espadas. Todo el poder del imperio había caído sobre una sola calle, con una única finalidad: matar a un desdichado ladronzuelo y al niño indefenso que protegía. ¿Y qué había pasado? Lo increíble. Un hombre, un hombre herido y agotado, se les había escurrido entre los dedos.

Cuando a Herodes le contaron los detalles de lo sucedido en Hebrón, lo había comprendido. Aquello ya no era un simple asunto de viejas profecías y antiguas supersticiones. Aquello era el Dios de Abraham que se burlaba del rey de Judea. Que se reía en la cara del poder de Herodes. Del poder de Roma. No cabía ninguna duda ya: el niño era el Mesías. Y si vivía, si llegaba a Egipto y desaparecía de la mirada de Judea y Roma, entonces acabaría con los reinos de este mundo. Quizás incluso con el mismo imperio.

El emperador no creerá una palabra de todo esto, eso seguro. Por muchas pruebas que haya, por muchos milagros que permitan a los fugitivos escapar de las manos de sus soldados. Pero yo lo sé..., y ya es hora de que intervenga personalmente.

Herodes meditó sus siguientes pasos, tendido al lado de una muchacha que nunca conocería la infelicidad de envejecer. Ya honraría su memoria de alguna manera. Cuando todo aquello hubiera terminado, haría algo para compensar su arrebato. Quizás ordenara construir una estatua para añadirla a la colección que tenía en el patio y así poder admirar su belleza de nuevo cada vez que fuera a dar un paseo al aire libre.

Pero antes gozaría su cuerpo por última vez.

V

La fría luz del amanecer entró por la ventana cuando la casa aún estaba en silencio y dormida. Baltasar estaba sentado ante la ancha mesa de la planta baja con un cuchillo en la mano. La herida de su pecho había sanado lo bastante para poder quitarse los puntos y los estaba cortando cuidadosamente, uno por uno, con intención de tirar luego de las hebras sueltas para sacarlas de la piel. Una sombra cayó entonces sobre la mesa, obligándolo a levantar la mirada.

Sela estaba en la puerta de su dormitorio, con el cabello revuelto y los ojos medio cerrados de sueño. *Pero tan hermosa que no es justo.* La joven miró rápidamente a otro lado y siguió avanzando, como si hubiera esperado encontrarlo allí tan temprano, con el pecho desnudo y empuñando un cuchillo. Baltasar, por su parte, se había apresurado a seguir cortando los puntos, haciendo como que no estaba allí.

Llevaban tres días con aquella actitud. No habían intercambiado ni una sola palabra desde su doloroso reencuentro. Baltasar se había empeñado en evitarla, pasando la mayor parte del tiempo en su habitación de la planta de arriba, curándose la hinchazón de los ojos y las heridas de los labios. Bajando a la planta inferior sólo cuando sabía que ella estaba fuera o dormida, y dependiendo de José para que le llevara las comidas. Pero no podía dejar de pensar que aquel día se irían, y dio vueltas y más vueltas en la cama hasta que no pudo más. Así que había ido a la planta baja, pensando que sería el único que estaría despierto a aquellas horas.

Seguro que ella ha pensado lo mismo. Y ahora estamos los dos aquí.

Baltasar había experimentado aquellos tensos silencios con otras mujeres. Silencios en los que el aire parecía volverse inflamable. Durante los que una simple chispa podía incendiarlo todo. Por eso era mejor no decir nada. Nada bueno podía salir de las palabras. No cuando una sola sílaba mal puesta podía saltar por el aire y prenderle fuego, y hacer que uno saltara en pedazos.

La miró mientras cruzaba la habitación hasta el otro lado, hacia una jarra de agua que había en el alféizar de una ventana abierta. Fingiendo cortar las hebras de los puntos, lanzaba miradas furtivas a la mujer que se mojaba las manos y luego la cara para alejar el sueño, que a continuación se alisaba el pelo...; todo ello mientras su injustamente hermosa silueta se perfilaba contra las revoloteantes cortinas.

—Lo siento —dijo la mujer de espaldas a él—. Ya sabes..., siento lo que te hice en la cara.

A Baltasar le sorprendió oír su voz, y mucho más oírla pronunciar lo que parecía una disculpa sincera. Pero no respondió nada. Se quedó sentado a la mesa, con la mitad de los puntos. *Nada bueno podía salir de las palabras.*

—Es que verte... —añadió— fue un poco...

¿Qué? ¿Inquietante? ¿Sorprendente? ¿Tan inconcebible que tuviste que darme patadas y puñetazos para convencerte a ti misma de que era real? Un momento, un momento, ¿por qué estás hablando? ¿No sabes que el aire puede empezar a arder y quemarnos a los dos?

Sela se sacudió el agua de las manos, abrió las cortinas y miró las calles vacías de Beersheba.

—Cuando te fuiste —dijo—, había días en que iba a la orilla del río. Me quedaba allí durante horas, mirando el desierto. Preguntándome si estarías allí. Preguntándome dónde estarías, qué estarías haciendo. Si estarías vivo por lo menos. A veces..., a veces alargaba la mano, me inclinaba y cerraba los ojos. Con el brazo estirado y la mano abierta, escuchaba. Me quedaba quieta... como si pudiera sentirte con mi cuerpo. Como si pudiera enviarte un mensaje. Enviarte un pensamiento con la mano estirada y pedirte que volvieras a casa. Y era una estupidez, una gran estupidez.

Se volvió. Baltasar vio lágrimas en sus ojos, amenazando correr por sus mejillas.

—Era estúpido e ingenuo, pero a pesar de todo iba, día tras día, convencida de que antes o después uno de esos pensamientos te alcanzaría.

Me alcanzaron..., pensaba en ti cada...

—Me destrozaste, Baltasar.

Lo sé.

—Me enseñaste lo que era la alegría de vivir y luego te fuiste.

Y tú precisamente deberías saber por qué tuve que marcharme.

—Te fuiste y al cabo del tiempo... te olvidé. Olvidé aquel sentimiento. Incluso olvidé tu rostro.

¿Qué podía decir él? ¿Cuántas veces no había pensado en aquello? ¿Cuántas veces no había imaginado aquella conversación? ¿La posibilidad remota de volver a verla? Y ahora que estaba allí, no tenía nada que decir.

—Tu madre falleció, Baltasar.

Tardó un momento en entenderlo. Cuando lo entendió, habría jurado que oyó el susurro de aquel aire incendiario saliendo de la habitación.

Oh, no te sorprendas tanto, Baltasar. No te atrevas a lloriquear ahora, como si no lo hubieras sabido. Pues claro que murió. Tú ya sabías que ocurriría. Tú lo elegiste, Baltasar. Sabías que no volverías a verla nunca más..., no después de lo de Abdi. No después de tu partida.

—Lo siento —añadió ella—. Tendría que habértelo dicho antes.

Baltasar sintió que las lágrimas le desbordaban el párpado inferior y que también en su caso amenazan con caerle por las mejillas. Le resultaba inevitable pensar en su madre sola en los últimos días de su vida. Totalmente sola, con tantas preguntas sin respuesta, tanto dolor por lo que había perdido. Fue inevitable imaginarse su rostro. *Prométeme..., prométeme que nuestra felicidad no es a costa de la de otro.* Pues claro que lo era. Procedía de una pérdida terrible. *De lo que ella había perdido. Y ahora ya nunca la veré para contarle lo mucho que siento...*

Ella se volvió. No quería que Sela viera las lágrimas que habían cumplido su amenaza. Ella se acercó a la mesa, enjugándose sus propias lágrimas. Baltasar medio esperaba que le pusiera la mano en el hombro. Incluso un beso de condolencia en la frente. Quería que pasara aquello más de lo que podía expresar, aunque sólo si ella estaba dispuesta a dárselo. No eran caricias que le pertenecieran.

—Baltasar, si todavía te importo algo, tienes que prometerme una cosa.

El hombre se limpió las lágrimas y la miró.

Lo que sea.

—Prométeme que, cuando te vayas, no volveré a verte nunca más.

Tras decir aquello se fue, para que se quitara en paz los últimos puntos del pecho.

VI

La mañana daba paso al mediodía, y Melchor y Gaspar seguían sin aparecer. Baltasar paseaba de aquí para allá, con el rostro y los labios prácticamente curados, agitando con sus movimientos las cortinas, que estaban echadas para impedir la entrada del sol. *¿Dónde estarán?* Habían ido a buscar comida y provisiones poco después del desayuno, dejando al resto de los fugitivos con Sela para cargar los camellos y preparar la partida. Tenían un largo camino por delante. Si se apresuraban, descansando sólo unos minutos de vez en cuando y acampando en medio del desierto, podrían alcanzar la tierra de Egipto en dos días.

María estaba en la habitación de al lado, amamantando al niño bajo el manto, mientras Sela les llenaba los odres, procurando no derramar ni una preciosa gota de agua. José estaba rezando otra vez, arrodillado en un rincón de la habitación, murmurando para sí. Aunque sus palabras eran apenas un susurro, en los oídos de Baltasar fueron aumentando de volumen. *Tenemos problemas reales. Problemas reales en el mundo real y él se sienta ahí a hablar con Dios.* Finalmente, no pudo más.

—¿Podrías... dejar de hacer eso?

José dejó de murmurar, aunque siguió con los ojos cerrados.

—Tú te paseas cuando estás nervioso —replicó—. Yo rezo. Yo diría que, de los dos, mi método es el menos molesto.

—De los dos —dijo Baltasar—, yo soy el que tiene la espada, así que me callaré y haré algo de provecho para no cortarte la lengua.

José abrió los ojos, se levantó y se puso delante de Baltasar.

—¿Por qué te molesta que rece?

—¿Por qué, por qué? ¡Porque no paras! ¡En mi vida he oído a nadie parlotear tanto con Dios!

—Bueno, tengo que agradecerle muchas cosas.

—¿Cuáles? ¿Que todo el mundo quiera ver muerto a tu hijo? —le preguntó.

—Le doy las gracias por ti.

La respuesta de José tuvo el efecto deseado: detener a Baltasar en seco.

—Tú nos salvaste en Belén —añadió el marido de María—. Nos condujiste por el desierto, nos trajiste aquí. Y casi diste tu propia vida por conseguirlo. Le daba gracias a Dios por haberte enviado, porque, de no ser por ti, estaríamos muertos.

—En adelante, podrías ahorrarte el dar gracias a Dios y dármelas a mí directamente.

José sonrió.

—Conozco hombres como tú —repuso—. Hombres que creen que Dios nos ha abandonado. Que se ha cansado de nuestras imperfecciones. Esos hombres están cargados de pecados. De debilidad, tentaciones y culpa. Así que piensan: a todos los hombres les debe de pasar lo mismo. Y si a todos los hombres les pasa esto, ¿por qué iba a querer Dios tener nada que ver con el hombre?

—Y yo conozco a hombres como tú —replicó Baltasar—, hombres que creen que cada gota de orina es una bendición del Dios Todopoderoso. Hombres que pasan sus miserables vidas meciéndose y murmurando, leyendo papiros y pegándole fuego a sus cabras..., temerosos de comer la carne que no deben, o de pronunciar la palabra prohibida, o de tener un pensamiento indebido, pues tienen miedo de que el puño de Dios surja de entre las nubes y los aplaste. Bueno, déjame decirte, y hablo por experiencia, que a Dios no le importa, ¿vale? No le importas tú, ni yo, ni lo que hacemos, decimos, comemos o pensamos.

—Le importa lo suficiente para enviarme a su hijo.

Esta vez Baltasar no disimuló que elevaba los ojos al techo. *Y encima se burla de mí.*

—Vale, vale..., el Mesías. Deja que te haga una pregunta: en todos estos miles de años, entre todos los miles y miles de judíos, ¿tenía que elegirte a ti? ¿Dios eligió a un pobre carpintero y a una muchacha para que lo criaran? ¿Y por qué no a un rey, eh? ¿Por qué no dejar que fuera el hijo de un emperador y darle una oportunidad real de cambiar las cosas?

José meditaba aquellas razones cuando el niño empezó a llorar en la habitación contigua. La verdad es que lo único que se le ocurrió fue:

—No lo sé. Sólo sé que nos lo envió.

—¿Lo ves? —replicó Baltasar con una sonrisa—. Eso es lo malo de tu Dios. No piensa bien las cosas...

—¡Baltasar... de... Antioquía!

El grito, que procedía de la calle, atajó la ofensa de Baltasar. Era una voz desconocida y había sonado en la puerta de entrada. Sintió que la fuerza abandonaba sus miembros. La sangre se le heló en las yemas de los dedos, igual que cuando había visto las legiones romanas en Hebrón.

Nos han encontrado.

Siguió un momento de silencio. Un silencio sepulcral durante el que José y él cambiaron una mirada de temor, olvidando por completo su discusión. Se acercaron a la ventana más próxima para mirar entre las cortinas.

Al otro lado de la calle se alzaban las casas vacías de Beersheba. Delante de ellas, cuadrados y firmes, había soldados romanos... bajo el mando de un joven oficial montado en un caballo castaño. Muy por detrás de la formación y de las casas vacías había una gran nube oscura flotando en el horizonte, silenciosa, inmóvil. *Una tormenta de arena* —pensó Baltasar—. *Una tormenta de órdago.*

—Así te llaman, ¿no? —prosiguió el romano—. Baltasar.

El llanto del niño sonó de repente tras él. María y Sela habían acudido corriendo a la habitación, atraídas por el alboroto. En cuanto vieron a Baltasar y a José arrodillados delante de la ventana, lo supieron. *Nos han encontrado.*

—¿Podemos salir por detrás? —preguntó Sela.

—Lo dudo —respondió Baltasar.

Un tipo listo aquel oficial. Esta vez habría tenido la precaución de rodearlos antes de hacer nada. Asegurarse de que no había posibilidad de huir. Aquellos pensamientos descorazonadores estaban formándose en su cabeza cuando vio a dos hombres al lado del caballo del oficial. Pero no eran romanos ni soldados de Judea. Eran mentirosos y ladrones. Cobardes y traidores.

Melchor y Gaspar.

—No me extraña que no lo utilices —añadió el oficial—. Fantasma de Antioquía es mucho más vistoso, más amenazador.

Baltasar fulminó con la mirada a sus compinches, situados al otro lado de la ancha calle.

—¿Cuánto tiempo? —gritó—. ¿Cuánto tiempo lleváis trabajando los dos para esos perros? ¿Así fue como nos encontraron en Hebrón? ¿Los habéis conducido directamente hasta nosotros?

—Te juro por mi vida —repuso Gaspar— que no hemos hecho nada de eso.

—¿Por tu vida? ¡Tu vida no vale un escupitajo de tu boca embustera! ¡Tienes una vida porque yo la salvé! ¡Te salvé! ¡Os salvé a los dos!

Allí estaba. La confirmación de todo aquello en lo que Baltasar creía. La prueba de que los hombres eran perros y todos los corazones cántaros vacíos. *Lástima que no vaya a vivir lo suficiente para echárselo en cara a José.*

—Tienes que entenderlo —se justificó Gaspar—. ¡Nos han atrapado en el mercado! Nos... nos reconocieron. No nos quedó más remedio que...

—¡Cuentos!

Baltasar tenía razón. Gaspar llevaba días pensando en traicionarlo, sobre todo desde que estuvieron a punto de ser capturados en Hebrón. Y después de ver que el poderoso Fantasma de Antioquía era derribado a golpes por una mujer, la poca fe que le quedaba en su temerario jefe se había evaporado. Mejor negociar la propia salvación que unir su destino a Baltasar, cuya suerte estaba claro que se había desvanecido.

—Nos ofrecieron el perdón —adujo Melchor, con un tono tan estúpido y de disculpa que era difícil no sentirlo por él.

Al menos eso era cierto. Cuando Gaspar se acercó a los romanos, a Melchor y a él les habían ofrecido el perdón a cambio de entregar al Fantasma de Antioquía y al niño.

—Nos ofrecieron el perdón si los conducíamos hasta...

—¿Conducirlos adónde? —preguntó María—. ¿Adonde estaba el niño? ¡No sois mejores que los hombres de Herodes! ¡Ninguno de los dos!

Melchor, avergonzado, desvió la mirada.

—Lo siento —dijo Gaspar.

—Vete al infierno —replicó Baltasar.

En materia de imprecaciones se había quedado más bien corto. Sobre todo porque no creía en la existencia de aquel lugar. Pero dadas la situación, con toda una legión de romanos vigilándolos, rodeando la casa, fue lo primero que se le ocurrió. Esta vez no habría peregrinos furiosos que los ayudaran a combatir. Esta vez serían capturados o...

—¡Baltasar!

Sela estaba mirando por una ventana lateral, claramente consternada. O al menos mucho más consternada que los demás. Baltasar y el resto corrieron hacia ella y miraron a través de las cortinas. Y vieron el motivo.

Van a quemarnos vivos.

Unos cuantos soldados romanos aguardaban con antorchas en la mano, preparados para obedecer la orden. Su joven capitán, montado a caballo, miraba alternativamente la casa que tenían rodeada y la enorme nube oscura que se cernía en el horizonte. *Una tormenta de arena* —pensó—. *Grande y aproximándose.*

A pesar del temor de los fugitivos a acabar achicharrados, Pilatos no tenía intención de quemarlos. Dentro de la casa había zelotes judíos y él sabía cómo pensaban los zelotes. *Preferirían inmolarse a Dios en holocausto a rendirse ante un romano ateo como yo.* No, si ordenaba que prendieran fuego a la casa, lo único que conseguiría sería un puñado de mártires. ¿Y de qué serviría eso? ¿Y el Fantasma de Antioquía? ¿Qué gloria obtendría por haberlo reducido a cenizas? Pilatos quería presentarse ante su emperador con un individuo vivo y coleando, no con un montón de restos calcinados. Al contrario que Herodes, no quería mancharse las manos con sangre de mujeres y niños. Aquella campaña ya había adquirido un cariz suficientemente desagradable.

Era triste cosa perseguir a un niño recién nacido con espadas y lanzas. Pero Pilatos se había consolado con la idea de que él se limitaba a llevar a sus víctimas ante el juez. No era responsable de lo que ocurriera después. Lo que no le gustaba era el mago, ni que asustara a sus hombres con sus extraños ritos y con su solo aspecto. No le gustaba el poder que parecía tener para invocar visiones del aire, para insuflar vida en lugares donde no debía haberla, ni que pareciera saber con exactitud adónde se dirigían sus presas. Aquello era un ocultismo totalmente diferente, algo que todo hombre racional debería temer. Pero en aquel caso, Pilatos tenía las manos atadas. Augusto lo deseaba así y así debía hacerse. A pesar de todo, había procurado tener al hombrecillo místico del emperador a buen recaudo..., y lo tenía aislado «por su propio bien», bajo vigilancia, solo en su tienda. A kilómetros de donde estaban ahora...

Un momento.

Pilatos dejó de divagar y recuperó las riendas de sus pensamientos. La imagen del mago había aparecido en su cabeza de repente, distrayéndolo de la tarea que tenía entre manos. Cuando se dio cuenta, vio que los soldados de las antorchas avanzaban hacia la casa, con faz inexpresiva. Con movimientos forzados y torpes, como si sus miembros estuvieran dirigidos por cuerdas y los movieran desde arriba. Al principio pensó que era una especie de broma.

—Pero ¿qué hacen? —gritó Pilatos a sus oficiales—. ¿Qué hacen?

Cuando se fijó en sus caras, lo comprendió. *No tenían ni idea de lo que hacían.*

—¡Alto!

Pero era demasiado tarde. Habían puesto antorchas al pie de todas las paredes de la casa y, a los pocos segundos, las llamas se habían hecho dueñas del lugar. Subieron por las paredes, avivadas por la sequedad del clima que padecía todo el pueblo de Beersheba. Y aunque no tendría la oportunidad de demostrarlo, Pilatos se iría a la tumba creyendo que el mago era el responsable de todo aquello: de anegar sus pensamientos para entretenerlo. Sentado en su tienda con las piernas cruzadas, con los ojos cerrados, murmurando alguna extraña cantinela antigua. Controlando a sus hombres, sin dejar de pensar: *Esto es lo que has conseguido por querer atarme corto, birria insignificante.*

Dentro, Baltasar y los demás retrocedieron cuando las llamas entraron por las ventanas, llenando la habitación de aire abrasador y prendiendo en las cortinas. El humo empezó a espesarse casi de inmediato, reptando por el techo y forzando a los fugitivos a agacharse. Mientras María cubría la cabeza del niño con sus ropas, Sela corrió a la pared más alejada del fuego, cogió una palangana y tiró su contenido a las cortinas incendiadas. Pero tuvo el mismo efecto que escupir en un volcán. El fuego se extendía demasiado rápido y el humo ya era demasiado espeso para atajarlo. Se enfrentaban a una desagradable elección entre quemarse vivos o salir corriendo de la casa y ser capturados por los romanos.

Antes de que a Pilatos le diera tiempo de ordenar a sus hombres que irrumpieran en la casa, una masa oscura procedente del oeste atrajo su mirada. La nube se había elevado en el horizonte y había crecido a ojos vistas. Pilatos no había visto nunca que una tormenta de arena se moviera tan aprisa. Pero aquello no era lo único extraño de aquella nube. Fuera lo que fuese, chirriaba. El ruido apenas fue perceptible al principio, pero ahora era inconfundible. La nube daba gritos, chillidos agudos. Emitía unos ruidos constantes, fantasmales, como el gemido incesante de un animal furioso. El grito de un dios colérico. Un millón de voces elevadas al unísono, acercándose cada segundo que pasaba.

—Una tormenta de arena —comentó Gaspar—. Deberíamos ponernos a cubierto.

—No es una tormenta de arena —repuso Pilatos con los ojos fijos en la estridente nube.

Es un enjambre.

Langostas. Millones de langostas volando en una nube tan compacta que ocultaba la luz del sol. Moviéndose a una velocidad que desafiaba a la naturaleza. Langostas que cruzarían la población, recorriendo sus calles vacías y sus casas abandonadas como un maremoto, dirigiéndose directamente hacia ellos. No quedaban cosechas que devorar en Beersheba..., pero allí estaban a pesar de todo.

Los hombres de Pilatos también las vieron. Oyeron el chirrido de millones de langostas, vieron la ola extenderse por la población. Al igual que su jefe, dejaron de mirar las llamas que lamían las paredes de la casa y se quedaron mirando la nube como si estuvieran en trance. *Eso no es una tormenta de arena...*

Algunos hombres rompieron la formación y echaron a correr en busca de refugio, pero era demasiado tarde. Cuando apenas habían dado unos pasos, la vanguardia de la nube cayó sobre los romanos con fuerza suficiente para derribarlos. El caballo de Pilatos retrocedió asustado y lo tiró al suelo. Desorientado y herido, se cubrió el rostro con los brazos y se enroscó formando una pelota mientras el ruidoso enjambre pasaba por encima. A su alrededor, los hombres levantaban los escudos hasta la cara para protegerse del ataque, y los insectos chocaban contra ellos como piedrecillas arrojadas con tirachinas. Las langostas se metían en la boca de los que habían cometido la imprudencia de abrirla y se les colaban en la garganta veinte o treinta a la vez, asfixiando a los soldados con sus cuerpecillos acorazados, mordiéndolos por dentro hasta que la sangre les salía por la boca y la nariz.

Lo que había empezado como un asedio ordenado se convirtió de repente en un caos. Un enjambre inacabable cayó sobre los romanos, ahogándolos, cegándolos unas veces por la ingente cantidad que constituían y otras porque les devoraban los ojos en masa. Los hombres trataban de espantar a las langostas, de aplastarlas con la mano. Pero por cada animal muerto aparecían diez. Habría dado el mismo resultado si se hubieran defendido a manotazos de una lluvia de alquitrán hirviendo.

Todavía hecho una pelota en el suelo, Pilatos vio a un hombre arrastrándose a su lado, completamente cubierto de langostas. El hombre se arrastró unos metros, se detuvo... y las langostas que lo cubrían salieron volando en masa, dejando tras de sí una mezcla de hilachas de piel y entrañas al descubierto. Le habían desaparecido los labios, los dientes parecían esbozar una espantosa sonrisa inmóvil y las cuencas de los ojos no eran más que agujeros vacíos. Aquel cuerpo parecía un cadáver picoteado por los cuervos durante una semana. Pero todo había ocurrido en unos segundos.

Pilatos oía por todas partes el crujido de los cuerpecillos alados mientras los soldados corrían en busca de refugio en las casas más próximas o rodaban por la calzada, tratando desesperadamente de quitarse de encima los miles de insectos que les cubrían los brazos, las piernas y la cabeza. Vio un soldado sentado que se apretaba las sienes con las manos y que se agitaba. El hombre dejó escapar un grito ahogado y luego cayó al suelo, quedando silencioso e inmóvil. Un momento después, vio que de la boca y las orejas del soldado salían regueros de langostas que fueron a reunirse con el resto del enjambre. Aquéllos no eran los animalejos estúpidos y medio cegatos que habían recorrido la mitad de África devorándolo todo, hoja por hoja, brizna por brizna. Aquellos insectos estaban poseídos por algo. Recibían órdenes.

Pilatos se volvió hacia un par de voces cercanas y vio a Gaspar y a Melchor arrastrándose por el suelo en busca de refugio, con las langostas cubriéndolos como una manta. No dejaba de ser curioso: los voraces animales parecían concentrarse en unos hombres, mientras que a otros los evitaban por completo. *Como a mí..., al menos hasta ahora.* En el caso de Melchor y Gaspar, parecían menos interesadas en matar que en torturar, pues les mordían la carne, pero dándoles únicamente bocados microscópicos.

Pilatos observó a los ladrones que se arrastraban y se preguntó qué significaría todo aquello. Se preguntó si detrás de aquel grotesco ataque estaría el mago o alguna otra clase de magia. *Porque si no es el mago, ¿quién entonces?* Habría estado mirando y haciéndose preguntas hasta el fin de los tiempos... o hasta que las langostas hubieran cambiado de idea y se hubieran ensañado con él, si uno de sus lugartenientes no lo hubiera cogido del brazo y lo hubiera conducido a una de las casas contiguas. Mientras se dejaba conducir, vio que las llamas que habían envuelto la fachada del escondite de los fugitivos empezaban a retroceder, contenidas por las langostas que se arrojaban alegremente al fuego, como sacrificándose para apagarlo, ganando así un tiempo precioso para los moradores de la casa.

En el interior de la misma, María se había vuelto para enterrar el rostro en el hombro de José, aterrorizada por aquel chirriar de ultratumba y horrorizada por el espectáculo de los hombres devorados vivos. Baltasar también se volvió..., menos horrorizado que confundido, y se encontró frente a una carita sonriente. A pesar del caos de las calles, a pesar de los gritos de los hombres despellejados, el niño había recuperado su anterior actitud, tranquila y curiosa. Descansando en los brazos de su asustada madre, miraba —*no, sonreía de oreja a oreja*— a Baltasar. Sela atravesó corriendo la habitación, corriendo las cortinas de todas las habitaciones, como si el fino tejido bastara para impedir la entrada del enjambre. *Pero no van a entrar* —se dijo Baltasar—. *Ni siquiera lo intentarán... porque no han venido por nosotros.*

De alguna manera lo sabía. El extraño y casi cegador cometa que había brillado en el cielo de Belén. El arroyo limpio y fresco que había aparecido en medio del desierto. Una plaga de langostas que derrotaba al ejército romano. Tomados individualmente, de uno en uno, no eran sucesos extraños. Dos ya eran más difíciles de aceptar. Pero ¿tres? Demasiados para que los tomara a la ligera incluso el pragmático más cerril. Ser testigo de algo tan increíble que no pudiera ser verdad era una sensación interesante. Y Baltasar se deleitó unos momentos en ella, viendo gritar a los romanos, hasta que la razón se adueñó de sus sentidos y una palabra lo golpeó con la fuerza de un puño salido de las nubes:

Marchaos.

10

Los muertos

«Huesos secos, oíd la palabra de Yavé. Así dice el Señor Yavé a estos huesos: voy a hacer entrar en vosotros el espíritu y viviréis; y pondré nervios sobre vosotros y os cubriré de carne, y extenderé sobre vosotros piel y os infundiré espíritu, y viviréis y sabréis que yo soy Yavé.»

Ezequiel 37, 4-6

I

Todos habían soportado tormentas de arena, habían sentido los pinchazos de los granos de arena en su piel, el desierto seco soplando sobre sus ojos entornados. Pero aquello no se parecía a nada que hubieran podido imaginar.

Aquella tormenta estaba viva.

Cada grano de arena había sido reemplazado por una langosta. Con sus ojos negros y sin vida, con aquellas patas filiformes y aquellos duros caparazones del color de la arena del desierto, los diminutos animales volaron hacia ellos como restos arrastrados por un tornado, formando una nube que rodeó a los fugitivos, cegadora por su densidad, ensordecedora por la agitación de millones de alas. Y mientras de lejos parecía que las langostas volaran por su cuenta, por la forma de moverse la nube estaba claro que las impulsaba algo poderoso. Algo furioso.

Hasta el momento, el pálpito de Baltasar había resultado cierto. Las langostas no parecían interesarse por ellos. Por lo menos no directamente. No de la forma en que se habían interesado por los romanos, asfixiándolos, devorándoles los ojos y la carne. Pero aunque no fueran el objeto de su ira, los fugitivos tuvieron que batallar contra los millones y millones de insectos que volaban en dirección a Beersheba, acribillándolos como si fueran piedras vivas y dejándoles marcas en los brazos y el rostro mientras avanzaban a contracorriente. La situación continuó hasta que la oscuridad producida por el vuelo de las langostas empezó a dar paso a la oscuridad producida por el ocultamiento del sol, y la nube se desvaneció por fin.

Conforme el sol se ponía en el horizonte, pintando el pálido cielo con sus últimos rayos, los fugitivos se detuvieron a descansar y a hacer balance de lo que habían visto. José hizo un hato con las ropas para apoyar la cabeza y dormir unos preciosos minutos en el suelo. María, en cambio, aprovechó la parada para amamantar al niño bajo sus ropas.

Sela se sentó a un tiro de piedra de donde estaban los demás, bebió de un odre y se miró los brazos y las piernas para observar las pequeñas moraduras que le habían causado en la piel los constantes impactos de las langostas y para analizar los pensamientos que llevaban varios días latiéndole dentro de las paredes del cráneo.

Aquí estoy.

Una vez más, Baltasar se las había arreglado para volverle la vida del revés. La primera vez lo había hecho al abandonarla. Esta vez, apareciendo de repente.

Sela había sido muy infeliz en Beersheba, había estado totalmente sola. Ahora que su infelicidad tenía compañía, estaba peor que nunca: atrapada en el desierto sin una sola posesión en el mundo. Atrapada con dos extraños, un niño y una antigua pasión que había aprendido a odiar en los años de ausencia. Aunque pudiera regresar a Beersheba, ¿qué le quedaba allí? Su casa había ardido. Su ciudad había sido abandonada. Si los capturaban, los romanos la matarían tan rápidamente como a los demás. Ahora era uno de ellos, le gustara o no. Una fugitiva. Y aunque en otro tiempo le habría parecido una idea romántica y aventurera, ahora no era más que un gran fastidio, un incordio.

Sela tomó otro trago, pensando en sus limitadas opciones. Iría a Egipto con ellos, sí. Ir al sur tenía sentido y era más seguro yendo en grupo, aunque no fuera el grupo que hubiera elegido de haber tenido esa posibilidad. Pero no se quedaría en Egipto. Continuaría el viaje sola. Quizá por el norte de África hasta Cartago, o por mar hasta Grecia.

Reconstruiste tu vida una vez; puedes volver a construirla.

No tenía ningún interés por desempeñar el papel de mujer extravagante con una pareja de judíos. Tampoco por seguir con el hombre que en otro tiempo había sido el amor de su vida. Aparte de que Baltasar tampoco sentía ningún interés por ella. Él iba por su cuenta, observando...

Un rebaño de cabras monteses pastaba a lo lejos. Era un rebaño más pequeño, una docena de cabezas aproximadamente. No como el rebaño de cien o más que habían visto en las afueras de Hebrón, cuando se habían dirigido hacia la emboscada. Baltasar estaba sentado lejos de los demás, mirando los animales que rumiaban con aire ausente. Consolándose con el espectáculo.

La felicidad de las cosas pequeñas y sencillas.

Pasaban su breve vida vagando, yendo de un lugar a otro, cogiendo lo que necesitaban para vivir. Siempre buscando la siguiente mancha de brotes verdes que les permitiera sobrevivir, siempre corriendo cuando había peligro, sin detenerse hasta que las cazaban o sencillamente desaparecían en la nada. Olvidadas.

Baltasar tenía un millón de explicaciones para lo que había visto en Beersheba, aunque ninguna con mucha lógica. También se le ocurrían miles de razones para explicar que un arroyo surgido de la nada cruzara el desierto o que estallara una revuelta en el preciso momento en que lo necesitaban. Pero ya no era capaz de reprimir la fastidiosa sensación que hacía días lo acosaba por el desierto.

Ese niño es especial.

Era necesario que lo fuera. ¿Por qué si no tanta gente quería verlo muerto? Una criatura diminuta, recién nacida, que todavía no había pronunciado una palabra. Una criatura que no había acabado de abrir los ojos y que aún tenía la cabeza a medio formar. ¿Y por qué parecía siempre tan tranquilo? ¿Como si supiera exactamente lo que estaba pasando? ¿Por qué el anciano del sueño le había enseñado una imagen de Egipto? ¿Por qué incluso la naturaleza parecía acudir en su auxilio cuando lo necesitaban? ¿Y de qué modo?

Baltasar tenía muchas más preguntas. Muchas dudas. Dudas sobre sus viejas dudas. Y aquel torbellino de preguntas y dudas lo tenía confuso. Y estar confuso lo ponía furioso. Y allí estaba, sentado lejos de los otros, viendo el cielo oscurecerse lentamente sobre el desierto. Furioso y solo.

Sela había estado mirándolo durante un rato, cuando una voz incorpórea trajo a su desgracia la compañía que menos deseaba.

—¿Por qué no vas a hablar con él?

Se volvió a la izquierda y vio a María andando hacia ella, amamantando al niño bajo sus ropas.

—¿Qué dices?

—¿Por qué no vas con él? —repitió la joven madre, sentándose a su lado—. Siéntate con él. Háblale.

—¿Y por qué iba a hacerlo?

María pareció confundida. *¿No salta a la vista?*

—Porque... lo amas.

Sela estaba segura de haber parpadeado. *¿Amarlo? ¿Yo?*

—¿Viste cómo lo saludé cuando se presentó ante mi puerta?

—Sí. Y si no te hubiera importado, le habrías dado la espalda. Le habrías dado con la puerta en las narices. Pero al verlo te pusiste furiosa. Violenta. Eso son sentimientos apasionados. No sentirías eso si no te interesaras por él.

—Es un poco tarde para la pasión.

—Si entre vosotros hubo amor, amor auténtico, ¿quién puede decir que no vuelva a...?

—¿Sabes una cosa? —la interrumpió Sela—. Creo que tenemos asuntos más urgentes de los que hablar, como que estamos en medio del desierto. O que un ejército nos esté buscando para matarnos.

María se dio cuenta de que había ido demasiado lejos.

—Lo siento —murmuró.

—No pasa nada.

—No, tienes razón. No es asunto mío.

—De verdad, no es nada. Déjalo ya...

—Sólo quería ayudar. Darte un pequeño consejo.

Sela no pudo reprimir una sonrisa.

—¿Qué? —preguntó María.

Di: «Nada», Sela. No la ofendas, déjala en paz.

—Es que... me parece gracioso, nada más.

—¿Qué te parece gracioso?

Déjalo ya, Sela...

—Que una muchacha de quince años me dé consejos sobre el amor. Una muchacha que admite voluntariamente que su hijo no es de su marido.

Siguió un largo silencio.

—Es diferente —repuso María al cabo del rato—. Es el hijo de Dios.

Sela volvió a sonreír.

—Creía que todos éramos hijos de Dios.

Otro largo silencio y Sela barruntó un asomo de arrepentimiento. Se dio cuenta de que esta vez había hecho daño a la muchacha.

—Crees que doy risa —dijo María.

Sela elevó los ojos al cielo. *Ya estamos.* Aquélla era exactamente la conversación que no tenía ganas de entablar. No en aquel momento. Ya no eran dos mujeres hablando de hombres. *Cambia de tema.*

—No creo que des risa. Lo que pasa es que... —*¿Cómo decirlo?*

—Lo que pasa es que no me crees —completó María.

Fíjate en su rostro... Cuánta seriedad; una muchacha de quince años que cree que lo sabe todo.

—No —admitió Sela—. Me temo que no.

María se volvió a mirar el semblante, siempre sombrío, de su dormido cónyuge. Su agotado marido, cubierto de cardenales por haberla protegido durante la tormenta. *Pobre José* —pensó—. *Pobre y noble José.*

—Lo entiendo —dijo—. A veces yo también me pregunto por qué, entre todas las mujeres del mundo, me eligió a mí. ¿Acaso no iba a querer a mi hijo como se supone que tiene que quererlo una madre? ¿No iba a abrazarlo cuando llora? ¿Consolarlo cuando está asustado? ¿Reñirle cuando se porta mal? ¿O debería venerarlo incluso ahora?

—Ya veo que debe de ser complicado.

—Yo no pedí esta carga. No pedí a los cielos, ni supliqué a Dios ningún honor. Pero éste es el camino que Dios ha elegido para mí, y tengo que recorrerlo. —Se volvió a mirar a Sela—. Puedo recorrerlo sola o de la mano de mis seres queridos. En cualquier caso, es el mismo camino.

Sela la miró fijamente y sonrió. Supuso que aquella adolescente sabía más de lo que parecía. María desvió la mirada y posó los ojos en el desierto, en la silueta desdibujada de su protector, su guardaespaldas.

—Él tampoco me cree —apostilló, refiriéndose a Baltasar.

—Sí, bueno, no te lo tomes como algo personal. Él no cree en casi nada.

—Es un hombre extraño. Luchará para proteger a mi hijo, pero ni siquiera lo mira y mucho menos lo abraza. Y me pregunto por qué un hombre puede llegar a estar tan furioso. A ser tan cruel y violento. Y por qué ese mismo hombre arriesga su vida por un niño al que apenas conoce.

Fue el turno de Sela de quedarse en silencio, pensando. Quizá se sentía culpable por haber ofendido a María, o quizá necesitara dar a entender, a una muchacha que creía saberlo todo, lo poco que realmente sabía. Quizá fuera la necesidad de poner orden en su cabeza, de recordarse a sí misma cómo había empezado todo. Fuera cual fuese la razón, decidió en aquel momento hablarle a María del día que Baltasar había muerto.

—Todavía vivíamos en Antioquía —empezó.

II

Y de nuevo tenemos quince años, y sentimos un amor joven, de-
sesperado. Aquí estamos Baltasar y yo, besándonos a orillas del
Orontes, y todo es hermoso, dorado y eterno, y siempre lo será. Y
aquí está el hermano pequeño de Baltasar, Abdi, siguiéndonos a to-
das partes. Cuatro años y con el medallón de oro al cuello. El que su
hermano mayor robó para él, aunque no quiso decirme dónde ni a
quién. Aquí está, imitando orgullosamente a Baltasar. Dios mío,
cómo quiere a su hermano mayor. Y Dios mío, cómo lo quiere Balta-
sar a él, más que a ningún objeto, idea o sentimiento de este mundo.
Ambos lo queríamos. Es nuestro compañero constante. Nuestra som-
bra. Nuestro hijo. Un hijo para practicar, para cuando tengamos los
nuestros cuando nos hayamos casado.

Pero todavía no ha llegado el momento del matrimonio. Antes
Baltasar tiene que enseñarme a vivir de nuevo. A valerme por mí
misma. A luchar. A robar bolsas en el foro. Y Abdi observa mientras
me enseña. Imita a su hermano. Lo idolatra. Lo único que quiere es
estar con él.

Y ahí está Baltasar llevándome al foro cuando cree que estoy lista
para poner a prueba mis habilidades de ladrona con una víctima real.
Ahí está haciendo de cómplice. Y ahí está Abdi, al que se le ha dicho
que nos espere fuera del foro. «No te muevas de aquí —dice Balta-
sar— hasta que vengamos a buscarte.» Pero Abdi no hace caso, por-
que desea con todas sus fuerzas ser como su hermano. Y se pone en
acción, y trata de robar una bolsa por su cuenta. Nos ha visto practi-
carlo muchas veces, muy de cerca. Seguro que sabe hacerlo. Pero aún
no tiene ni cinco años, y no comprende que no se trata de un juego.
Y ahí está, siguiendo a un hombre en el foro. Un hombre que parece

tener una gran cantidad de dinero oculto. Ahí está, imitando los movimientos con que Baltasar desliza la mano entre las ropas de la víctima y saca su bolsa de dinero.

Y ahí está Abdi pillado en el acto.

Su mano atrapada mientras sus dedos se cierran alrededor de una bolsa llena de monedas. Atrapada por un hombre mucho más alto que él, que mira hacia abajo con unos ojos duros e inolvidables mientras sujeta la manita ladrona. La aprieta hasta que los huesos amenazan con romperse. La aprieta hasta que a Abdi no le queda más remedio que gritar. Y el hombre alto se inclina sobre el pequeño ladrón. Sobre aquella pequeña rata siria. La viva imagen de todo lo que funciona mal en aquella desdichada ciudad.

Y el hombre es un centurión romano.

Y los guardias del centurión los rodean. Y también un grupo de lugareños rodea al centurión y a su repentinamente asustado, asustadísimo niño, que aún no llega a los cinco años. Y unos cuantos lugareños, los hombres, suplican al centurión que lo deje marchar. «Nos aseguraremos de que sea castigado —le dicen—. Lo azotaremos hasta que sangre», dicen. Y el niño está aterrorizado, por supuesto. Gritando que lo suelten. Gritando porque la mano le duele mucho, muchísimo. Gritando porque acaba de enterarse de que no es un juego. Y el centurión desenvaina la espada. Y algunos de los que lo rodean protestan a gritos. Y los hombres redoblan sus promesas de castigar al niño ellos mismos, aunque saben que es inútil interferir.

«¡Que esto sirva de advertencia! —grita el centurión—. ¡Una advertencia de que no se tolerará ningún delito en Antioquía! ¡A nadie!»

Y aprieta con más fuerza todavía la mano de Abdi, que deja escapar otro grito. Pero entonces aparece Baltasar. Allí está el heroico hermano mayor que nunca jamás permitirá que le hagan daño a Abdi. Allí está Baltasar, atraído por los angustiados gritos de su hermano, corriendo en línea recta hacia el centurión, yo pisándole los talones. Atraídos por aquella voz conocida. Y Baltasar va a detener al romano antes de que haga lo que pretende. Va a detenerlo y a darle un golpe mientras Abdi y yo escapamos. Y es posible que pague por eso con la vida, pero no le importa.

Pero a los guardias del centurión sí les importa. Le cortan el paso antes de que alcance su objetivo. Forman una barrera ante su superior, sujetando los brazos y piernas de Baltasar para inmovilizarlo, aunque él forcejea y grita. Su mirada se encuentra con la de Abdi, y el hermano pequeño cae repentinamente en la cuenta de que el hermano mayor no puede salvarlo.

Y el centurión hunde la espada en el vientre de Abdi. Y el niño grita cuando su tierna carne se contrae sin rasgarse. Así que el centurión empuja con más fuerza y la piel se rompe finalmente, dejando entrar la espada. El acero atraviesa el pequeño vientre y sale por la espalda.

Y ahora nos detenemos un momento. Nos detenemos exactamente aquí, en este breve instante, porque nuestros ojos nos han engañado. Porque —nos decimos— eso no ha ocurrido, no es posible. No puede ser. No puede ser, porque los hombres no atraviesan a los niños pequeños con espadas. No puede ser, porque Abdi se hará viejo y pasará toda su vida con nosotros. Una vida plena, rica, llena de belleza y descubrimientos, llena del amor y de las oportunidades que un niño de buen corazón se merece.

Pero es real.

El centurión retira la espada y suelta la mano medio rota del niño. Lo deja caer sentado y el pequeño permanece sentado unos momentos, hasta que cae de lado, sujetándose silenciosamente el estómago. Taponando con las manos la sangre que se le cuela entre los dedos. Y mientras Baltasar lo observa desde un mundo en el que es imposible que eso ocurra, se imagina a Abdi asiéndole la pierna y llorando:

«Balsá, Balsá, quédate...»

Y la angustia. Los gritos de su hermano mayor. Su hermano mayor... tan pequeño aún, demasiado joven para soltarse de los guardias que lo retienen por los brazos y el cuello. Que lo tienen sujeto mientras forcejea y grita con todas sus fuerzas. Y la multitud está atónita.

Silenciosa. Impotente. No es asunto suyo. No quieren acabar al otro lado del río, en una de aquellas tumbas poco profundas.

Yo soy testigo de todo, estoy al lado de Baltasar, pero a kilómetros de distancia del dolor que siente. Está completamente solo en esto y yo lo sé. Incluso entonces, en los primeros segundos. Dejo de gritar y me vuelvo hacia él. Veo cómo sufre una transformación allí mismo, en el foro. Lo veo caer de rodillas. Lo veo recoger el cuerpo sin vida de su hermano, rodearlo con brazos temblorosos. Abrazar a nuestro hijo adoptivo. Y yo caigo de rodillas también, y siento el vómito que me sube por la garganta.

Y entonces los ojos del centurión se encuentran con los de Baltasar, y se da cuenta. El centurión se da cuenta de que Baltasar es un pariente. Un hermano. Y le sonríe; lo hace porque puede. Porque está más allá del alcance de la ley. Un dios. Y el centurión decide dejar su marca en aquella rata siria, y con la punta de la espada dibuja una equis en la mejilla derecha de Baltasar. Y al igual que la cicatriz, el rostro del centurión permanecerá para siempre con Baltasar.

Tras añadir la ofensa al asesinato, el centurión coge el medallón que lleva el niño, se lo arranca de un cuello que busca un aire que no puede encontrar y se lo cuelga él.

—Seguro que es robado —dice a los reunidos.

Y dicho esto, se va, se pierde en el bullicioso foro con sus guardias.

Por si acaso, *imagino.* Por si no estamos tan asustados como él cree y nos levantamos contra él.

Pero lo estamos. Estamos demasiado asustados y dejamos que se vaya a la seguridad y el anonimato de la clase dirigente romana que ocupa Antioquía. Y una vez que el centurión se ha ido, para no volver a aparecer nunca más, volvemos a concentrarnos en los dos hermanos. Uno mayor, el otro pequeño. Uno muerto, el otro deseando estarlo.

Y todos somos testigos. Todos miramos boquiabiertos aquel momento tan íntimo. Entrometiéndonos en su duelo con la mirada, incapaces de ofrecer consuelo. Juntos presenciamos el fin del ser huma-

no conocido como «Baltasar» y vemos el nacimiento de un nuevo ser.
El que llamarán «Fantasma de Antioquía». Una criatura furiosa y
asesina.

Ya no le basta con robar a los romanos. Quiere matarlos. No, no
quiere. «Querer» es demasiado poco. Es más que un deseo. Incluso
«necesitar» es insuficiente para describir lo que le corre por dentro.
Matará al centurión. Lo sabe con tanta seguridad como sabe su pro-
pio nombre. Como yo, quiere incendiar Roma hasta los cimientos.
Pero al contrario que yo, sabe que lo hará. No ese día concreto, ni al
cabo de un año, sino algún día. Sabe que estará observando cuando
Roma arda hasta los cimientos. Esa seguridad le calma. Y aunque no
es hombre religioso, reza por aquello. Reza de todo corazón, como
ningún hombre ha rezado jamás. Una plegaria silenciosa, exacta-
mente allí, en el foro:

Concédemelo, oh, Señor, concédemelo. Permite que contemple
otra vez el rostro de mi enemigo. Permite que le haga pagar caro
lo que ha hecho. Permite que lo haga antes de que acaben mis
días en este mundo. Permite que lo haga a pesar de lo que me
espere al otro lado del abismo de la muerte. A pesar del tiempo
que tarde o del castigo que me inflijan.

Ahora está temblando, sollozando mientras el cuerpo de Abdi se
desangra en sus brazos. Lo mece arrodillado sobre los adoquines del
foro. Y por alguna razón, miro las ropas del pequeño y veo que se ha
orinado encima. Y esto es lo que hace saltar las lágrimas al fin. Por-
que lo reduce al niño que es; porque habla del miedo que ha sentido
y se lleva la última pizca de dignidad que le quedaba. Y la multitud
ya se está dispersando, temerosa de que los romanos vuelvan y los
castiguen por hacer una escena tan grande de un asesinato tan pe-
queño.

Baltasar solloza, grita y mece a su hermano, nuestro hijo, para
dormirlo, como solía hacer a orillas del Orontes cuando Abdi se dor-
mía en sus brazos a la sombra de la palmera de la cicatriz. Y yo estoy

de rodillas a su lado, meciéndome y sollozando. Pero no hay nada que pueda hacer. Ya no sirvo para nada y lo sé.

Se ha olvidado de mí, de su madre y de todos los demás. Baltasar está solo. Pero peor aún —mucho peor que eso— es lo que sabe con absoluta certeza. Sabe que la culpa es suya. Toda la culpa. Es culpa suya por haber sido tan irresponsable. Por enseñar a robar a un niño pequeño. Por ser un mal ejemplo para un alma inocente. Y sabe que en alguna parte, un poder invisible lo está castigando por lo que ha hecho con su propia vida. Por todos los pecados imperdonables que ha cometido. Sabe que Dios lo odia. Tiene la prueba en sus brazos. ¿Qué Dios haría algo así? Un Dios que odia.

Y un objetivo sereno y singular se cierne sobre él. Está muerto. La vida ya no tiene importancia. Está muerto y los muertos tienen licencia para matar a los vivos. Está muerto y Dios lo detesta. Allí está la prueba, exactamente allí, desangrándose entre sus brazos. Pero Baltasar no se conforma con ser odiado por Dios. Él también odiará a Dios si...

III

Sela se detuvo a mitad de la frase. Aunque el desierto ya estaba casi totalmente a oscuras, sintió que Baltasar estaba a su lado. Levantó la vista y allí estaba, de pie junto a las dos mujeres, con la cara arrasada de lágrimas, perfilado contra el cielo indefinido y las primeras estrellas que recibían a la noche.

—Sigue —dijo—. No te detengas ahora.

Sela se dijo que no le importaba lo que pensara Baltasar. Pero no pudo menos de sentirse avergonzada por haber confiado su secreto más oculto a una extraña. María tenía razón. Aún le importaba lo suficiente para sentir remordimiento por haber traicionado algo tan profundamente personal.

—Continúa —repitió él, en un tono que parecía más una amenaza que una sugerencia.

—Baltasar, yo...

—Cuéntaselo —exigió él—. Cuéntale qué ocurrió después.

Sela suspiró. Era inútil discutir. El daño estaba hecho. *El daño estaba hecho desde hacía mucho tiempo.* Se volvió a María y continuó.

—Pasó semanas buscando por todo Antioquía, haciendo preguntas. Espiando en los cuarteles romanos con la esperanza de reconocer al hombre que había matado a su hermano, de identificar el medallón que colgaba de su cuello. Yo apenas lo veía, y si nos veíamos, apenas pronunciaba palabra. Hasta que un día encontró lo que estaba buscando. Una pista. Alguien que había visto al centurión hacer el equipaje y salir de Antioquía para dirigirse a un nuevo puesto en otra parte del imperio. Aquella noche se fue sin despedirse de su madre ni de mí.

—¿Y luego qué? —preguntó María.

—Tendrás que preguntárselo a él —respondió Sela, mirando a Baltasar—. Ésa fue la última vez que lo vi, hasta hace tres días.

—Después de aquello —explicó Baltasar—, pasé cada minuto que estaba despierto buscando al centurión. Buscando venganza, o justicia, o como lo quieras llamar. Siguiendo rumores de ciudad en ciudad. Robando para sobrevivir. Matando. Hasta que un día, sin ninguna razón aparente, me desperté y comprendí que todo era inútil. La vida no es justa. La justicia no existe..., sólo existe lo que das y lo que recibes, y eso es todo.

—Si es la voluntad de Dios —repuso María—, pondrá al centurión ante ti.

—Dios ha tenido nueve años para hacer eso.

—Quizá fuera ése su plan para ti desde el principio.

—No me hables del «plan de Dios», ¿quieres? ¿Qué me dices de los planes que tenía Abdi? ¿Y de los niños que murieron en Belén? ¿Los niños que fueron asesinados casi antes de comenzar a vivir? ¿Qué planes tenían sus madres para ellos?

—¿Y los planes que yo tenía para nosotros? —preguntó Sela.

Baltasar se volvió hacia ella y se la quedó mirando un momento. Y luego otro.

—Apresúrate y termina de amamantar a ese ser —dijo a María finalmente—. Tenemos que ponernos en marcha.

Dicho esto, desapareció de nuevo en la oscuridad, dispuesto a disfrutar un rato más de su furiosa soledad. Sela se puso en pie y también desapareció, dispuesta a hacer lo mismo.

María se encontró sola con la última luz del día. Miró al niño que tenía en brazos, dormido y mamando. Verlo allí, tan indefenso y confiado, le hizo recordar con todo detalle el horror de la historia que le había contado Sela. Imaginó el dolor que la madre de Baltasar tuvo que sentir al perder dos hijos el mismo día. Imaginó el rostro del centurión mientras apretaba la mano de Abdi casi hasta rompérsela. No entendía que una persona pudiera hacerle algo así a un niño. Tampoco entendía cómo podía seguir viviendo nadie después de ver que un ser querido era víctima de algo tan vil.

Lo único que sabía era que aquel hombre terrible ya no volvería a parecerle terrible nunca más.

IV

Herodes nunca creyó que viviría para ver algo semejante. Una legión romana arrasada. Lamiéndose las heridas en el desierto de Judea. Y no por culpa de galos ni visigodos, sino por culpa de unos insectos. Era imposible, desde luego. Aunque si creías lo que contaban, eso era exactamente lo que había ocurrido.

¿Y por qué no ibas a creerlo? ¿Quién iba a contar una mentira semejante? ¿Quién iba a admitir que había sido derrotado por un enjambre de bichos?

Miró a través de las cortinas de su litera, mientras sus esclavos lo transportaban entre balanceos. Había viajado durante todo el día y media noche, tratando de alcanzar a los romanos que había dejado sueltos como perros en su propio reino. Los romanos que habían resultado ser tan poco efectivos como sus tropas. Se dio cuenta de que había sido un estúpido al implicar a Roma. Sí, estaba aquello de adular a César Augusto y de regalar a Roma el mérito de la victoria. Pero a Herodes no se le había ocurrido la posibilidad de que fracasaran. Porque si eso ocurría, la culpa caería por completo sobre su cabeza.

Las hogueras del campamento ardían a ambos lados y su luz se filtraba por las cortinas de su litera. Los campamentos romanos solían bullir de vida, música y conversación, camaradería de soldados descansados y empapados de vino. Pero aquel campamento era como una tumba. Los hombres estaban sentados en silencio alrededor de las hogueras, asustados. Estaba claro que habían empezado a darse cuenta de lo que Herodes ya sabía: *Estamos luchando contra algo más que un ladrón y un niño.* Estaban llegando a la conclusión de que el Dios de los hebreos había tomado partido.

Que se estaba burlando de ellos. Y aunque sólo fuera el Dios de los hebreos, ser enemigo de cualquier divinidad era, como mínimo, una desventaja táctica.

Sin embargo, Herodes estaba acostumbrado a esa sensación. El Dios de los hebreos había estado burlándose de él durante años. Denigrándolo con cada gota de sangre que manaba de sus llagas abiertas. Con el doloroso y amarillento pus que rezumaba de partes que preferiría ver sanas. Y aquella burla aumentaba con el tiempo, a la par que la debilidad de su cuerpo. Herodes lo sabía, aunque prefería arrinconar aquellos pensamientos en las sombras. *Has vivido todo este tiempo con ello encima y todavía no te ha matado. Nada lo conseguirá.* A veces se preguntaba si aquel Dios la tendría tomada con él.

¿Puede ser un hombre más grande que un dios?

La litera de Herodes fue depositada suavemente en el suelo. Los cortesanos abrieron las cortinas, ayudaron al frágil rey a poner pie en tierra y estiraron educadamente sus ropas para deshacer las arrugas del viaje. Acto seguido lo condujeron a una tienda normal y corriente, situada en el centro del campamento. La entrada estaba custodiada por dos soldados romanos con armadura completa y flanqueada por altos postes con antorchas. Y aunque Herodes no los vio, dos hombres heridos hicieron todo lo posible por pasar inadvertidos al ver que se acercaba.

Gaspar y Melchor, cubiertos de heridas causadas por las diminutas mandíbulas de las langostas, se asomaron por una esquina de la tienda de Pilatos.

La tienda de Pilatos era muy sencilla. Más espartana que romana, en opinión de Herodes: unas pocas sillas para celebrar audiencia con sus oficiales; una cama que parecía sin usar; y un casco y una coraza colocados limpiamente en una mesa de aseo, con una espada al lado. Unas cuantas lámparas de aceite arrojaban sombras que bailoteaban por todo el cerrado espacio. Pero no había ninguna de las comodidades que Herodes exigía en sus viajes: ni alfombras, ni almohadas, ni triclinios en los que recostarse. Y lo más importante, tampoco había muchachas con las que reclinarse en ellos.

Aquélla no era forma de ir a la guerra.

Pilatos se puso firme. Vestía una túnica oficial, de color azul verdoso, con las costuras adornadas con hojas tejidas con hilo de oro. Saludó al rey títere de Judea con una profunda reverencia, guardándose de mirarlo directamente mucho rato. Había oído hablar del aspecto malsano de Herodes, pero al verlo de cerca, con la carne putrefacta y los dientes ennegrecidos, los ojos amarillentos y aquellas llagas, se quedó atónito. Contraviniendo el protocolo, decidió no besar la mano extendida de Herodes y, en su lugar, se tocó la frente, una alternativa raramente utilizada pero aceptable.

—He venido a ayudarte —anunció el rey de Judea.

—Es un honor —respondió Pilatos, irguiéndose cuan alto era—. Majestad, ¿puedo preguntar en qué asuntos has venido a ayudarnos?

—En lo que te ha traído hasta aquí: capturar a un vulgar ladrón y a un niño.

—Si me permites la observación —dijo Pilatos—, ese ladrón no tiene nada de vulgar.

Herodes enseñó parte de los dientes ennegrecidos.

—No —admitió—. Supongo que no.

Pilatos hizo una seña al rey para que se sentara, cosa que el otro se apresuró a hacer. La silla de madera crujió bajo su peso y durante una fracción de segundo pensó que se rompería y que él iría a parar al duro suelo de tierra. Abrió los brazos en cruz de manera automática y sintió la subida de tensión que precede a una caída; fue un alivio comprobar que la silla resistía y deseó de todo corazón que Pilatos no se hubiera dado cuenta de su breve exhibición de flaqueza.

—¿No te parece extraño, majestad? —preguntó Pilatos, que había visto el momento de pánico del rey, pero disimuló.

—¿El qué?

—Bueno, el Fantasma de Antioquía, o «Baltasar», o como prefieras. Es conocido por ser un asesino sin escrúpulos, como has dicho..., un hombre que desprecia la vida, que prefiere trabajar solo.

—¿Y?

—¿Y no te parece raro que un hombre así haya ligado su suerte a una pareja de judíos y a su hijo?

—Un hombre así sólo piensa en sí mismo. Si viaja con ellos es porque le resulta más ventajoso, te lo garantizo. Pero no es el Fantasma de Antioquía lo que me preocupa, prefecto. Lo que me preocupa es tu incapacidad para apresarlo.

—Con el debido respeto, majestad, estamos luchando contra fuerzas que están más allá de nuestro control.

—Con el debido respeto, tus hombres han sido derrotados por una criatura que puedo aplastar con dos dedos.

Pilatos era demasiado educado para pronunciar las palabras que tenía en la punta de la lengua. Demasiado profesional para revelar a Herodes el menor indicio de lo que pensaba. El monarca se puso en pie, dispuesto a dejar clara su opinión mientras miraba al joven oficial.

—Después de gobernar a los judíos durante treinta años, he llegado a creer en una única verdad —afirmó—. Que su estancia en la tierra está a punto de llegar a su fin. Lo único que tienen son viejas historias. Viejas tradiciones. Nada más que cuentos de caudillos y reyes antiguos, magia antigua y un mesías que siempre está por llegar y no llega nunca. Todo lo que tiene que ver con ellos es antiguo. Todo lo que tiene que ver con ellos es pasado.

»A mí me interesan las tradiciones nuevas —prosiguió—. Los imperios nuevos. Yo construyo edificios nuevos y ellos se quejan. Apruebo nuevas leyes y se quejan. Pero no les hago caso, porque yo soy el futuro. Y desde luego no los temo, ni a ellos ni a su Dios. Porque la época de Moisés y de David se ha convertido en polvo. Ahora el mundo pertenece al César. A los hombres. Y yo estoy aquí para asegurarme de que es así.

—De todos modos, majestad, mis hombres están asustados. Temen la ira de su poder. De ese dios.

—Si yo estuviera en su pellejo, temería más la ira de Augusto.

Visión de futuro. Ésa era la cualidad más importante que poseía un dirigente. Por eso Herodes había reinado con eficacia durante tanto tiempo. Había catalogado a aquel joven oficial inmediatamente. Aquel tal Pilatos. Era un líder, seguro. Agresivo y concienzudo. Lo bastante cauto para no besar una mano enferma y a la vez lo bastante inteligente para encontrar una alternativa adecuada en una fracción de segundo. Pero le faltaba imaginación. Le faltaba visión de futuro. Y eso le impediría alcanzar las altas cotas a las que su inteligencia le hacía aspirar. Como siempre, sería Herodes el que tendría que ocuparse de que todo saliera bien en adelante.

—Se dirigen hacia el sur, ¿no? —preguntó.

—Sí. A Egipto —repuso Pilatos.

—Y el camino más rápido para llegar a Egipto es el valle de Kadesh... —*Visión de futuro, muchacho. Yo te enseñaré lo que significa*—. Creo que lleváis un chamán con vosotros. Una especie de... de vidente.

—El mago.

—Me gustaría mucho hablar con él.

V

Qué es? ¿Un terremoto? —preguntó José.

Baltasar recordó haber oído un ruido similar en Antioquía, cuando era niño. Un retumbo sordo. El lento gemido de la tierra moviéndose bajo los pies. Pero aquellos estruendos solían ir acompañados de violentas sacudidas y de los gritos de la población aterrorizada. En este caso no había habido nada de eso. Aunque el lento y quejumbroso rumor de piedras contra piedras persistía. Y los cinco fugitivos buscaron con la mirada el origen de aquel ruido creciente, que ahora parecía rodearlos por todas partes.

—¿Qué es? —repitió José.

El desierto los había encauzado por el valle de Kadesh, un largo pasaje sin vida entre dos montañas. Mucho tiempo antes se había deslizado un río por aquel terreno seco que pisaban ahora, y los primeros egipcios, que creían en el poder del agua para llevar almas al más allá, habían enterrado a sus muertos en ambas orillas, en tumbas de todos los tamaños y aspectos. Aún quedaban restos de aquellas tumbas largo tiempo olvidadas, unas cinceladas en la roca del barranco, otras convertidas en un montón de piedras, sus riquezas robadas hacía ya mucho tiempo por los ladrones de tumbas.

Tras buscar el origen de los rugidos de la tierra, Baltasar encontró por fin al culpable.

Las tumbas.

La primera que vio estaba a casi doscientos metros detrás de ellos. Era una de las más grandes, cincelada en la ladera de la montaña que tenían a la izquierda y adornada con relieves medio borrados por los vientos del desierto. La gran lápida que cubría la tumba estaba medio corrida, dejando al descubierto la resignada oscuridad interior, y producía un gemido sordo al moverse sobre otra roca, un ruido muy parecido al de un terremoto. Vio entonces la razón, la estúpida razón de lo que ocurría.

Les habían tendido otra emboscada.

Sabiendo que se dirigían a Egipto, los romanos se les habían adelantado una vez más. Una vez más, los estaban esperando. Y allí estaban ahora, saliendo de sus escondites, una vez más, con las espadas y lanzas en ristre, satisfechos de sí mismos por haber puesto en práctica una artimaña tan inteligente.

Ya estaba bien.

Era agotador. Baltasar estaba harto de sorpresas y en cierto modo sorprendido de sentirse sorprendido.

Pues claro que nos han tendido una emboscada. Es lo único que vienen haciendo. ¿Por qué no nos atacan de frente de una maldita vez y nos ahorran problemas a todos?

Como para confirmar su descubrimiento vio a un romano asomar la cabeza por la entrada de la tumba medio abierta y echar a andar rápida aunque torpemente hacia ellos, saltando sobre las piedras del barranco como un insecto de gran tamaño. Pero al mirar con más atención, Baltasar se sintió otra vez invadido por las dudas. Porque el ser que se arrastraba hacia ellos —*muy rápido, se mueve demasiado rápido*— no era un romano. No era un soldado. Ni siquiera era un hombre.

Era un cadáver.

A los primeros gemidos se unieron otros cuando se abrieron lápidas por todas partes. Los muertos salían de las oscuras profundidades de una tumba tras otra. Docenas. Los restos momificados de hombres, mujeres y niños que salían a la luz del sol largo tiempo olvidada, libres al fin de la prisión del sueño; y se dirigían hacia los fugitivos con una velocidad inusual, arrastrándose como insectos por el barranco.

Unos cadáveres estaban más podridos que otros, pero todos tenían el aspecto quebradizo y correoso que dan los siglos de descomposición: calaveras sin ojos ni sesos, la piel apergaminada, los dientes expuestos sin encías, dibujando sonrisas asquerosas. Se movían como siguiendo instrucciones, en formación cerrada, como si los controlara una única mente, igual que habían hecho las langostas. Pero a diferencia de éstas, los fugitivos intuyeron que aquel nuevo enjambre quería hacerles daño, y estaban a algo más de cien metros.

—¿Baltasar? —preguntó José.

—Lo sé.

—¿Qué hacemos?

—Dame un minuto...

—Pero se están acer...

—He dicho que me des un minuto.

Tenía que concentrarse, alejar la mente del abismo del pánico para idear un plan. Pero lo único que se le ocurría era mirar la ola de resucitados que se acercaban arrastrándose, y el miedo pudo con él. Era incapaz de apartar los ojos de la horda que se acercaba a ellos, más aprisa de lo que la naturaleza suele permitir a los hombres. *Avanzan demasiado rápido para escapar corriendo.* Los tendones resecos crujían con cada movimiento y hacían tanto ruido que podía oírse con claridad por todo el barranco.

Baltasar le había estado dando muchas vueltas a la cabeza aquellos últimos días, tratando de resolver sus dudas. Tratando de conciliar lo que le decían sus creencias con lo que sus ojos y oídos le habían estado diciendo. Había sido una andadura titubeante y aleatoria. Sin objetivo. Sin conclusión. Pero ahora había llegado a una bifurcación.

O admitía que estaba muerto o soñando, en cuyo caso nada importaba y no habría consecuencias, o admitía que lo que estaba viendo era real. En cuyo caso, todo aquello en lo que había creído era mentira, y probablemente estaba condenado a pasar la eternidad en las llamas del infierno. Pero la eternidad tendría que esperar. Era el momento de tomar una decisión.

Mejor pretender que es real y estar equivocado, ¿no? Además, estoy seguro de que ocurrirá algo milagroso cuando toda esperanza parezca perdida. Estoy seguro de que escaparemos en el último segundo. ¿No es eso lo que ha ocurrido últimamente? Esta vez quizá sea una inundación. Un muro de agua procedente de la nada que inunde el valle y barra a todos esos seres, pero nos salvará a nosotros. De hecho, estoy seguro de que eso es lo que pasará. Una inundación.

Baltasar se volvió hacia los demás.

—Corred —ordenó.

Pero no corrieron. José y María estaban paralizados de miedo y miraban fijamente el tambaleante avance de los muertos, que ya estaban a menos de cien metros. Sela también parecía petrificada, hasta que se lanzó sobre Baltasar y le cogió una daga que llevaba al cinto. Fue un movimiento tan rápido y brusco que al principio él no supo cuáles eran sus intenciones. *A lo mejor es la oportunidad que ha estado esperando* —se dijo—. *La oportunidad de matarme por haberla abandonado.* Pero Sela no tenía intención de apuñalarlo. Se acercó más a él y señaló la horda.

—Me quedaré contigo —anunció—. Te ayudaré a enfrentarte a ellos.

Baltasar la cogió por la mano.

—No —dijo, señalando a José, María y el niño—. Sin ti, están muertos.

—¡Sin mí, estarás muerto tú!

—Tú sabes luchar, Sela, sabes sobrevivir. Llévalos a Egipto.

—No me convence...

—¡Calla!

Le asió el brazo con fuerza. Setenta metros...

—Corred ahora que todavía tenéis ventaja. No os detengáis; seguid corriendo. Yo ganaré algo de tiempo.

La empujó para que se pusiera en movimiento. Sela se volvió hacia el asustado carpintero. Hacia la muchacha y el niño dormido. Sabía que tenía razón. Sin ella, estaban muertos.

—Sela —dijo Baltasar.

La mujer lo miró de nuevo, asustada pero todavía tan hermosa que no era justo; y durante un momento volvieron a las aguas del Orontes, a un tiempo dorado y eterno. Baltasar sintió la repentina necesidad de abrazarla, de besarla por última vez; sólo porque sí. ¿Qué tenía que perder? Le separaban sólo unos momentos de una muerte espeluznante; además, algo que vio en la expresión de la mujer le dijo que ella estaba pensando exactamente lo mismo. Pero antes de reunir valor para hacerlo, los gemidos de los muertos borraron el pasado y lo transportaron a la urgente realidad.

—¡Marchaos! —gritó. Obedecieron.

Mientras se alejaban hacia el sur, Baltasar se volvió hacia la espantosa masa de carne podrida. Eran unos cuarenta, calculó, y estaban ya a menos de cincuenta metros. Vio un cadáver que se arrastraba por el suelo con largas uñas amarillentas; no podía andar, ya que había perdido las piernas en vida o después de muerto. Otro torso estaba horriblemente contorsionado, lo que lo obligaba a moverse de espaldas; la cosa carecía de importancia, porque tampoco tenía ojos.

No necesitan ver —pensó Baltasar—. *Alguna otra cosa se ocupa de ver por ellos.*

Sela tenía razón. Estaba muerto. Si no por otro motivo, porque ignoraba cómo matar a aquellos a los que iba a enfrentarse. Por lo que sabía, su espada rebotaría en aquellas criaturas como si fueran de piedra. Por lo que sabía, podía arder espontáneamente en el momento en que lo tocaran. Nada podía ya sorprenderlo. Nunca más. Pero no importaba. Aunque eso significara vérselas con la muerte más dolorosa y espeluznante que un ser humano hubiera experimentado, no iban a llegar hasta el niño, ni hasta Sela tampoco. Veinte metros...

Apretó la empuñadura de la espada con fuerza, respiró hondo el aire del desierto.

Ánimo, Baltasar, te llegó la hora.

Se lanzó a la carga. Y al acercarse a ellos y verlos con más claridad, se dio cuenta de lo espantosos que eran: bolsas de líquido de embalsamar bajo la piel correosa, los dientes podridos, mechones de pelo colgando de la cabeza, grises, negros, castaños.

Cuando llegó a la vanguardia de la horda, el contacto directo le dio buenas y malas noticias: las malas eran que aquellas criaturas eran más fuertes y rápidas de lo que parecía de lejos. Las buenas, que su espada se portaba estupendamente.

Se puso a cercenar miembros y cuellos. A cortar la piel correosa y los tendones resecos que mantenían unidos los cuerpos, tratando de no fijarse en el espantoso hedor de aquellos vetustos y apergaminados cadáveres, ni en los demonios que tiraban de él con sus dedos huesudos. Los huesos les crujían y la piel se les desgarraba al moverse.

De repente volvió a tener doce años. Y estaba en las tumbas romanas, desenterrando cadáveres de hombres recién ejecutados. Despojándolos. Luchando contra el miedo y las terroríficas, casi reales fantasías de muertos que resucitaban. Fantasías de difuntos que le tiraban de la ropa y el pelo. Arrastrándolo a las tumbas con ellos. Pero sólo habían sido fantasías. Ahora los monstruos eran reales. Se movían sin sangre en las venas, sin corazón en el pecho. No tenían pulmones ni cuerdas vocales, pero aun así emitían un extraño sonido. Un gemido silbante, gutural, que a Baltasar le sonaba a estertor incesante. En conjunto formaban un coro que daba horror.

Ese niño es especial.

Quizá descubriera lo que había al otro lado de la muerte. Qué le esperaba. ¿Y qué pasaba con los sueños que había tenido cuando yacía agonizando a consecuencia de la puñalada? ¿Qué ocurría con aquellas extrañas visiones de ancianos en habitaciones rosáceas y moradas? ¿Y el Hombre con Alas? El hombre que había hecho llorar a Baltasar al verle el rostro.

El rostro de Abdi.

Había sido eso, ¿no? Abdi, el hombre adulto que no había llegado a ser. Un hombre con alas, guardián de su hermano mayor, un hombre alado que volaba sobre el desierto de Judea. Que lo guiaba a través de un océano de tiempo y espacio. Baltasar había creído que eran visiones, los sueños vívidos de una mente moribunda. Pero ahora, mientras miraba cara a cara a la muerte, admitió que podían haber sido algo más. En realidad, esperaba que así fuera.

Repartía tajos y mandobles, daba puntapiés, empujaba cadáveres, pero se estaban congregando a su alrededor muchos más de los que podía repeler. Cada rostro más horrible que el otro. Un quebradizo manojo de dedos momificados tras otro. Arañándole con aquellas uñas centenarias. Agarrándole la ropa. *Ojalá tuviera una antorcha, podría prenderles fuego. Están tan secos que arderían como un techo de paja secada por el sol.* Pero lo único que tenía era la espada y un par de brazos cansados para protegerse.

Pueden conmigo.

De eso no había la menor duda. Y mientras se agrupaban a su alrededor, Baltasar se puso a dar gritos. No porque tuviera miedo, sino porque sabía que había llegado el momento y que era su última posibilidad de dar a conocer su presencia sobre la tierra. Gritó hasta que pudo saborear la sangre en el fondo de su garganta, mientras el enjambre de muertos lo rodeaba por completo.

Paz, por fin...

Y mientras profería alaridos, los muertos cayeron repentina y sistemáticamente al suelo, como si los cordeles que sujetaban sus miembros hubieran sido cortados de repente. Y con un golpe sordo y polvoriento, volvieron a ser huesos y tendones. Silencio. Baltasar se quedó allí, respirando pesadamente. Asustado de lo que veía. Y de alguna manera asustado de sí mismo.

Había vencido.

No sabía en virtud de qué milagro, pero se había salvado. Tal como había predicho, una fuerza invisible le había sonreído en el último momento. Si los judíos le llamaban Dios, adelante. Si se trataba de Dios, suerte u otra cosa, no importaba. Lo que importaba era el resto del grupo. Ahora podría alcanzarlos. Conducirlos a Egipto y terminar con todo aquello. *Gracias a Dios. O a lo que sea.*

Pero en el preciso momento en que se permitía una pequeña victoria, un momento de alegría, otra clase de ruido le arrebató el optimismo de golpe. Miró a su alrededor, seguro de que estaba a punto de ver otro batallón de cadáveres putrefactos saliendo de sus tumbas. Pero no había nada. Nada salvo el ruido. *Un ruido diferente, ahora que me doy cuenta. Mucho más... conocido..., como si...*

Era el retumbar de cascos de caballo.

Baltasar miró más allá de los cadáveres esparcidos por el suelo, delante de él. Levantó la vista y vio muchos caballos, seguramente un millar de caballos que cabalgaban hacia él por el centro del estrecho valle. Llegaban por el norte. No podía ver el rostro de los jinetes que los montaban, pero imaginó que casi todos tendrían la expresión de suficiencia y satisfacción de quienes han puesto en práctica otra inteligente estratagema.

Eran romanos.

La pequeña horda de muertos había sido reemplazada por una gigantesca horda de vivos. No mejoraban las cosas, sobre todo numéricamente hablando. Pero Baltasar sabía al menos cómo acabar con los recién llegados. Levantó la espada de nuevo y se preparó para un ataque temerario, suicida, todo para ganar un poco de tiempo para sus amigos. *Vaya, esta última palabra me ha salido sin avisar y, aunque no la esperaba, parece ajustarse a la verdad.*

A morir tocan otra vez...

Se había acabado lo de salir corriendo. Había pasado demasiado tiempo yendo de un lugar a otro en busca del medallón, robando para sobrevivir, matando para vivir. Era justo que muriese. Si su muerte podía ganar un poco de tiempo para sus amigos, pues adelante. *Mereces morir, después de todas las cosas que has hecho. Después de todas las vidas que has quitado. Después de todas las cosas que has robado, los objetos, los futuros.*

Se enfrentaría a ellos cara a cara, llevándose por delante a todos los que pudiera. Por segunda vez en pocos minutos, Baltasar se lanzó a la carga, camino de una muerte cierta, con la espada en alto. Gritando. Por segunda vez en pocos minutos, se estrelló de frente y sin esperanza contra una marea de cuerpos. Contra la pared cegadora de miembros agitados y corazas que resonaban.

Lo último que recordó fue una breve lucha y un dolor agudo.

Luego... por fin la paz.

Y Abdi rodeándolo con los brazos, diciéndole que todo estaba en orden.

11

No hay casualidades

«También yo me reiré de vuestra ruina y me burlaré cuando venga sobre vosotros el terror. Cuando sobrevenga como huracán el espanto y como torbellino os sorprenda la ruina, cuando sobrevenga la adversidad y la angustia.»

Proverbios 1, 26-27

I

Herodes estaba recostado, con los ojos cerrados, disfrutando del suave balanceo de la litera. Un niño al que mecen para que duerma. Iba camino de su palacio de verano, su retiro favorito en las playas del Mediterráneo, donde la brisa del mar arrastraba la refrescante espuma de las olas que se estrellaban contra la orilla, y los gritos de las aves marinas calmaban toda la tensión que le hubiera causado aquella cueva de leones que era Jerusalén. Y aunque aún no podía oír las olas azotando las rocas de la costa, sabía que estaban cerca, porque ya olía la sal en el aire. Respiró hondo. Saboreó la brisa. Era, quizá, lo más dulce que había olido nunca.

Estaba en paz con el mundo.

En alguna parte, al otro lado de las cortinas color vino de la litera, el prisionero era arrastrado desnudo. Humillado y ensangrentado. Los soldados le habían orinado encima mientras era arrastrado sobre los grumos de arena y los hierbajos resecos. Le lanzaban piedras e insultos a la vez. No tardaría en sufrir la tortura más retorcida que el imperio era capaz de inventar, antes de ser desterrado al páramo de la muerte. El *Fantasma* de Antioquía sería exactamente eso. Un fantasma, una entidad de aire. Y eso era bueno. Los fugitivos, carentes de protector, pronto serían capturados. Y eso también era bueno. Pero no era tan bueno como viajar dentro de la litera de Herodes. Allí dentro estaba sucediendo algo extraordinario.

Un milagro. Es la única manera de describirlo.

Por primera vez, después de muchos años, Herodes el Grande se encontraba... mucho mejor. Lo notaba cada minuto que transcurría, cada kilómetro que avanzaba. Las llagas purulentas de la piel, las conocidas costras de sangre y los nódulos llenos de pus se estaban curando a una velocidad pasmosa, y su piel había empezado a cambiar su palidez enfermiza por un saludable tono oliváceo. Oía con más claridad, sus músculos estaban más fuertes, su pelo un poco más oscuro, sus dientes un poco más blancos, y su mente parecía una pizca más aguda. Sus ojos, tanto tiempo velados, de repente estaban tan limpios y húmedos como el día que había subido al trono.

Estaba ciego y ahora veo.

Era un milagro. Pero no un milagro de un dios. Era la magia del hombre, que lo liberaba de la falsa prisión de la naturaleza. Era más que un milagro, era la confirmación de todo aquello en lo que Herodes creía. La confirmación de que la época de los viejos mitos y de los viejos dioses había llegado a su fin. Que el Nuevo Mundo era un lugar donde los hombres eran quienes realizaban los milagros.

Un mundo que ya no necesitaba dioses.

Cuando aún estaba en el campamento romano, Herodes se había acercado al mago con una sencilla propuesta. Una propuesta que había surgido en su cabeza como si fuera un sueño.

Su decisión de involucrar a Roma en sus problemas domésticos había resultado desastrosa. Pero en toda crisis hay una oportunidad, y una vez más, su mente había encontrado una solución en la causa de la catástrofe. Se había encargado de hacer la propuesta lejos de los ávidos oídos de Poncio Pilatos, porque sabía que al fiel prefecto romano no le habría gustado lo que tenía que decir.

Sin hacerse acompañar por su habitual séquito de cortesanos y guardias, Herodes había entrado en la enorme y suntuosa tienda del mago. Allí había encontrado al tenebroso sacerdote solo, en camisa de dormir, sentado de espaldas a la entrada, iluminado por el resplandor de los candiles y ocupado en el poco mágico acto de darse un atracón de cordero.

—Augusto no sabe valorarte —comenzó Herodes.

El mago se detuvo a medio bocado. Se limpió la boca y se volvió hacia el rey de Judea, lentamente. *Sí..., procura hacerlo lentamente, porque te he pillado siendo humano, y ahora necesitas reafirmar tu mística.*

—No te lo tomes como algo personal —prosiguió Herodes cuando el mago hubo completado su lento y místico giro—. A mí tampoco me valora.

Entró en la tienda y dejó caer la cortina a sus espaldas.

—No diré que se lo reproche —añadió—. Dejemos eso claro. Para un hombre poderoso no es fácil depositar su confianza en otros. Incluso yo puedo ser a veces demasiado independiente, demasiado obstinado. Forma parte de la personalidad del caudillo. Pero los romanos..., los romanos tienen una habilidad especial para creerse superiores al resto de los hombres. Mira sus mitos. Ni siquiera sus dioses pueden evitar enamorarse y acostarse entre ellos. Es detestable.

Se acercó un poco más, con la esperanza de distinguir mejor la expresión del mago con sus ojos velados. Pero no había expresión que distinguir. El mago seguía con su actitud pétrea y cautelosa.

—¿Sabes quién soy? —preguntó Herodes.

El hombre asintió casi imperceptiblemente con la cabeza.

—Entonces sabes lo mucho que tengo que perder al decir lo que estoy diciendo.

El mago le observó unos momentos y volvió a asentir, aún más imperceptiblemente. Herodes sonrió y fue a sentarse, esta vez poniendo especial cuidado en no vacilar. *Ninguna señal de debilidad, esta vez no.*

Sabía cómo hablar a aquellos místicos. De cara al exterior, llevaban su piedad como una corona, absteniéndose de los placeres triviales de la vida terrenal y cultivando un aire de misterio a su alrededor. Aquel mago era un ejemplo. No había hablado..., no porque no tuviese ninguna lengua, sino por el aura que creaba a su alrededor. De acuerdo, estaban todas aquellas tonterías de antiguos votos de silencio y conservar la voz pura para las invocaciones y demás. Pero en realidad, ser místico no era diferente de ser rey: cuanta más gente poderosa creyera que lo eras, más poderoso serías tú. Y ese pequeño ardid funcionaba, porque casi todos los hombres eran estúpidos. Casi todos los hombres eran borregos.

Pero Herodes no.

Sí, el mago conocía algunos trucos. Sí, parecía que podía doblegar las leyes de la naturaleza a su antojo. Y eso tenía su valor. Pero en última instancia era un hombre, y los hombres eran hombres. Tenían las mismas debilidades y deseos, vistieran las ropas de un rey, de un campesino o de un sacerdote.

—Tú y yo —prosiguió Herodes— somos hombres que el mundo ya no necesita.

Esperó una reacción. Una ceja enarcada, un frunce de desconcierto. Nada. El mago no le dio a entender nada.

—Al mundo ya no le interesa la magia —añadió—. No se interesa por sacerdotes ni por viejos reyes consumidos y sus pequeños reinos. Lo único que interesa es Roma y su emperador. El mundo existe para servirle. *Nosotros* existimos para servirle. Y mientras le servimos, todo el poder que tengamos dependerá de él.

En aquel momento ya no había marcha atrás. Estaba pisando el terreno de la traición.

—Solos —continuó Herodes— no somos nada. Yo, un rey que ha vivido bajo dos Césares, que ha gobernado su pequeño reino con el permiso de Roma. Tú, un hechicero al que han encerrado como si fuera una armadura. Que sólo sale cuando Augusto necesita que lo protejan de sus enemigos. Pero a ninguno de nosotros se nos ha permitido comprobar los límites de nuestro poder, ni desde luego utilizarlo en nuestro propio beneficio. No, algo así sería una amenaza para el poder del emperador. En solitario, un rey y un hechicero no son nada comparados con Roma. Pero juntos...

Ya estoy en ello..., haz que lo entienda. Hazle entender la gloria que podría alcanzar.

—¿Mi reino y tu talento? Juntos podríamos construir algo glorioso. Una fuerza que podría desafiar a Roma. Quizás incluso convertirse en el nuevo imperio de Oriente. Un imperio gobernado por dos reyes, tú y yo, codo con codo. Puede que Augusto no te valore, pero yo sí. Él teme tu poder; yo le abro los brazos.

Siguió hablando, adulando el poder del mago sobre los elementos, prometiéndole las cosas que todo hombre desea: autoridad, riqueza, sexo. Y por encima de todo, *reconocimiento*. La oportunidad de salir de la sombra del emperador, de salir de detrás de los velos del secreto y la devoción. Cuando vio que el mago empezaba a estar seriamente interesado, lo cual sólo fue una suposición, porque no había manifestado ningún indicio de interés, Herodes remató la faena.

—Todo lo que tengo es tuyo, si lo quieres. Mi corona, mi ejército, mi fortuna, mis palacios y todos los tesoros y mujeres que alojan. Gobierna conmigo. Gobierna conmigo y podremos liberarnos de la servidumbre. Podremos construir algo que se recuerde eternamente.

El mago meditó aquello durante una eternidad. Luego, tomada una decisión, se volvió para seguir cenando sin otra respuesta que un leve movimiento negativo con la cabeza. Durante un momento, Herodes creyó que todo se había perdido.

Me he excedido.

No sólo le iban a negar ahora lo que había ido a buscar, sino que además sería señalado como traidor por el emperador y desterrado al páramo de la muerte. Por suerte para él, no había sido al cordero a lo que había vuelto el mago, sino a un papiro. Herodes miró ansiosamente mientras el otro escribía. El mago se volvió otra vez y le entregó el escrito.

«¿Y para ti qué?»

—Lo único que deseo es ser tu socio —respondió.

El mago señaló cada una de las cuatro palabras y subrayó cada una golpeando el papiro con el dedo.

«¿Y. Para. Ti. Qué?»

Herodes sonrió. Le gustaba aquel pequeño sacerdote. *Ni sandeces ni juegos.* Esperó un momento para dar la respuesta sincera. Casi no era capaz de pronunciarla. Sólo eran dos palabras breves, pero con mucho significado. Con mucha esperanza. *El vino de los débiles.* ¿Y si el mago no era capaz de hacer lo que pedía? ¿Y si se negaba? Entonces la última opción de Herodes habría fracasado y su visión de futuro habría sido un fiasco.

—Mi salud —dijo al fin—. A cambio, pido mi salud..., es decir, si tienes poder suficiente para devolvérmela.

Ahora le tocó sonreír al mago, porque ya lo sabía, desde luego. Lo había sabido desde el momento en que el rey títere de Judea había abierto la boca. Se alzó en toda su modesta estatura, se arregló la camisa de dormir, cerró los ojos y murmuró un hechizo entre dientes. Una cadena de palabras indescifrables en una lengua muerta desde hacía mucho tiempo.

Al poco rato, Herodes se sintió alcanzado por una extraña, invisible energía, una corriente de aire cálido de una hoguera cercana que no estaba allí. Atravesó su cuerpo, circulando con la sangre enferma que recorría sus venas. Cuando el calor llegó a su cabeza, sintió un ligero mareo. Y un breve acceso de náuseas.

Cuando se le pasó, había renacido.

Herodes observó el dorso de sus manos, y aunque no pudo distinguir ningún cambio en su forma ni en su superficie cubierta de costras, algo le dijo que cambiaría. Algo le dijo que estaba curado. Las lágrimas le humedecieron los ojos. Era demasiado, demasiado rápido. Y a pesar de todos los planes arteros que había presentado en la tienda del mago, no pudo menos de sentirse realmente emocionado en un momento como aquél.

—En la vida no hay casualidades —dijo mientras una lágrima escapaba de su cautiverio y resbalaba por su desfigurado rostro—.

Los hados nos han reunido, a ti y a mí. Y grandes cosas surgirán de esta unión.

El mago, a cambio, dedicó a Herodes un levísimo esbozo de sonrisa...

Herodes ya se sentía mucho mejor. Como antes de caer enfermo. Y mientras tuviera al mago de su lado, cada día se encontraría mejor. Más fuerte. ¿Quién sabe? Quizá no tuviera que entregar el poder a su hijo tan pronto como había creído. Quizá no necesitara entregarlo nunca. Si seguía mejorando, si aquella cálida y extraña sensación seguía corriéndole por las venas, ¿quién sabía cuánto tiempo podría vivir? ¿Cuántos edificios más podría construir?

Una cosa era segura: ya no sería el títere del César. Ahora Augusto tendría que negociar con él. Respetarlo. Quizás incluso temerlo. Y aunque el ejército de Judea no era rival para el del César, los romanos no se atreverían a invadirle. No mientras Herodes tuviera al mago de su parte. Y no mientras tratara bien a sus súbditos judíos.

Ellos odian a Augusto tanto como yo. Fomentaré sus deseos de independencia. Lo llamaré «revuelta contra Roma», y se lo creerán a pies juntillas.

Estas fantasías giraban a su alrededor, danzando y evolucionando con gran belleza. Era extraño el modo en que tantos años de desgracia y dudas podían ser barridos completamente en un abrir y cerrar de ojos. Herodes se había resignado a su desdicha. Claro que, en secreto, tenía esperanzas. Pero la esperanza era el vino de los débiles, y él se había sentido avergonzado de beber, aunque fuera el más pequeño sorbo. Pero allí estaba su salud, recuperada más espectacularmente de lo que habría podido soñar. Se miró las manos. Se palpó las mejillas. Lo único que ansiaba más que ver su propio rostro reflejado era ver a aquel «Baltasar» muriendo de la forma más horrible que pudiera imaginarse: arrancarle las uñas una por una, cortarle los genitales y quemarlos delante de él, machacarle las extremidades hasta reducirlas a pulpa y cortarle la piel y arrancársela a tiras.

Un nuevo rumor acarició los oídos de Herodes cuando el olor salado del aire aumentó de intensidad. No eran las olas al estrellarse contra la costa, todavía no. Pero era algo húmedo. *Empieza a llover*. Apartó las cortinas de la litera para comprobarlo y vio las primeras gotas que caían del cielo encapotado y se estrellaban contra el polvoriento suelo del desierto. Era algo extraño en el sur de Judea, pero se agradecía igualmente.

El mundo estaba vivo de nuevo. La lluvia era una bendición. Y otro indicio de que Dios era incapaz de pararle los pies.

II

Las palabras «palacio de verano» evocaban la imagen de una pintoresca villa de la playa. Pero en realidad la residencia de Herodes era casi el doble de grande que sus palacios gemelos de Jerusalén, aunque esta vez con un único tejado, no con dos. Era uno de sus proyectos más recientes y se había construido con todos los adelantos que el mundo moderno podía ofrecer: orinales, ventanas de vidrio, baños calientes. También contenía un gran espejo de plata en el dormitorio del rey. Entre todos los adelantos, este último era el que Herodes más deseaba utilizar.

La residencia se alzaba en las costas rocosas pedregosas del Mediterráneo, una imponente masa de ladrillos pardos cuyas paredes alcanzaban en algunos puntos los sesenta metros de altura. Desde el punto de vista arquitectónico era una construcción sencilla: un enorme cubo central de piedra caliza, rodeado por unos cuantos anexos de ladrillo. «Un bloque grande y soso en la costa», lo llamaba Herodes. No había murallas rodeando la finca. Ni torres de vigilancia. El mar proporcionaba una barrera natural por un lado y el monótono e interminable desierto por los otros tres. Prácticamente no había habitantes de los que guardarse. Al sur estaban los egipcios, al oeste el mar, y unos cuantos beduinos errantes al norte y al este. Los centinelas apostados en las azoteas de palacio podían ver a cualquiera que se acercase, y mucho más a un ejército o una flota, a kilómetros de distancia.

Al pie de la cara del cubo que daba al mar había una terraza de mármol en la que Herodes, en los tiempos en que tenía salud, había tomado el sol con selectos miembros de su harén. Una amplia escalera de mármol descendía graciosamente desde la terraza hasta el mar, donde empalmaba con un largo muelle, cuyos puntales y planchas de madera eran lo primero que tocaban Herodes y sus invitados cuando llegaban en barco por el norte. Aquel día, sin embargo, aquel sector de la costa estaba lleno de barcos de guerra romanos que se mecían sobre las grandes olas levantadas por la tormenta.

La flota romana se había dirigido hacia el sur por la costa de Judea para reunirse con el ejército de tierra. La flota estaba al mando de un almirante legendario, Lucio Arruncio, que había desempeñado un papel decisivo ayudando a su amigo Augusto a dominar en solitario todo el imperio. El emperador había enviado a su almirante de más confianza a vigilar a su preciado mago y a su oficial Poncio Pilatos, un joven prometedor, aunque bisoño.

Mientras lo arrastraban hacia el lejano palacio, con las muñecas atadas, Baltasar distinguió la parte superior de varios barcos que cabeceaban y cuyos mástiles desarbolados oscilaban como juncos a merced de la brisa. La tormenta estaba arreciando y cada gota suponía un alivio para los arañazos y contusiones que constelaban su piel. Al llegar a los terrenos de palacio, fue apartado sin ceremonias de la columna principal e introducido por una puerta secundaria. Y lo que había sido un cielo gris y lluvioso se convirtió en un pasaje negro como la pez cuya oscuridad sólo rasgaba la vacilante luz de unas antorchas adosadas a la pared. Estaba en unas mazmorras. Nunca volvería a ver el cielo.

Lo dejaron en el centro de una ancha y oscura celda, con el techo lleno de ranuras por las que se colaba la lluvia. El goteo resonaba en las lisas paredes de la mazmorra al tocar el suelo de piedra. Le habían ligado las muñecas con dos cuerdas que habían atado a su vez a una viga de madera que iba de una pared a otra, por encima de su cabeza. Cuando tensaron las cuerdas, Baltasar quedó colgado de las muñecas, con los pies a un centímetro del suelo. Le ataron los tobillos y le pusieron un paño alrededor de la cintura: la única concesión a su pudor.

O mejor dicho, al de ellos.

En contraste con las frías gotas procedentes de la lluvia, la mazmorra estaba caliente. Insoportablemente caliente. El fuego ardía en un horno de arcilla construido en uno de los muros del calabozo. Había ya varios instrumentos de metal alineados entre las llamas y todos empezaban a adquirir un color rojizo. Baltasar supuso que eran atizadores, herramientas para marcar animales y todo eso, aunque no podía asegurarlo, ya que desde donde estaba sólo se veían las empuñaduras de madera.

Sean lo que sean, seguro que no me van a gustar. Ni pizca.

Tampoco iban a gustarle los instrumentos colocados con orden en una mesita que había pegada a la pared, no muy lejos del horno. Tampoco podía verlos con claridad, pero su disposición le recordaba la mesa de un cirujano, con escalpelos, pinzas y tijeras afilados minuciosamente y listos para ser utilizados. Al lado había un cuenco de agua y un paño.

—¿Cuál es el dicho de los pescadores? —preguntó una voz conocida.

Se abrió la puerta de la celda y los guardias dejaron pasar a Herodes.

—«Cuánto más forcejea el pez, más dulce es la captura.»

El monarca entró seguido de cerca por un extraño hombrecillo vestido de negro. Baltasar detestó inmediatamente a aquel sujeto, más que nada porque sospechaba que estaba a punto de utilizar aquellos instrumentos afilados para torturarlo. Y también, aunque no había forma de estar seguro de eso, porque sospechaba que había desempeñado un papel importante en la reanimación de los cadáveres que lo habían atacado.

El mago introdujo las manos en el cuenco y se las lavó antes de empuñar algunos instrumentos de la mesa que tenía ante sí. Se aseguró de que Baltasar lo viera todo con claridad, consciente de que el conocimiento previo era la parte más dolorosa de todo tormento. Examinó los pequeños cuchillos y el resto de los instrumentos, tan afilados que casi se les oía cantar. Trajeron una silla para Herodes, que se sentó a poco más de un metro del condenado. Rápidamente pusieron una mesa al lado de su silla con un surtido de gajos de naranja y dátiles. El monarca estaba lo bastante cerca para ver cada gota de sangre, pero lo bastante alejado para no verse salpicado. El viejo rey hizo pensar a Baltasar en un espectador de una carrera de carros.

—Hacedme lo que queráis —dijo—, pero eso no os acercará a ellos ni un palmo.

—¿Y qué otra cosa podría esperarse de ti? —preguntó Herodes—. ¿Que confesaras que tus amigos van camino de Egipto? Eso ya lo sé. Están huyendo desesperadamente mientras hablamos, porque creen que estarán a salvo cuando pisen tierra egipcia. Pero se equivocan, ya lo verás. Puede que Egipto esté fuera de mi alcance, pero nuestros amigos romanos son los amos de todo el mundo.

Baltasar lo fulminó con la mirada, imaginando que rodeaba con sus manos aquel cuello decrépito.

—No me interesa lo que sabes —añadió Herodes—. Lo que quiero es verte gritar.

—Pues te vas a quedar con un palmo de narices.

—Ya veremos —replicó el monarca con una sonrisa. Veía las gotas de sudor que corrían por el rostro de Baltasar. El temblor de sus dedos. Quizá fuera agotamiento, aunque creía más probable que se debiera a que el poderoso Fantasma de Antioquía estaba aterrorizado.

—Ya pareces asustado —pinchó Herodes.

—Y tú pareces un perro enfermo con la correa de Roma alrededor del cuello.

Al otro lado de la puerta, Pilatos se esforzó por contener la risa. *Ni yo mismo lo hubiera dicho mejor.* Herodes fulminó a su vez a Baltasar y luego se echó a reír. Si hubiera oído aquello el día anterior, se habría puesto furioso. Incluso se habría sentido herido. Pero habría sido antes de que todo cambiara. Antes de que su cuerpo y su futuro hubieran renacido de las cenizas. Ahora, en cambio, veía las palabras de Baltasar como lo que eran, golpes desesperados de un hombre a punto de morir.

El mago eligió el instrumento, un escalpelo, y se acercó. Baltasar se preparó para lo que se le venía encima. Había un lugar dentro de sí al que podía retirarse. Un lugar en el que Abdi lo estaba esperando, en el que su madre y sus hermanas aguardaban para recibirlo. Y Sela. También ella estaba allí, dorada y eterna. Recibiéndolo alegremente, desnuda bajo la superficie del Orontes.

Pilatos se quedó al lado de la puerta. No le atraía la tortura y quería estar cerca de la salida por si se le revolvía el estómago. Según su experiencia, aquella práctica sólo conseguía sonsacar mentiras. Estaba pensada más para el placer del torturador que para el dolor del torturado.

—No tengas prisa —dijo Herodes cuando el mago se acercó a Baltasar, con el escalpelo brillando a la luz de las antorchas.

No hacía falta apresurarse. El público ya había dado por muerto al Fantasma de Antioquía. Sin riesgo de despertar simpatía por el prisionero, eran libres de ser tan crueles y meticulosos como quisieran.

El mago comenzó su trabajo, acercando el escalpelo a un costado de Baltasar. Había decidido empezar por abrir la carne de la víctima, poco a poco. Más tarde pasaría a otros métodos menos quirúrgicos de infligir dolor. Le gustaba comenzar por los flancos, las tiras de carne que van desde las axilas hasta la cintura. Estaban llenas de nervios. Causarían un dolor insoportable al abrirlas y cortarlas. Pero arrancarlas no era mortal. Otros preferían empezar por el rostro y seguir hacia abajo. Y aunque retirar la piel de la cara suponía un dolor espantoso, a menudo causaba la muerte.

Posponer la muerte era como prolongar un orgasmo. Cuanto más se acercara la víctima a la frontera de la muerte sin llegar a cruzarla, mejor. El truco estaba en hacerlo despacio. Dar tiempo a la víctima para recobrarse de la conmoción, mantenerlo consciente y dejar en su cuerpo sangre suficiente para que siguiera vivo durante días. Ése era el truco. En eso consistía una buena tortura. Baltasar cerró los ojos e imaginó barcas que flotaban lentamente. A Abdi sentado en sus rodillas al pie de su palmera favorita. *La de la cicatriz en el tronco. Como la que tu hermano está a punto de... Alto.*

Aquello no servía. *Piensa en otra cosa, Baltasar. Piensa en otra cosa, rápido. Saca la mente de este calabozo. Aléjala del dolor.* Repasó una serie de imágenes, de palabras, de recuerdos, de cualquier cosa, buscando algo lo bastante sólido, para abrazarlo. Lo bastante sólido para mantenerlo sujeto cuando el dolor llamara a su puerta y tratara de devolverlo al presente, tratara de hacerlo gritar.

Baltasar levantó los ojos y miró más allá de la cuerda que le ataba las muñecas, más allá de la viga que lo mantenía sujeto. Miró más allá de las gotas de lluvia que formaban una mancha en el techo, más allá del mismo techo. Miró más allá de la azotea de palacio, más allá del mismo cielo, y vio la imagen a la que podía aferrarse. Una imagen lo bastante sólida para abrazarla.

El Hombre con Alas.

Bajó la mirada cuando el mago acercaba el escalpelo a su piel, incitándolo con la previsión del dolor. Mirándolo con aquellos ojos negros. Baltasar le devolvió la mirada. Estaba dispuesto a guardar un silencio total. Dispuesto a no temblar, pasara lo que pasase. El mago pegó el escalpelo bajo la axila izquierda de Baltasar. Sin apenas apretarlo, la afilada hoja del instrumento rasgó la carne; luego, la mano del mago comenzó a bajar lentamente, en línea recta hacia la cadera. La incisión fue tan fina que al principio ni siquiera sangró. Como un corte hecho con un papel, quedó allí, palpitando, respirando un momento, antes de que la sangre formara preciosas gotas rojas que se deslizaron por el costado. Y cuando empezaron a caer, Baltasar se mantuvo firme, rodeando estrechamente con los brazos al Hombre con Alas.

Permaneció en silencio y quieto incluso cuando el mago volvió al principio de su camino y le hizo otra incisión, paralela a la primera y luego las conectó con pequeños cortes al principio y al final. Baltasar ni siquiera gruñó, aunque los dientes empezaran a crujirle de tanto apretarlos. No tembló. Y cuando abrió los ojos, su firmeza se vio recompensada con el arrugado entrecejo de Herodes. Saltaba a la vista que el rey estaba decepcionado por la actitud del prisionero hasta ese momento. El Hombre con Alas, Abdi, tenía a Baltasar firmemente asido.

Y entonces el mago pinchó en la parte superior del largo rectángulo de carne y empezó a arrancarlo del costado. Y Baltasar se vio arrancado de los brazos de Abdi.

Gritó.

Gritó mientras le arrancaban el costado, primero por la axila y a continuación hacia la cadera. Gritó cuando le cortaron los nervios y los capilares, cuando le arrancaron la piel y la grasa, dejando el ensangrentado músculo al descubierto. Para Pilatos fue más que suficiente. Salió despacio del calabozo y se alejó por el pasillo. Le fue imposible no sentir lástima por aquel infeliz.

III

Arrebatado, pensó Sela.

Estaba escondida en una colina, al norte del palacio, con las olas estrellándose a pocos metros de donde permanecía agachada tras unas rocas. Detrás de ella, José y María se abrazaban, formando una tienda improvisada con sus ropas para guarecer al niño, aunque no bastaban para impedir el paso de toda la lluvia. A pesar de las gotas intermitentes que caían sobre su cabeza, el niño dormía, arrullado por el rumor de la lluvia y las olas.

Habían visto desde un escondite el momento en que Baltasar había sido atacado y golpeado hasta caer inconsciente. Aun sabiendo que era un error, habían seguido al ejército a una distancia prudencial mientras aquél se dirigía al palacio de verano de Herodes..., arrastrando a Baltasar tras ellos. Encogidos bajo la lluvia, vieron cómo lo conducían dentro. Y ahora estaban allí, bajo la tormenta, a unos cien metros de donde estaba atracada la mitad de la flota romana.

Arrebatado...

—¿Qué hacemos? —preguntó María—. Dos mujeres y un carpintero no son rival para el ejército romano.

Sela sabía que tenía razón. No podían hacer nada por él, salvo dejarse matar y confirmar de ese modo que la muerte inminente de Baltasar iba a ser en vano. Ella le había prometido que llevaría a Egipto a la familia judía y eso era exactamente lo que iba a hacer. Pero antes le debía unos momentos. Un momento más, allí, bajo la lluvia. Para llorar por lo que habría podido haber entre ellos. Para llorar por lo que hubo.

Curioso haber llegado tan cerca... sólo para ver que me lo arrebatan de nuevo.

Sela rindió su último homenaje al desdichado amor de su desdichada vida, perdida en sus pensamientos y en el constante rumor de la lluvia y el mar. El rumor que ahogó los pasos de los tres hombres que se acercaban sigilosamente por detrás.

IV

Herodes entró a zancadas en su dormitorio, que era mucho más pequeño que la espaciosa alcoba de su «palacio del placer» de Jerusalén, aunque de un tamaño respetable con sus cien metros cuadrados. La suave luz filtrada por las nubes entraba por un par de ventanas de la pared que daba al mar, depositando una pátina de claridad adormecida en las alfombras que rodeaban el amplio lecho y en las almohadas de seda, y despertando reflejos en el alto espejo de plata.

Después de cortar dos tiras de carne al Fantasma de Antioquía, el mago había sugerido suspender unos momentos la tortura. Era importante para la eficacia del procedimiento conceder a la víctima un poco de tiempo para recuperarse después de la primera conmoción. Igual de importante o más era darle falsas esperanzas. Esperanzas de que hubiera pasado lo peor, cuando de hecho lo peor no había ni comenzado. Herodes le había complacido de mil amores, ya que la pausa le daría la oportunidad de visitar su dormitorio y su maravilla de plata.

Herodes no quería correr ningún riesgo con el prisionero. El Fantasma de Antioquía había resultado ser demasiado listo y escurridizo para su guardia. Aunque estuviera atado y débil, no había que fiarse de él. Antes de salir, había ordenado a dos soldados romanos que se quedaran en la celda para vigilarlo todo el tiempo. No, no iba a correr ningún riesgo. No cuando el Dios de los hebreos andaba entrometiéndose. No cuando todo estaba saliendo tan bien.

Se puso ante el espejo y se quitó la ropa. Quería mirarse todas las partes del cuerpo, admirar lo rápido que se estaban curando.

Todas sus llagas habían desaparecido; la carne enfermiza que cubría su caja torácica era ahora abundante y saludable. Incluso los dientes, aquellos dientes ennegrecidos y curvados como pico de buitre, estaban más blancos. *Un milagro.*

Lo extraño era que ninguno de sus cortesanos hubiera elogiado todavía su nuevo aspecto. *Lo más probable es que teman apresurarse. O quizá simplemente teman mencionarlo.* Sonrió ante aquella idea. *No puedo culparlos. Ha sido un tema peliagudo durante años. Pero las mujeres..., estoy seguro de que las mujeres ya han notado la diferencia. Estoy seguro de que, aunque no lo digan, están entusiasmadas... como yo.*

El mago también estaba entusiasmado. Estaba recostado en un sofá de la sala del trono de Herodes —*nuestra sala del trono*—, saboreando una copa de vino. Un pequeño e inofensivo lujo. Uno de los muchos que estaba pensando en adoptar en su nuevo papel de gobernador de Judea.

La soberbia era un defecto muy peligroso. ¿No decían los judíos que la soberbia era el preludio de la destrucción? Pues que lo fuera. Aquel día el mago se estaba permitiendo ser soberbio, porque finalmente había conseguido lo imposible. Con un poco de paciencia y un mucho de persuasión a distancia, había manipulado a dos de los hombres más poderosos del mundo para que le dieran exactamente lo que quería: la oportunidad de reconstruir. La oportunidad de hacer resurgir de las cenizas una religión perdida.

Sus compañeros los magos —*mis hermanos, en paz descansen*— habían pasado siglos aislados, estudiando los poderes ocultos de una época pretérita, una época en que los milagros eran algo común y corriente. Una época de zarzas ardiendo, de plagas y diluvios. Durante siglos se habían mantenido lejos del mundo, especializándose en aquellas artes ocultas. Sin compartir sus secretos con nadie. Pero el mundo había cambiado. Los imperios se habían extendido hasta el desierto. El hombre había ideado su propia magia: conteniendo las inundaciones de los ríos con presas, curando enfermedades con medicinas, construyendo torres que llegaban al cielo. Los milagros habían cesado y, por mucho que se hubieran esforzado los magos por permanecer aislados y puros, el mundo se había abierto camino a la fuerza.

Habían quemado sus templos. Habían perseguido y cazado a sus hermanos, los habían acusado de herejía y condenado a muerte, hasta que los magos, antaño prósperos, habían sido borrados de la faz de la tierra. Hasta que todo lo que quedó de ellos fue un único discípulo. Un hombre que dominaba las antiguas artes ocultas. Y que, francamente, llevaba una existencia solitaria.

Herodes había tenido razón en una cosa: el mundo ya no necesitaba hombres como él. Pero el rey era débil. Y su mayor debilidad era que se creía sabio. Sólo había necesitado un pequeño encantamiento, un truco. Como todos los antiguos hechizos era relativamente fácil y funcionaba sólo en aquellos lo bastante desesperados para creer en sus efectos. Por fortuna, el rey era uno de ellos.

En realidad, la enfermedad de Herodes era irreversible. La maldición que le corroía las entrañas era mucho más fuerte que nada de cuanto el mago podía invocar. Pero aunque no podía devolver la salud al rey títere, sí que podía hacer que el rey *creyera* que estaba sano. Ante los ojos hechizados de Herodes, sus lesiones y llagas estaban desapareciendo y él recuperaba la salud a pasos agigantados. Ante los ojos del resto del mundo, seguía siendo la misma criatura repulsiva.

Sí, a sus cortesanos y concubinas les parecería extraño que su rey estuviera de repente tan alegre y pasara tanto tiempo admirándose en el espejo. Sí, puede que les pareciera extraño que se contoneara por los pasillos con renovado vigor o haciendo comentarios sobre su remozado aspecto. Pero ahí estaba lo bueno: nadie se atrevería a llevarle la contraria. Y aunque se la llevaran, Herodes se limitaría a creer que estaban locos.

El rey títere de Judea se había convertido en el títere personal del mago. Y así seguiría, aunque la enfermedad que ya no podía ver ni sentir lo consumiera hasta el momento de la muerte.

Porque morirá. Y pronto. A menos que Augusto lo mate antes. Que lo mate por robarle a su preciado mago.

¿Y qué ocurriría cuando Herodes desapareciera? Que el mago seguiría allí para hacerse dueño absoluto del trono. Un reino entero para él. Un ejército, guiado por las antiguas artes oscuras, para enfrentarse a Roma. Y la oportunidad de reconstruir la antigua hermandad que casi había desaparecido de la historia.

Un extraño silencio reinaba en la mazmorra, roto sólo por el goteo del agua de la lluvia que se colaba por el techo y caía al suelo de piedra; por el crepitar de las llamas del horno de arcilla y su sofocante calor. Baltasar colgaba sin fuerzas de la viga de madera, tratando de no pensar en el dolor que le causaban las heridas que le habían dejado al descubierto los músculos de los costados. Hasta el más ligero movimiento del aire le producía un dolor agudo que tensaba su cuerpo y le cortaba el aliento.

Miró a través de los mechones empapados que le colgaban de la frente y vio que en la celda sólo había dos guardias romanos, apostados a ambos lados de la puerta. Sus torturadores se habían ido. *Al parecer, es duro ver sufrir a un hombre.* El agua seguía goteando de manera uniforme, colándose por las grietas de la argamasa que unía los ladrillos, donde quedaba suspendida, desafiando la ley de la gravedad, hasta que las gotas crecían lo suficiente para desprenderse y caer una por una. Unas gotas bajaban por la cuerda que lo mantenía colgado por las muñecas. Otras caían sobre Baltasar y resbalaban por su cuerpo, mezclándose con la sangre de su piel, arrastrándola camino del suelo, donde ya se formaban charcos.

Tenía problemas para enfocar la vista debido al agua y a las involuntarias lágrimas que le brotaban cada vez que el dolor le atravesaba el cuerpo. Oyó abrirse la puerta del calabozo y vio que entraba la silueta fantasmalmente blanca de un hombre alto.

—Así que aquí está —dijo el hombre, quitándose la capa y dándosela a uno de los guardias—. Aquí está el gran Fantasma de Antioquía en carne y hueso. Tenía que venir a verlo con mis propios ojos.

Estaba más viejo. Canoso, aunque aún erguido. Era un oficial de alta graduación, quizá general. Un militar de carrera en el ocaso de sus años de combatiente.

—Estuve destinado en Antioquía hace algún tiempo —añadió el hombre mientras avanzaba—. Me pareció un lugar sucio, a decir verdad. Y por favor, no es mi intención ofenderte.

Pronto llegaría la ligera inclinación de la espalda, el desgaste de los músculos. Luego los huesos perderían peso a una velocidad alarmante, en el dorso de las manos aparecerían manchas oscuras y tendría que utilizar un bastón para dar los últimos e invernales pasos hacia la tumba. Pero todavía no. Todavía quedaba energía en aquel hombre. Baltasar lo sabía por la forma en que se comportaba.

—El río, los Pórticos, el foro —prosiguió el individuo—. Antioquía tenía sus encantos.

Algo se agitaba bajo su barbilla, algo dorado. Algo que reflejaba la luz de la antorcha en todas direcciones.

—Sólo que, por muy hermosa que fuera, nunca soporté a sus habitantes. Me recordaban a las ratas. Pequeñas ratas ladronas.

Baltasar sintió que se quedaba sin las pocas fuerzas que le quedaban. Sintió que el aliento abandonaba su pecho y todo él se insensibilizaba y entumecía.

Era un medallón.

El medallón de Abdi.

V

Sela no sabía quién empuñaba el cuchillo. Sólo que le apretaba peligrosa, dolorosamente el cuello.

—En pie, despacio —dijo la voz—. Al menor movimiento, te rebano el pescuezo.

Se levantó, maldiciéndose por haberse descuidado. Maldiciéndose sobre todo por haberse quedado allí demasiado tiempo, suficiente para que la descubrieran y atraparan. Habían puesto la libertad en sus manos, pero ahora todos estaban muertos. *Arrebatados.* ¿Y por qué? Por un momento de estúpido sentimentalismo. No debía haberlos llevado allí. Tendría que haber hecho lo que le había prometido a Baltasar y conducirlos a Egipto a toda prisa. «¡No mires atrás!», le había dicho.

Ya estaba de pie, pero aún no podía ver al hombre que le había puesto el cuchillo en el cuello. Con el rabillo del ojo derecho advirtió que también José y María eran obligados a levantarse, amenazados igualmente por sendos cuchillos en el cuello. Él con los brazos levantados por encima de la cabeza, María sujetando al niño bajo sus ropas y murmurando: «No, no, no», una y otra vez.

No, se dijo Sela. *Así no.* Habían acabado con Baltasar. Habían acabado con Abdi. Podían acabar con José y con María, pese a todo su celo. Y podían acabar con ella. Pero no iban a acabar con el niño.

Ni en broma.

Entonces explotó, cogió la muñeca del que sujetaba el cuchillo y la apartó de su cuello. Sin perder el impulso, giró sobre sus talones y se puso de cara a su atacante: un centinela romano, ninguna sorpresa; y le clavó la rodilla derecha en la entrepierna con tanta fuerza que estuvo segura de haberlo dejado impotente para el resto de su vida. El soldado no pudo defenderse. Soltó el cuchillo y se llevó instintivamente las dos manos a la ingle. Y mientras se doblaba por la cintura y vomitaba, Sela volvió a levantar la rodilla, esta vez hasta su cara; el golpe aflojó varios dientes y convirtió la nariz del hombre en un triste recuerdo de lo que había sido en tiempos mejores. El centinela cayó al suelo inconsciente y Sela, sin perder un instante, recogió el cuchillo que había soltado.

Como es lógico, la lucha había atraído la atención de los otros dos centinelas, que dejaron a José y a María y corrieron hacia Sela con los cuchillos por delante. Pero aunque los dos echaron a correr hacia ella, sólo uno consiguió dar más de un paso: José saltó sobre la espalda del segundo y le atenazó el cuello con el antebrazo, estrangulándolo por detrás. Sela se apartó de la trayectoria del otro centinela en el momento exacto y el cuchillo le pasó rozando la cara. El soldado trató de recuperar el equilibrio y volver a atacar, pero resbaló sobre la piedra húmeda y tuvo que poner una mano en tierra para no caer.

Sela aprovechó aquel momento de vulnerabilidad para clavarle el cuchillo en el riñón. Le sorprendió la facilidad con que entró y la rapidez con que se desplomó el centinela, gritando y llevándose la mano a la herida. Miró a los dos soldados que acababa de derrotar; se volvió y vio al tercero, con el rostro enrojecido y a punto de morir por falta de oxígeno. José seguía subido en la espalda del centinela, estrangulándolo con todas sus fuerzas, aunque el otro manoteaba y tiraba del pelo del carpintero.

—¡Corre, María! —gritó—. ¡Corre!

Sela se quedó paralizada, sin saber si ayudar a José o alejarse con María y el niño. Miró el cuchillo ensangrentado que tenía en la mano y pensó en atacar al centinela que José estaba asfixiando. *Pero ¿y si fallo? ¿Y por qué María se queda quieta, mirándome y haciendo señas?*

—¡Sela! —gritó la joven madre—. Detrás de ...

Sela bizqueó y el rumor de la lluvia y las olas le pareció repentinamente lejano. Se quedó erguida mientras el mundo se inclinaba y le golpeaba la cara con el suelo, produciendo un impacto sordo. La habían alcanzado en la cabeza. De alguna manera lo supo, aunque aún tenía que hacerse cargo del dolor, y su pelo todavía tenía que apelmazarse con la sangre que le salía de la herida. Unas sandalias aparecieron ante sus ojos y saltaron por encima de ella, medio corriendo, medio cojeando, en dirección a José. Aunque no pudo verle la cara, la cojera le dijo que las sandalias pertenecían al primer soldado. El impotente.

A pesar de la lesión, había debido de hacer acopio de fuerzas para levantarse, golpear a Sela en la cabeza y correr en ayuda de su compañero. Vio que se lanzaba sobre José, y los tres hombres rodaron por el suelo. Le vio asestar al carpintero una serie de puñetazos. Y mientras veía de soslayo el desarrollo de estos acontecimientos, incapaz de intervenir, otro par de sandalias apareció ante su mirada, con gotas de sangre y lluvia bajando por las piernas y tobillos de quien las calzaba.

Es el del riñón acuchillado, es el del riñón acuchillado.

Sela también vio el extremo de una porra de madera. Desapareció de su campo visual cuando el centinela la levantó. Un momento después todo fue oscuridad.

VI

El medallón de Abdi rodeaba un cuello arrugado y seco. El cuello rojo y correoso de un hombre que había pasado despreocupadamente muchos días al sol. Un hombre al que se le había permitido envejecer. El vello de su pecho era blanco, al igual que su barba. Ambos contrastaban con el tono bronceado de la piel que había debajo. El almirante —*el centurión*— había cambiado mucho en los últimos nueve años. Pero los ojos eran los mismos. Los mismos que se habían grabado en la mente de Baltasar aquel día, en el foro. Los mismos que lo habían acompañado bajo los oscuros cielos del desierto todos aquellos años, mientras recorría el imperio buscando al hombre que ahora tenía delante y el medallón que todavía llevaba al cuello, del mismo modo que lo había llevado Abdi.

Concédemelo, oh, Señor, concédemelo. Permite que vuelva a ver el rostro de mi enemigo. Permíteme que lo mate por lo que hizo. Permítemelo antes de que acabe mi vida en este mundo. Permítemelo, no me importa lo que me aguarda al otro lado del abismo de la muerte. No me importan las consecuencias, ni el tiempo, ni el castigo.

Puede que Dios se lo entregara a Baltasar, como dijo María. Sólo que no se lo había entregado para matarlo. Dios había conducido al centurión a aquel lugar para que se burlara de él. Para castigarlo por todas las maldades que había cometido en su vida. Por todos los futuros y fortunas que había robado.

Y merezco que se burlen de mí.

Sin embargo, el almirante no tenía ni idea de quién era el animal sucio y ensangrentado que colgaba delante de él. Parecía sirio.

Como una de aquellas ratas de Antioquía. Como aquellos pegotes de mierda que tuve que aguantar. Cuyo hedor sigo oliendo todavía. No le gustaba cómo lo miraba aquella rata en particular. *Como si supiera algo que yo desconozco. Como si fuera a matarme. ¿Y por qué su mirada se fija en mi medallón tan a menudo?*

Es probable que todo aquello hubiera seguido siendo un misterio para el almirante si no hubiera sido porque Baltasar, presa de la ira, se mordió el labio. Lo mordió con tanta fuerza que le corrió un hilo de sangre por la comisura de la boca. Y al hacerlo, el almirante la vio. La pequeña cicatriz de la mejilla derecha de Baltasar. Aquella inconfundible cicatriz en forma de equis.

La cicatriz que yo le hice...

—¡Gloria! —exclamó Herodes, con el mago al lado.

No era la palabra perfecta, pero fue la primera que le vino a la boca. Miró al niño acostado sobre la mesa, desnudo y llamando a gritos a su madre en medio de la abarrotada sala del trono. Los fugitivos habían sido capturados mientras espiaban en los alrededores de palacio, bajo la lluvia. Era demasiado bueno para ser verdad. Herodes había esperado que hubiera un lance final en aquella gran cacería. Un último obstáculo del entrometido Dios de los hebreos. Lejos de ello, el pequeño mensajero del Dios de los hebreos, el llamado Mesías, se había presentado en su puerta trasera sin más.

—¡Gloria al pueblo de Judea! ¡Gloria a Roma y a su emperador!

Pilatos observaba al desdichado rey celebrándolo mientras los padres del niño, encadenados y gemebundos, permanecían custodiados por guardias romanos cerca de la entrada de la sala del trono. Había otra mujer con ellos, también encadenada. *Probablemente la misma que les dio cobijo en Beersheba.* Por su aspecto, daba la impresión de que la habían dejado medio muerta a golpes.

Sus centinelas habían recibido lo suyo y en aquellos momentos estaban en manos de los médicos personales del rey. Le habían dicho que dos sobrevivirían, pero el otro, el que habían apuñalado, seguramente moriría a causa de la infección. *Por lo menos morirá como un héroe.*

Herodes se inclinó e introdujo los dedos bajo la espalda del niño. *Mis dedos... ya sin ampollas. Que ya no están torcidos ni duelen.* Levantó al niño en vilo y lo elevó para que todos lo vieran. Lo levantó como el sacerdote eleva en el templo una ofrenda al cielo.

Y lo quemaré como ofrenda —se dijo—. *Quemaré a un dios... Oiré sus gritos. Veré su carne derretirse y sus huesos ennegrecerse.*

Quería que el Dios de los hebreos lo viese. Si aquel niño estaba destinado a derrotar a todos los reinos del mundo, si realmente era, como decían los judíos, «el hijo de Dios», ¿qué sería el rey que lo tenía en sus manos? Paseó por la sala, enseñando al niño para que lo vieran todos los cortesanos y funcionarios allí reunidos.

Sí, un hombre podía ser más grande que un dios. Allí estaba la prueba. Allí había un rey con un dios en sus manos. *Mis manos, que se mueven sin dolor por primera vez en muchos años.* Entregó el niño a un guardia romano.

—Llévalo a las mazmorras y espéranos allí. Quiero meterlo en el horno yo mismo.

Estas palabras hicieron lanzar gritos de angustia a María y José, que no sirvieron para disuadir a Herodes, sino para recordarle su presencia.

—Matad al marido —ordenó antes de dirigirse hacia la puerta. Luego, como si se le acabara de ocurrir, se volvió e hizo una señal a los guardias.

—Haced lo que se os antoje con la mujer.

El almirante habría podido estallar en carcajadas al darse cuenta de aquel prodigio. Si el hombre que tenía ante sí era el Fantasma de Antioquía, y el Fantasma de Antioquía era la pequeña rata que había marcado con su espada en el foro tantos años antes, entonces...

Entonces fue obra mía, yo creé al Fantasma de Antioquía.

—Aquel chico era tu... Tu hermano —murmuró el almirante—. El chico del foro...

No había desprecio en la voz del almirante. Al contrario, tras sus palabras parecía palpitar una simpatía auténtica. Y tristeza. En el fondo, estaba emocionado por lo que estaba ocurriendo. Se sentía abrumado por toda suerte de emociones, entre ellas la tristeza. Le maravilló el designio del hado. Que entre todas las mazmorras del mundo, lo hubiera enviado a aquélla. Enviado a verse cara a cara con el monstruo creado por él.

—Te mataré —prometió Baltasar.

—Lo sé.

—Lo juro.

—Lo sé, sé que quieres hacerlo —repuso el romano con tristeza—. Por Júpiter, debes de creer que soy un...

El almirante se acercó más a él. Se acercó tanto que Baltasar pudo ver los capilares reventados de su nariz. Las cicatrices de una vida empapada en vino. Después de fijarse bien en el rostro de Baltasar, el almirante se apartó y se sentó en la silla de Herodes. Un suspiro escapó de su garganta.

—Tengo hijos, ¿sabes? —dijo—. Cuatro hijos. Ahora ya son mayores, desde luego, pero recuerdo haber sentido ese miedo. El miedo a que me los arrebataran. Y si alguien les hubiera hecho algún daño cuando eran niños, bueno...

—Él era un niño... —el solo hecho de pronunciar aquellas palabras hizo que sus ojos volvieran a anegarse de lágrimas.

—Era un ladrón —replicó el almirante—. Y yo era oficial en una ciudad en la que un romano no podía cruzar el foro sin que le robaran la bolsa.

—¡Él no lo entendía!

Y eso es lo que más duele, cuando te paras a pensarlo. Aquella expresión en su rostro... La que veo una y otra vez en mi memoria.

Aquel miedo, aquella confusión. ¿Por qué, Balsá? ¡Qué he hecho? ¿Por qué me hace daño este hombre, Balsá? Eras el ejemplo que yo seguía. Yo te quería y te imitaba, Balsá, y esto no me habría pasado si tú no fueras tan malo. ¡Es culpa tuya, Balsá! ¡Culpa tuya!

Baltasar apretó los dientes, esforzándose por contener las lágrimas. Pero éstas fluyeron libremente.

—Él no lo entendía —repitió—. Era bueno. Habría disfrutado de una buena vida. Una vida hermosa. Y tú se la quitaste. Le quitaste todo lo que habría podido tener. Todo lo que... habríamos podido tener.

—Quizá —replicó el almirante—. Quizás hubiera tenido una buena vida. Quizás hubiera tenido una vida trágica. Pero tú... —Se levantó de la silla de Herodes y volvió a acercarse—. Mírate. Has dedicado toda tu vida a esto. A matarme. Y ahora se acaba. Inútil. Frustrada. Eres un hombre astuto, un hombre fuerte. Podrías haber hecho cualquier cosa. Podrías haberlo llorado y haber seguido viviendo. Podrías haber encontrado amor y fortuna, tenido hijos propios. Pero has malgastado tu vida.

Baltasar oyó una voz que le susurraba en los oídos. *¿De veras honraría su memoria un asesinato? ¿Pondría a Abdi más cerca de tus brazos? ¿No es mejor olvidarlo todo? ¿No te haría eso más poderoso?* Además, el almirante tenía razón. Había desperdiciado toda una existencia buscando venganza. Se había dedicado en cuerpo y alma a un único objetivo: matar. Pero ahora que estaba tan cerca, surgió una nueva y terrible pregunta: *¿Y luego qué? ¿Qué significado tendrá tu vida después? ¿Qué vendrá a continuación?*

—Te persigue —dijo Baltasar—. Su rostro... sé que...

El almirante lo miró con compasión sincera.

—¿La verdad? —preguntó—. Mírame. ¿Quieres que te cuente la verdad?

Baltasar levantó los ojos y lo fulminó con la mirada.

—Apenas he pensado en él.

Está mintiendo. Quiere que crea eso. Pero ningún hombre es tan insensible.

—Yo no me llevaba muy bien con mi padre —dijo el almirante—. Pero antes de morir me dio un buen consejo. El único que tuvo importancia en mi vida. «Abraza a tus hijos —dijo—. Besa a tu madre y a tu padre, a tus hermanos y hermanas. Diles todos los días lo mucho que los quieres. Porque cada día es el último día. Toda luz arroja una sombra. Y sólo los dioses saben cuándo va a encontrarnos la oscuridad.»

El almirante se volvió y se sirvió un gajo de naranja de la bandeja. Lo masticó, saboreó su dulzura y su humedad y siguió masticando. Mientras lo hacía, Baltasar tomó una decisión.

Descubriré lo que viene a continuación.

La sangre corrió por sus muñecas cuando tiró de la cuerda con todas sus fuerzas, cuando tiró de la viga a la que estaba atado. La viga empezó a crujir bajo su peso y el almirante se volvió. Miró la viga, maciza como toda viga que se precie. Luego miró a Baltasar, que tiraba con las pocas fuerzas que su cuerpo había podido reunir. Era matemáticamente imposible. No había forma de que un hombre pudiera soltarse en aquellas circunstancias. Ya más tranquilo, volvió a concentrarse en el gajo de naranja que tenía en la boca.

El mago se llevó las manos a la cabeza y se levantó de un salto del sofá de la sala del trono, tirando su copa al hacerlo. Algo iba terriblemente mal.

—¿Qué pasa? —preguntó Herodes, levantándose también del trono. Cuando el rey terminó de pronunciar estas palabras, el mago ya estaba andando y apartaba a cortesanos y consejeros en busca de algo. *Cualquier cosa.* Cuando el rey se dio cuenta de lo que hacía el otro, gritó—: ¡Traedle recado de escribir, enseguida!

Rápidamente pusieron un papiro en las manos del mago mientras los consejeros trataban de hacerse los ocupados. Herodes cruzó la sala del trono y se puso detrás del pequeño sacerdote, leyendo cada letra que escribía:

«El prisionero está libre. El Fantasma...»

—¡Imposible! —exclamó Herodes—. ¡Está bajo custodia!

El mago volvió a escribir a toda prisa y puso el papiro tan cerca del rostro de Herodes que casi le rompió la nariz.

«Guardias muertos. Todos muertos.»

Baltasar ha renacido. Es Sansón matando a un ejército entero con una quijada de asno. Es Hércules matando al león de Nemea. David matando a Goliat. Tensa los brazos hasta que le tiemblan, tira de las cuerdas que atan sus muñecas a la viga de madera de la pared. Y oye el ruido de la madera al partirse.

Al almirante casi se le salen los ojos de las órbitas, porque no cree lo que está viendo. Es imposible. Un hombre no puede ser tan fuerte y menos cuando está tan destrozado. Pero la viga se parte, se parte en dos y cae al suelo de piedra con estruendo, dejando a Baltasar con las manos libres.

Los guardias desenvainan las espadas y cargan contra él. Baltasar también ataca. Se dirige a la mesa que hay pegada a la pared, la que está llena de escalpelos, pinzas y tijeras. Coge lo primero que tocan sus dedos sin advertir que es el mismo escalpelo utilizado para cortar la carne que le falta en los dos costados. Con el cabo de las ligaduras aún colgando de ambas muñecas, Baltasar da media vuelta, empuñando el escalpelo ante sí.

Y a pesar de lo débil y maltratado que está, se mueve con más rapidez que nunca. La hoja del escalpelo atraviesa las gotas de lluvia que caen del techo cuando cruza el espacio y se clava en la mejilla del primer guardia. Baltasar se la rasga como a él le han rasgado los costados. Al otro le hace un tajo bajo la axila y hunde la hoja más adentro, más profundamente, atravesando las costillas y llegando a los pulmones. La retira y el hombre cae al húmedo suelo, donde se ahogará con su propia sangre en pocos segundos o morirá a causa de la infección en unas semanas. No importa, siempre y cuando abandone este mundo con dolor.

Pero ahora no tiene tiempo para pensar en eso. Todavía no. Porque el almirante acaba de darse cuenta de que es el siguiente y comienza a retroceder hacia la puerta cerrada del calabozo. Baltasar ha de recorrer el doble de distancia para atacarlo allí. Es imposible. Pero no ese día. El mundo se ha inclinado ante él. El tiempo lo ha envuelto en sus brazos. Baltasar se mueve como si tuviera alas en los pies y ojos en el cogote. Empuña la espada de un guardia y cruza el suelo húmedo a una velocidad de vértigo, bloqueando la vía de escape del almirante, que tiene miedo. Retrocede, porque ve la verdad escrita en el rostro de Baltasar. Puede ver que ese hombre no fracasará en nada que se proponga. Tiene miedo porque sabe que aquéllos son sus últimos momentos en la tierra y que van a ser unos momentos terribles.

Y tiene razón.

Baltasar apoya la punta de la espada en el estómago del almirante. Y éste grita cuando su tierna carne se contrae pero no se rasga. Baltasar empuja con fuerza y la piel se rompe y la espada penetra en la carne. Y atraviesa el vientre y sale por la espalda. Y duele, y está muy asustado. De súbito está caído en el suelo y su sangre se mezcla con las gotas de lluvia. Brota de sus entrañas, alrededor de la hoja de la espada.

Cada día es el último día —*piensa*—. Toda luz arroja una sombra. Y sólo los dioses saben cuándo va a encontrarnos la oscuridad.

Pero el almirante ve una luz. Una luz que va a buscarlo. Su respiración es laboriosa, le sale sangre por las comisuras de la boca. Mira esa luz cálida, de un naranja suave, que se acerca oscilando. Y sabe que es una luz misericordiosa, aunque no sabe por qué lo sabe.

Pero hay un hombre con la luz: el que la lleva. Es el Fantasma. Y el almirante vuelve a tener miedo, porque lo sabe. Sabe lo que aquella luz es real. El Fantasma de Antioquía ha sacado algo del horno. Algo metálico. Tan candente que brilla.

Y ahora está sobre él. Pone un pie desnudo sobre la frente del almirante y la aprieta con fuerza contra el mojado suelo de piedra. Con tanta fuerza que el romano no puede mover la cabeza. Y antes de que pueda gritar, la luz entra en su boca, rompiéndole los dientes delanteros..., y el grito queda ahogado entre el crepitar y el humo. Huele sus labios quemándose. Siente su saliva convirtiéndose en vapor y su lengua socarrándose cuando el atizador se introduce hasta su garganta... y el hierro candente le ennegrece las amígdalas y las cuerdas vocales. Se estremece con la poca fuerza que le queda cuando el Fantasma saca la luz de su garganta y se la pone en el cielo de la boca, abrasándole el paladar antes de atravesarlo y entrar por la cavidad nasal. Y el Fantasma distingue esa luz resplandeciente bajo la piel del almirante, y es un espectáculo extraño, casi hermoso, la luz anaranjada que ilumina el rostro de un hombre por dentro. Pero sigue empujando hasta que la punta del atizador atraviesa el hueso superior de la cavidad nasal y se hunde en su...

El almirante despertó gritando. Presa del pánico, se miró el cuerpo en busca de sangre, moraduras, algo..., pero para su alivio y sorpresa, estaba ileso. Todo había sido un sueño extraño y vívido. Causado quizás por una enfermedad. La tensión de haber estado demasiado tiempo lejos de casa.

Estaba a orillas de un río. Era un día cálido y despejado. Los pescadores habían acudido en tropel y las barcas se mecían suavemente con la corriente. Al otro lado del río vio a un muchacho con un niño en brazos, descansando a la sombra de una palmera con una cicatriz en el tronco.

El Orontes... Antioquía.

Había vuelto a Antioquía, y a pesar de todos los delitos y las ratas, no se había sentido tan feliz en su vida. Se volvió, esperando ver el conocido desierto a sus espaldas, con los montículos de tierra que indicaban las tumbas superficiales en las que los romanos arrojaban la basura muerta. Pero el desierto había desaparecido. Las tumbas estaban vacías. Y en su lugar había una muralla de difuntos con los ojos reducidos a polvo hacía tiempo, pero mirándolo a pesar de todo.

Lo habían estado esperando... esperando para recibirlo en el páramo que ellos habían llamado hogar todos aquellos años. Un lugar en el que no transcurrían los años. Estaban hombro con hombro, formando un semicírculo que se cerraba a su alrededor, hasta que tocó el río por ambos lados. Atrapado por todos los ejecutados injustamente en Antioquía. Y allí, en el centro de aquella turba de cadáveres retorcidos y exangües, había un hombre diferente de los demás. Un hombre diferente de todos los que el almirante había visto.

Un Hombre con Alas.

Era bueno y hermoso. Y el almirante se puso a sollozar, porque sabía..., de alguna manera sabía exactamente quién era aquel hombre y qué había ido a hacer. Sollozaba y temblaba, porque sabía que no podía hacer nada para detenerlo. Y lo peor de todo, sabía que se lo merecía.

El Hombre con Alas avanzó, cogió suavemente al almirante en brazos y levantó el vuelo. Hasta un mar de espacio y tiempo, en cuya brillante superficie se reflejaba todo el universo. Hasta el lugar en el que los muertos ardían eternamente...

Y José y María se aprietan instintivamente contra la pared de la celda sumida en la oscuridad y cubren al niño con sus cuerpos al oír descorrerse el cerrojo de la puerta. Sela se levanta, dispuesta a morir luchando con cualquier ser que entre por aquella puerta. Cada centímetro de su cuerpo está roto y sangrando; tiene las manos encadenadas. Pero no se van a llevar al niño sin luchar. Ni en broma. Y la puerta del calabozo cruje al abrirse, y la solitaria, inverosímil silueta aparece. Y la alegría y la sorpresa de una reunión inconcebible, y el rápido caer de las cadenas.

Los amigos reencontrados corrieron por el sinuoso pasillo que servía de eje a las mazmorras, tratando de hacer el mínimo ruido posible a pesar de los cinco centímetros de agua de lluvia que cubrían el suelo. Tratando de encontrar un rayo de luz diurna que les mostrara el camino y huyendo de los gritos cada vez más numerosos que los seguían. Habían dado la alarma y todas las entradas y salidas de palacio pronto serían selladas. Necesitaban otro milagro y, durante un momento, Baltasar pensó que lo habían conseguido: la luz del día. Un poco más adelante, al doblar la esquina.

Condujo a los otros rápida y silenciosamente, pero al doblar la esquina se quedó paralizado. Había un soldado romano bloqueándoles el camino, con la espada en alto: la promesa de la luz del día brillaba detrás de él. La luz de las antorchas de la mazmorra se reflejaba en su casco, en su coraza y en su espada, escrupulosamente bruñidos. Los estaba esperando.

Poncio Pilatos.

Baltasar tenía la espada fuertemente sujeta con la mano derecha y el brazo izquierdo estirado, protegiendo a María y al niño, que iban detrás de él. Los dos hombres se miraron fijamente. Ambos sombríos, decididos. Ambos acostumbrados a matar. Los dedos se tensaron alrededor de las empuñaduras de las espadas, ambos esperando el menor movimiento del otro. Esperando para atacar. Pero ninguno atacó.

Satisfecho de que Baltasar no lo hubiera abatido en el acto, Pilatos miró a los otros fugitivos: los padres del niño. *Aterrorizados.* La mujer que los había alojado en su casa. *Que arriesgó la vida para salvarlos y venció al menos a dos de mis hombres ella sola.* Y luego estaba el Fantasma de Antioquía. *Que arriesga su vida para protegerlos incluso ahora, cuando tan fácilmente podría haber escapado él solo.*

Pilatos se quedó inmóvil unos momentos, con los ojos fijos en Baltasar. En todo lo que siempre había deseado.

—Cincuenta pasos —dijo—. Y después me pondré a gritar.

Dicho esto, bajó la espada, pasó por su lado y desapareció en la oscuridad del pasillo.

Ni siquiera en el mismísimo instante de su muerte llegaría Pilatos a entender del todo por qué había hecho aquello. Lo único que habría tenido que hacer era pedir ayuda y se habría convertido en un héroe. ¿Fue porque había sido testigo de la tortura de Baltasar? ¿Fue el deseo de ver humillado al rey títere de Judea? ¿O fue simplemente porque no le gustaba la idea de matar a niños recién nacidos?

Fuera cual fuese el motivo, había tenido la gloria que buscaba justo allí, al alcance de sus manos..., y la había dejado escapar. Como si tal cosa. Fue una decisión que moldearía su vida de una forma que probablemente no entendería nunca, y no sería la última vez que se enfrentara a una decisión parecida. Alrededor de treinta años después, Poncio Pilatos volvería a encontrarse con el niño, en Jerusalén. Una vez más sentiría el extraño impulso de perdonarle la vida. Pero esa segunda vez no lo conseguiría.

Los cinco amigos salieron corriendo por la salida de palacio que daba al mar, a la terraza ensombrecida por la tormenta y en la que la lluvia acribillaba el mármol produciendo un ruido incesante, casi arrullador. Entre la lluvia y las voces de alarma que se oían dentro, la terraza estaba despejada. Baltasar tenía que tomar una decisión y debía hacerlo en pocos segundos, a pesar de su agotamiento y del dolor insoportable que sentía en las heridas de ambos costados.

Podían huir a pie por el desierto, pero si los veían, no podrían enfrentarse a la caballería romana. Podían buscar un lugar para esconderse cerca del palacio y esperar que los romanos los persiguieran por el desierto. Pero ¿y si no sucedía así? Fue allí, en aquel preciso momento de palpitante indecisión, cuando la imagen de unos juncos oscilantes llamó la atención del grupo, y sus ojos des-

cendieron por los húmedos peldaños de mármol hasta el mar, donde los mástiles de los barcos de guerra romanos bailaban a merced
del oleaje. Todos firmemente amarrados al muelle...

... sin ningún hombre a bordo.

VII

Una joven salió corriendo de la sala del trono de Herodes, sollozando y empapada en sangre. Una parte de la sangre era suya. El resto no. Se abrió camino a empellones entre los soldados romanos y de Judea que atestaban los pasillos.

—¡El rey! —gritaba—. ¡El rey se ha vuelto loco!

Los soldados habían llegado corriendo poco antes, atraídos por el fragor de una pelea. Esperaban ver al Fantasma de Antioquía peleando con sus compañeros, con intención de ponerle las manos encima a Herodes. Pero cuando llegaron se quedaron pasmados al ver que era el rey en persona el que blandía una espada, dispuesto a acabar con sus cortesanos y consejeros, con sus sacerdotes y sus mujeres. Los soldados no pudieron hacer otra cosa que quedarse mirando mientras el monarca los despedazaba, sin dejar de gritar. Ninguno se atrevía a oponerse a la voluntad de un rey, estuviera loco o no.

Era un espectáculo de pesadilla. Una escena espeluznante que hizo que incluso los soldados más avezados desviaran los ojos para no vomitar. La sala del trono estaba sembrada de víctimas decapitadas o sin miembros. De fragmentos de cerámica y astillas de muebles destrozados. Y en medio de todo, Herodes en persona, arrodillado junto a uno de los cadáveres, con una espada al lado y el rostro completamente manchado de sangre.

Pocos minutos antes de que comenzara aquella locura, Herodes estaba sentado impacientemente en el trono. El mago estaba sentado junto a él, meditando en silencio. *Buscando a los fugitivos* —esperaba Herodes—. *Persiguiéndolos en espíritu.*

Pocos minutos después de que los primeros gritos de alarma resonaran en palacio, apareció Poncio Pilatos con su lugarteniente para informar a Herodes. Fue probablemente una hora antes de que los romanos descubrieran que había desaparecido uno de los barcos más pequeños de su flota.

—Parece ser —dijo Pilatos— que el Fantasma y los demás fugitivos han conseguido escapar de palacio, majestad.

Herodes cerró involuntariamente los puños. *El Dios hebreo...*

—Por el momento —prosiguió— no tenemos ninguna indicación sobre su paradero, pero algunos de mis hombres están ya registrando los alrededores por si se hubieran refugiado cerca.

—¿Algunos de tus hombres? ¡Envíalos a todos, majadero! ¡Envíalos a todos al desierto! ¡A las montañas! ¡Que recorran toda la costa!

Pilatos vaciló y cambió una mirada con sus oficiales.

—Majestad —replicó—, dado que el almirante ha muerto, yo... he decidido volver con mis hombres a Roma.

Herodes tardó un momento en comprender.

—¿Qué has dicho?

—El emperador ha sacrificado ya suficientes hombres por esta locura. No quiero arriesgarme a perder ninguno más, ni a poner en peligro a su mago. Al menos hasta que presente un informe completo.

Herodes se levantó del trono hecho una furia.

—¿*Su* mago? —Bajó lentamente los peldaños, sonriendo de oreja a oreja—. Puedes decirle a Augusto que su mago no volverá a Roma.

Pilatos lo fulminó con la mirada. *¿Qué es esto?*

—Puedes decirle —añadió el rey— que su poder pertenece ahora a Judea. Como puedes ver, ya lo ha utilizado para devolverme la salud. ¿O crees que me he curado yo solo, milagrosamente?

Fue el mago quien se levantó entonces, saliendo de su trance y dándose cuenta de que la situación se había vuelto realmente muy delicada.

Pilatos estaba confuso. Lo mismo que los cortesanos de Herodes y consejeros, sus sacerdotes y mujeres. Todos cambiaron miradas a espaldas del monarca.

¿Está bromeando?

—Dile a Augusto —prosiguió Herodes— que ya no soy su títere.

—¿Te has vuelto loco? —exclamó Pilatos—. ¡Augusto es el amo del mundo! ¿Y qué eres tú, sino un asqueroso reyezuelo?

—¡Insolente! ¡Debería hacerte pedazos aquí mismo!

La sola sugerencia hizo que los lugartenientes de Pilatos desenvainaran las espadas, lo que a su vez indujo a los guardias de Herodes a desenvainar las suyas. Pilatos levantó la mano. *Calma...*

—¿Tienes idea de lo que hará el César contigo? —preguntó.

—¡Que lo intente! —replicó Herodes sonriendo—. ¡El mago me ha jurado lealtad! ¡Sus poderes son mis poderes!

Pilatos miró detrás de Herodes y buscó los negros ojos del mago. Quería saber si aquello era cierto.

El hombrecillo supo que tenía que tomar una decisión.

Sí, Augusto no lo valoraba. Sí, el mago quería obrar con independencia, utilizar sus poderes para resucitar una fe perdida. Pero también era el último de su especie. Y esto hacía que conservar la vida fuera lo más importante. Herodes le había parecido el catalizador perfecto para su transformación, un hombre poderoso al que podía dominar, utilizar y desechar. Pero había perdido el juicio. Declarar la guerra al imperio en un abrir y cerrar de ojos... No era la persona más indicada para militar en el propio bando. No hacía falta saber interpretar las hojas del té para entender cómo iba a terminar aquello. Ya rompería las hostilidades otro día.

Así pues, hizo un gesto con la cabeza al prefecto romano y éste comprendió.

—Anda —dijo Pilatos a Herodes, señalando el espejo de cuerpo entero—. Mírate. Mira lo que te ha hecho el mago.

El rey se echó a reír y se volvió para comprobar si el mago se divertía tanto como él. Pero en lugar de la sonrisita que esperaba se encontró con una expresión pétrea, y sintió que el estómago se le encogía de miedo.

—Muy bien —replicó al tiempo que se volvía de nuevo hacia Pilatos.

Se acercó al espejo, dispuesto a admirar una vez más las mejillas redondeadas y el cutis terso que había contemplado tantas veces aquellos dos gloriosos días. Pero al mirar ahora...

—No... —susurró.

La ilusión se había desvanecido. Su palidez enfermiza y sus ojos amarillentos estaban allí otra vez. Al igual que sus mejillas hundidas y las llagas que supuraban pus maloliente.

—¡No! ¡No puede ser!

—Tú no eres un rey —le espetó Pilatos, mirando por encima del hombro de Herodes—. Ni siquiera eres un hombre. No eres nada.

Al recordar lo sucedido después, los supervivientes convendrían en que aquél había sido el momento en que la mente del monarca se había trastornado para siempre. El momento en que se había dado cuenta de que todo aquello en lo que había creído era mentira. Que su vista lo había engañado por completo. Ya había tenido arranques de locura en otras ocasiones, hasta que la calma se había restaurado después de la tormenta. Pero esta vez no habría vuelta atrás para su locura.

Lanzó un alarido y le arrebató la espada a uno de sus guardias. Los hombres de Pilatos apartaron a su prefecto, convencidos de que Herodes iba a lanzarse sobre él. Pero el rey de Judea no estaba interesado en Pilatos. Atravesó corriendo la sala del trono, desmintiendo la debilidad de su cuerpo, levantando la espada en el aire, sin dejar de gritar: «¡Traidor!»

Subió corriendo los peldaños del trono y de un tajo le cortó al mago la cabeza, que bajó dando botes por los peldaños, seguida por el cuerpo. La sangre salía del cuello a borbotones, encharcando el suelo de piedra, y con ella se fue el secreto de las antiguas artes mágicas que había poseído el último mago que quedaba en el mundo.

Los gritos llenaron la sala del trono cuando Herodes siguió abatiendo la espada sobre todo el que se ponía en su camino, gritando:

—¡Muerte! ¡Muerte a todos!

Pilatos miró un momento al mago decapitado, dio media vuelta y se fue, seguido por sus lugartenientes. Allí ya no había nada que hacer. Habría matado a Herodes él mismo si hubiera tenido autoridad para ello. Ahora lo único que quedaba por hacer era volver a Roma y contarle al emperador lo que había pasado. Suplicar su perdón y que la ira de un dios vivo cayera sobre la cabeza del rey títere de Judea.

—¡Muerte! —gritaba Herodes, atacando a cortesanos y consejeros por igual—. ¡Muerte! —gritaba mientras segaba cabezas y extremidades de sacerdotes y mujeres, que no se atrevían a defenderse.

—¡Muerte a todos!

Y así continuó hasta que el último de sus súbditos hubo caído o huido, y Herodes se desplomó al lado del cadáver decapitado del mago, jadeando con esfuerzo, con los pulmones agotados y con los débiles músculos doloridos a causa de la tensión.

El Dios hebreo se había burlado de él. Herodes levantó los ojos al techo y gritó con toda la fuerza de su voz:

—¿Ésta es mi recompensa por defender a tus judíos? ¿Por construirles grandes ciudades? ¿Así es como me lo pagas?

El mago había muerto. Y con él la promesa de la vida eterna, la oportunidad de construir un imperio. Y la esperanza. Lo peor de todo, la esperanza, el vino de los débiles.

Todo había desaparecido. Y en el espacio de unos breves minutos, todo había acabado.

Allí estaba Herodes el Grande, arrodillado en el suelo de piedra al lado del decapitado mago, uniendo las manos para recoger la sangre que aún le brotaba del cuello... y llenándose la boca con ella.

Quizá... quizá si bebía suficiente... quizá podría estar otra vez lleno de salud y vigor.

Quizá pudiera vivir eternamente.

José estaba con su pequeño en la proa de un trirreme romano de diez metros de eslora, mientras María buscaba algo de comer en las repletas bodegas. Miró a la diminuta criatura que dormía pacíficamente en sus brazos, un niño sano, querido y a salvo. Aún no tenía dos semanas y ya había corrido más peligros de los que la mayoría de los hombres conoce en toda una vida.

La tormenta había amainado, dejando tras sí un mar liso y calmado, y un cielo con brillantes nubes rojas. El sol se sumergía ya en las aguas de poniente y se disponía a ocultarse tras el reino de Neptuno hasta el día siguiente. Era glorioso y pacífico, e increíblemente triste. Porque mientras José miraba al niño dormido, supo que éste lo abandonaría en el futuro.

Y será antes de que tu corazón pueda soportarlo, José.

Lo abandonaría para irse a conocer mundo, porque pertenecía al mundo. Su hermoso niño dormido.

Está bien que lo llame hijo, ¿no? Seguro que Dios me lo perdonará, porque no soporto pensar en él de otra manera.

José abrigaba la esperanza de llegar a enseñarle algo de lo que significaba ser hombre. Enseñarle la Torá y a convertir un trozo de madera en algo útil, con el ingenio y con las manos. Todo a su debido tiempo. En aquel momento no había nada más que una bendita paz. El mar no se había abierto para que lo cruzaran, como había ocurrido con sus antepasados, pero los había librado del mal igualmente.

No era el único que admiraba el atardecer. Baltasar gobernaba el navío, con una mano empuñaba el timón y con el otro brazo rodeaba a Sela, que apoyaba la cabeza suavemente en su hombro, mientras los dos contemplaban embelesados el poder y la belleza de la naturaleza. Embelesados por el momento y por los milagros que les habían permitido llegar hasta donde estaban.

La mente de Baltasar estaba empezando a poner orden en todo lo que había ocurrido los últimos días. Repasaba imágenes en bruto, imágenes de sangre y traición, de cadáveres que andaban y reyes que morían. Pero se detuvo al recordar un momento en particular: algo que el anciano de su sueño le había dicho cuando le preguntó cuánto tiempo tenía que quedarse con el niño:

Hasta que dejes que se vaya.

En aquel momento le pareció extraño. Baltasar había supuesto que el anciano se refería al hijo de José y María. Pero entonces lo comprendió: le estaba hablando de Abdi. Y cuando todo el peso del descubrimiento cayó sobre él, las lágrimas volvieron a anegar sus ojos.

—¿Baltasar? —preguntó Sela al verlas—. ¿Te encuentras bien?

Se volvió hacia ella y sonrió, admirando su belleza, que ni la suciedad ni la sangre seca habían conseguido menguar.

—Sí —respondió el hombre con sinceridad.

Delante no había nada más que el mar liso y calmado, reflejando el cielo entero en su brillante superficie. Baltasar no sabía cuándo verían tierra ni si esa tierra sería Egipto, o Judea, o la misma Roma. Ya nada podía sorprenderlo ni nada podría reducir su convicción de que, por muchas tormentas que los aguardaran, Dios, o como quisiera llamarlo, proveería.

19 de julio del año 64 d.C.

«Cuando en vuestra tierra saliereis a la guerra contra el enemigo que os atacare, tocaréis alarma con trompetas, y servirán de recuerdo ante Yavé, vuestro Dios, para que os salve de vuestros enemigos.»

Números 10, 9

R oma ardía.
En menos de dos horas, el fuego, declarado en una simple villa, se había propagado hasta reducir a cenizas el distrito más rico de la ciudad, donde vivían senadores, generales y familias acaudaladas que medraban a la sombra del emperador Nerón. Pero las casas eran tan claustrofóbicas como opulentas, y estaban apiñadas para aprovechar al máximo el precioso terreno, y aquella avaricia de los constructores fue la perdición del barrio. Soldados y ciudadanos por igual corrían de un lado a otro por las estrechas callejuelas, transportando cubos de agua entre las fuentes y los baños y el incendio. Los propietarios se apresuraban a sacar todos los objetos valiosos que podían antes de que la casa fuera pasto de las llamas. Muchos se quemaron vivos en el intento. Cuando todo pasó, más de un kilómetro cuadrado de Roma había quedado reducido a cenizas, y con él la mitad del palacio de Nerón.

Aunque sería recordado por todos como el loco que tocaba la lira mientras ardía su ciudad, Nerón no fue el responsable del incendio. Por el contrario, se sintió tan aterrorizado al ver la ciudad en llamas que había salido a la calle para transportar cubos de agua y había ofrecido dinero a los valientes que luchaban más cerca de las llamas.

Durante los meses que siguieron, mientras los indignados romanos exigían respuestas y acusaban al emperador de estar detrás del inicio del incendio, presumiblemente para tener más espacio para edificarse un palacio más grande, Nerón se las ingenió para echar la culpa a una pequeña y problemática secta de fanáticos que se hacían llamar «cristianos» y los quemó en hogueras, los crucificó y los echó a los leones para deleite de las masas. Pero todo esto sólo sirvió para convertir a aquellos cristianos en mártires a los ojos de muchos romanos, y para avivar el ritmo de las conversiones. En los siglos futuros, los estudiosos de las religiones se preguntarían si la diminuta secta habría sobrevivido si no hubiera sido por el Gran Incendio de Roma y las persecuciones que siguieron.

Algunos incluso lo llamaron «la chispa que incendió el mundo».

Pero el anciano no había abrigado tales ambiciones cuando inició el incendio. Él se había limitado a cumplir una promesa.

Observó la propagación del fuego desde un punto elevado, la cima de una colina que dominaba Roma, mientras el lejano resplandor de las llamas hacía que las arrugas de su rostro parecieran más profundas de lo que eran en realidad. Un camello sentado en el suelo, detrás de él, esperaba pacientemente. El anciano estaba demasiado lejos y demasiado sordo para oír los gritos de pánico, pero veía las llamas creciendo velozmente y a la gente corriendo de un lado para otro como avispas cuyo avispero hubiera caído del árbol. Y aquello despertó una débil sonrisa en su rostro.

Baltasar tenía casi noventa años. Había sido bendecido con cinco hermosos hijos y una vida larga y hermosa con su verdadero amor. No había habido más milagros en los sesenta y cuatro años posteriores a aquellas dos semanas... aquella época que Sela y él habían llegado a considerar como la gran aventura de sus vidas. En aquellos sesenta y cuatro años, la vida se había convertido en una gran aventura por sí sola, y su felicidad en un milagro.

Se habían construido una casa en la ciudad más grande del mundo, en el mismo corazón del imperio que una vez los había perseguido con todos sus recursos. Una ciudad llena de bolsas que robar y manos que leer, aunque se resistieron a aquellas viejas tentaciones y en su lugar se convirtieron en posaderos, con la norma de no dejar en la calle nunca jamás a parejas que estuvieran esperando un hijo, por muy llena que estuviera la posada. Habían visto emperadores romanos subir al poder y perderlo, a sus hijos crecer, y habían tenido hijos propios. *El anciano del sueño tenía razón,* pensaba Baltasar a menudo. Había llegado a ser más rico de lo que Herodes o Augusto podrían haber imaginado.

Y cuando le llegó el momento, Sela había encontrado el descanso eterno en paz. A diferencia de Herodes el Grande, que, mucho tiempo antes, había sucumbido a una lenta y dolorosa locura que lo había despojado de la poca dignidad que le quedaba, antes de que la muerte se apiadara de él.

Baltasar había llorado a su esposa con serenidad, con sus hijos y nietos al lado. Y cuando llegó la noche y todos se fueron a sus casas y lo dejaron con su dolor, el hombre anteriormente conocido como Fantasma de Antioquía se había vestido de negro y se había deslizado entre las sombras de la noche, invisible, fiel a su viejo apodo. Había cruzado la ciudad tirando de un pequeño carro, hasta una villa vacía situada en medio de las abarrotadas casas de los ricos. Había recogido toda la leña que había entre sus paredes y preparado una pira con ella: no en el patio de la casa, sino alrededor de la mesa de madera del comedor. Cuando terminó, sacó el cuerpo de Sela del carro, lo lavó y lo vistió con ropas blancas, como era la costumbre. Haciendo un tremendo esfuerzo, la colocó sobre la pira y derramó aceite de una lámpara en la base.

Antes de prenderle fuego, Baltasar había rezado una silenciosa plegaria por su alma, se había inclinado y la había besado en la frente. Luego había abierto la mano y dejado al descubierto algo brillante y dorado.

Un medallón.

El medallón que había llevado encima tanto tiempo. Lo puso suavemente en las manos de Sela, las manos frías y arrugadas de una mujer que, en un tiempo lejano, en una tierra dorada y eterna, había jurado que quemaría Roma hasta los cimientos.

Y allí estaba: ardiendo.

Baltasar miraba desde la cima de la colina con las mejillas arrasadas en lágrimas. A pesar de ser tan viejo, estaba lleno de vida y de salud, algo poco natural. Sela siempre decía que su salud era un regalo de Dios, que se lo había dado como recompensa por todo el sufrimiento que había soportado. Quizá lo fuera. O quizá sólo fuese suerte, aunque dudaba que la suerte existiera.

Lo único que sabía era que no había vuelto a ser el mismo después de aquellas dos semanas. Desde que había cogido al niño en brazos. Lo había poseído un sentimiento indescriptible que ya nunca lo abandonaría, una energía, algo parecido a la carga del aire después de la caída de un rayo.

Cuando sus hijos eran pequeños, Baltasar los llevaba de paseo por las calles porticadas de Roma, deteniéndose a escuchar a los músicos, o a acariciar los extraños animales que llegaban de más allá del Himalaya. De vez en cuando, incluso se deshacía de unas monedas a cambio de un puñado de dátiles de canela que compartía con ellos. Algunas tardes buscaban una sombra a orillas del Tíber. Y mientras sus hijos, el mayor de los cuales se llamaba Abdi, dormitaban, Baltasar se sentaba a ver a los pescadores hasta que él también se adormecía. A veces soñaba con aquellas dos semanas, con sus amigos fugitivos y con el viaje que había terminado en las costas de Egipto.

Baltasar no volvió a ver a José y María, pero los sintió en su alma durante los años siguientes. Cuando llegó la noticia del arresto y crucifixión de su hijo en Jerusalén, había llorado. No porque creyera en las enseñanzas del muchacho, que además no sabía en qué consistían, sino porque lo había tenido en brazos de niño, porque lo había sentido como parte suya. También lloró porque era padre e imaginó el dolor que José y María habrían sentido por su muerte.

Cuando, siendo joven, Baltasar había visto aquella extraña estrella desvanecerse en el cielo de Belén, había pensado: *Nada tan brillante dura mucho tiempo.* Supuso que del niño podía decirse lo mismo.

El destino no había sido tan amable con sus compinches. Después de escapar del campamento romano, Melchor y Gaspar habían viajado hasta los confines del imperio, sin quedarse mucho tiempo en ninguna parte, viviendo de pequeños delitos. Habían sido años duros y solitarios. A pesar de los esfuerzos del hijo de Herodes por echar tierra sobre aquel vergonzoso asunto, la noticia de la huida de Baltasar venciendo a dos ejércitos comenzó a extenderse, y el Fantasma de Antioquía, delincuente menor, pasó de ser una leyenda. Tampoco la noticia de la traición de Melchor y Gaspar tardó mucho en circular entre las bandas de malhechores. Fueran donde fuesen, los dos hombres se veían perseguidos por las autoridades y expulsados por los propios ladrones.

Al final, los habían atrapado donde todo empezó: en el Gran Templo de Jerusalén, tratando de robar el mismo incensario de oro que les había hecho conocer las mazmorras de Herodes treinta años antes. Esta vez, sin nadie que ideara una huida atrevida, Melchor y Gaspar habían recibido su castigo tal como estaba programado. Los habían crucificado y los habían dejado pudrirse al sol fuera de los muros de la ciudad.

Mientras estaban allí colgados, agonizando, habían hablado con el desconocido al que habían crucificado con ellos: uno que tenía clavado en lo alto de la cruz un rótulo que decía: *Rey de los Judíos*. Las lágrimas habían arrasado sus envejecidos rostros cuando se dieron cuenta de quién era el hombre y lo que significaba que fueran a morir a su lado. Después de todo, llevaban todos aquellos años esperando, casi deseando, ser castigados por su traición. Habían cargado con la culpa y sufrido sus consecuencias demasiado tiempo. Como era de esperar, el hijo del carpintero los perdonó a ambos antes de morir. Baltasar también los había perdonado. Llevaban muertos mucho tiempo.

Montó en el camello y miró unos momentos más la ciudad que ardía a sus pies.

—Para siempre —se dijo, y espoleó al animal, como había hecho antiguamente, alejándose de Roma y de sus cenizas. No volvería a verla nunca más.

Una cabra montés levantó del suelo del desierto la adormilada cabeza, atraída por el rumor de una carrera. Fue la única del rebaño que sintió aquel débil temblor, y mientras las demás dormían, ajenas a todo, ella miraba a la luz de la luna una diminuta nube de polvo que cruzaba su campo visual, levantada por un camello que iba al galope con un anciano montado encima. Tras observarlos unos momentos, la cabra bajó la cabeza y cerró los ojos, convencida de que no había peligro para ella ni para el rebaño. Después de todo, sólo eran dos. Y además, no iban en dirección a ellas...

Iban hacia la extraña estrella que brillaba en el este.

Agradecimientos

Me gustaría expresar mi afecto y mi más sincera gratitud a Ben Greenberg, un editor tan bueno como el que más, un caballero y un espíritu paciente. A Jamie Raab, a Elly Weisenberg Kelly y a mi familia de Grand Central. A mi familia de WME: las ratas de biblioteca Claudia Ballard y Alicia Gordon; a los cinematográficos Cliff Roberts, Jeff Gorin y Mike Simpson; a los telegénicos Richard Weitz y Dan Shear. También me gustaría dar las gracias a Ari Emanuel, porque nunca está de más dar las gracias a Ari Emanuel. A Gregg Gellman, ese dechado de virtudes y guardián del sagrado «no». A las Melissas (Kates y Fonzino), que luchan por la verdad, la justicia y la tinta en un mundo de creciente telebasura de tipo Kardashian y de espacios librescos en constante disminución. A mi amigo, socio y triturador de galletas David Katzenberg, y a mi adorable pequeña familia KatzSmith.

Y a mi familia de verdad, que tiene que compartir conmigo las largas noches y puertas cerradas que se necesitan para escribir libros, y lidiar con los gruñidos y el pánico cuando la cosa no sale..., y a nadie tanto como a Erin y Joshy. Mi amor y mi agradecimiento por vuestra paciencia.

Y por encima de todo, gracias a ti, querido lector.

Visite nuestra web en:

www.umbrieleditores.com